위대한 유산 아나톨리아

위대한 유산 아나톨리아

Legacy of Anatolia

계명대학교 실크로드 중앙아시아연구원

청아출판사

위대한 유산 아나톨리아

아나톨리아는 터키인들이 1천 년 이상 정착하며 일군 소중한 영토이다. 그들은 셀주크 튀르크 시대부터 오스만 제국과 터키 공화국을 거쳤다. 그러나 그들의 기나긴 이주 과정은 기원전 1천 년경부터 중앙아시아에서 비롯된다. 그때까지만 해도 그들의 주요 근거지는 알타이-사얀산맥의 동남부 미누신스크(Minusinsk) 지역이었다. 이곳 아시아 대륙의 동북부 초원 지대에서 기원전 2천 년경부터 활동해오면서 그들은 철과 말을 기본으로 하는 수준 높은 스텝 문화를 이룩하였다. 그리고 대거 중국의 서북부에 있는 칸수나 오르도스 초원 지대로 이동해 갔다. 이때부터 그들은 한족(漢族)들과 접촉과 교류를 해왔고, 오랜 세월 동안 중앙아시아와 만주 일대에서 이웃해서 함께 살기도 했다.

그 결과 이 일대에는 스텝 튀르크의 요소가 강한 새로운 양사오(Yangshao) 문화가 싹텄다. 이들이 바로 흉노족의 직접적인 조상이 되었고, 흉노와 고조선이 접촉하면서 한민족과 튀르크족 간의 교류와 접촉의 시대가 본격적으로 막을 열게 되었다. 그들은 흉노를 이어 돌궐과 위구르 시대로 이어진다. 하지만, 셀주크 시대부터는 튀르크족이 중앙아시아를 떠나 아나톨리아반도로 이주해 가면서 자연히 한민족과의 접촉도 멀어졌다.

튀르크족의 대이동이 이루어진 이후 9천 킬로미터나 떨어져 살던 이들 두 민족은 아시아의 동쪽 끝과 서쪽 끝에서 서로 다른 문화와 역사를 이어 갔다. 한민족과 튀르크족은 같은 알타이 문화를 공유하면서 언어적으로, 종족적으로 많은 유사성을 갖고 있다. 초기 튀르크족의 민족 이동은 기원전 1500년경을 전후해서 우랄어 및 인도-유럽어 계통의 언어 요소를 상당수 받아들였다. 그럼에도 한국어와는 근원적으로 놀랄만한 언어적 근친 구조가 존재한다. 그저 단순한 단어의 유사성에 그치지 않고, 문장 구성, 음운 구조, 언어적 사고 구조, 발성 등에서 많은 근친성을 보여 주고 있다.

그리고 그들은 1950년 한국전쟁을 계기로 다시 만났다. 터키가 유엔군의 일원으로 참전한 것이다. 중국 수나라의 침략을 막기 위해 고구려와 돌궐이 손을 잡고, 그 후 당나라를 대상으로 발해와 돌궐이 군사협정을 맺은 지 천 년 만에 한반도에서 다시 군사적 협력이 이루어진 셈이다. 그런 뜻에서 우리의 아나톨리아 연구는 결코 이상한 일이 아니다. 하지만, 독자들은 이 책을 펴는 순간 아나톨리아에 포함되어 있는 튀르크족의 역사는 지극히 일부에 지나지 않는다는 사실에 놀라게 될 것이다. 1만 2천 년 전 인류 최초의 문명 발상지와 기원 전후에 있었던 그리스-로마 문명과 기독교 문명의 흔적들이 이 땅에 중층(重層)을 이루고 있기 때문이다. 게다가 과학과 이성으로는 설명되지 않는 대자연의 신비로움마저 이 땅에 깃들여 있기 때문이다.

계명대학교 실크로드 중앙아시아연구원에서는 그동안 여러 차례의 현지 탐사를 거쳐,《위대한 유산 아나톨리아》를 자랑스런 마음으로 펴낸다. 실크로드 연구에 있어서 하나의 기념비적인 작품이 될 것이라 기대한다. 탐사단과 동행하여 대부분의 사진을 직접 찍어 제공한 계명대학교 홍보팀 박창모 선생님이 기여한 바가 적지 않다. 글쓰기는 김경미, 이인경, 배은숙, 홍순희 교수님들에 의해 이루어졌다. 이들의 글은 단순히 책상머리에서가 아니라 현장과의 치열한 만남에서 이루졌다는 점에서 더 큰 가치가 있다고 해야 할 것이다. 공동집필임에도 불구하고 이 책이 나름대로 뚜렷한 관점을 가지고 통일성을 이룰 수 있었던 것은 오로지 이희수 교수님 덕분이다. 본교의 특임교수로서, 이 교수님이 이 책의 편집 책임과 감수를 맡아주신 것은 우리에게 커다란 영광이자 행운이다. 인문탐사를 기획하고 연구원의 철학과 살림살이를 책임지고 있는 김중순 원장님의 수고도 빼놓을 수 없다.

이러한 연구와 출판이 가능하도록 물심양면으로 도움을 주신 이철우 경상북도지사님께 특별한 감사를 표한다. 실크로드에 대한 그의 지속적인 관심은 오로지 경상북도의 과거와 현재와 미래를 위해 글로벌 문명사의 시대정신을 꿰뚫고 있는 혜안 때문이라고 믿는다.

이 방대한 책이 이처럼 멋진 모습을 갖추게 된 것은 청아출판사의 도움이 컸다. 많은 사람들의 노력으로 출판된 이 책이 아나톨리아를 넘어 실크로드와 중앙아시아에 대한 연구와 관심을 불러일으키는 데 밑거름이 될 수 있다면 더할 나위 없이 기쁘겠다.

2021년 11월 15일

계명대학교 총장　신 일 희

Legacy of Anatolia

Anatolia is a historical territory which the Turks cultivated and inhabited more than 1,000 years. Ever since the age of the Seljuk Turks, and through the periods of the Ottoman Empire and the Republic of Turkey, the land belonged to them. But their long and major migrations started from one thousand years before the Common Era from Central Asia. Until that time, their stronghold was Minusinsk in the southeastern region of the Altai-Sayan Mountains. Here and also in the northeastern region of the grasslands they developed a high state of steppe civilization based on iron production and horse training from two thousand years before the Common Era. They established a peaceful relationship with the Han people and lived as their trading neighbors.

As a result, a new and strong Yangshao civilization heavily influenced by the steppe Turks blossomed. They became the direct ancestral origin of the Xiongnu people. Their cultural contact with Old Korea became a strong component in the development of a substantial relationship between Korean people and the Turks based on friendly exchanges. Extending their relationship with Xiongnu, they opened a new age of the Turks and Uyghur. However, their contact with the Korean people waned as the Turks left the central Asian region for the Anatolian lands.

After the migration of the Turks to a region farther than nine thousand kilometers away, the two peoples at the either end of the East and the West, developed their own culture and tradition. In the process, the early Turks were influenced by many elements of the Uralic and Indo-European cultural customs and language traits. In spite of that fact, the Turks and the Korean people came to share many affinities of the Altaic tradition. Cultural similarities can be seen in many customs, and language relations extend to areas of sentence formation, phonetic structure, vocal intonation, and thought process related to the language itself.

They met again when the Korean War broke out in 1950. Turkey came with the United Nations forces to repulse the North Korean invasion. It was the first time since Old Korea and Turkey joined forces to resist against the invasion by the Sui Dynasty and again later by Balhae and Turkey against the Tang Dynasty a thousand years ago. Although our studies on Anatolia are, thus, quite proper and important in view of the history, the reader of this volume may be surprised to find that the history of the Turks in Anatolia appears in a rather limited way. It is caused by the cultural state of Anatolia that embraces accumulated cultural layers: the origin of the human race more than ten thousand years ago and the current mixture of the Greco-Roman civilization with the Christian heritage. The former contains the mysterious aspects of the untainted great nature that is somewhat strange to the modern reader, whereas the latter appears in the form of comprehensible reason that is more approachable by the reader than the former.

ACADEMIA VIA SERICA of Keimyung University publishes *Legacy of Anatolia* after multiple studies and investigations in situ by many scholars. We expect it to be a monumental piece of work in the history of research on the Silk Roads. Mr. Park Chang Mo contributed to the book with his beautiful pictures taken at the sites. The articles by Professors Kim Kyong-Mi, Lee Inn Kyeong, Bae Eunsuk, and Hong Sunhi carry an even greater weight in that they were done through first-person encounters with the past at the actual sites rather than with books in their confined study rooms. My gratitude goes to Distinguished Professor Lee Hee Soo, whose supervision and coordination of the different perspectives of the authors established a coherent theme of research results. I owe a great debt of gratitude to Professor Kim Tschung-Sun, the director of ACADEMIA VIA SERICA, who spearheaded the process of the research and publication in its entirety.

I would like to express my profound sense of gratitude to Mr. Lee Cheol-woo, the Governor of Gyeonsangbuk-do, for his material and moral support for the research and publication of this project. I believe his continued interest in the Silk Roads comes from his deep understanding of the culture of Gyeongsangbuk-do in conjunction with the global history of human civilization.

The design of this voluminous tome is owed to Chung-A Publications. I hope this book made possible by many scholars and co-workers gives impetus to deeper interest and research in the Silk Roads and Central Asia beyond Anatolia.

November 15, 2021

Synn Ilhi, President of Keimyung University

Contents

인류의 오랜 기억과 깊은 삶을 품은 곳_이희수

아나톨리아는 '해가 뜨는 곳'이란 의미의 라틴어 '오리엔스(Oriens)'에서 유래한 오리엔트 지역으로, 시대에 따라 아나톨리아(Anatolia), 레반트(Levant), 소아시아(Asia Minor), 중동(Middle East) 등으로 다양하게 불렸다. 지금의 터키반도 대부분을 차지하는 아나톨리아는 인류의 삶이 빚은 문명이 최초로 발아되고 성숙해온 역사의 본향이자 중심이다.

아나톨리아반도는 긴 역사를 통해 생명과 풍요를 선사했고, 과거를 통해 현재를 있게 했으며, 모두가 함께 미래를 꿈꾸는 지혜의 산실이 되었다. 무엇보다 그곳에서 명멸한 문명은 '다른 생각, 다른 가치'를 온몸으로 안은 어머니의 품속처럼 다양한 삶, 신앙, 공동체, 제도, 과학기술 등이 실험되고 배태되었다. 동양과 서양이 만나고, 이슬람과 기독교가 공존하고, 지중해와 흑해가 보스포루스 해협을 통해 서로 섞여 문화를 받아들이고, 일구고, 세상과 소통하는 용광로이자 삶의 도서관이 바로 아나톨리아반도이다. 일찍이 영국의 역사학자 아널드 J. 토인비는 이곳을 "살아있는 인류문명의 옥외 박물관"이라고 했다. 아울러 어느 무명 시인은 깊고도 잔잔한 울림으로 아나톨리아를 노래했다.

"아나톨리아"
누군가는 '그'를 위해 역사를 썼고, 누군가는 '그'를 위한 역사가 되었다.
'그'는 명멸한 수많은 문명의 목격자가 되었으며, 거룩한 신탁의 수호자가 되었다.

'그'는 수많은 통치자에게 이상이 되었으며, 수많은 문명의 요람이 되었다.
'그'는 찾아오는 이들에게는 보금자리가 되었고, 지나가는 이들에게는 다리가
되었다.
새로 태어난 이들에게는 어머니가 되었고, 세상을 떠난 이들에게는 안식처가
되었다.
'그'는 음유시인들의 소리가 되었으며, 성자들의 언어가 되었다.
말하는 이들의 혀가 되었으며, 보는 이들의 눈이 되었다.
고전의 소리는 모두의 시간이 되었으며, 이 모두가 색색의 '아나톨리아'가 되
었다.
…

Göbekli Tepe

인류가 아나톨리아에 최초로 흔적을 남긴 것은 1만 2천 년 전이었다. 지구 곳
곳에서는 '문명'이라는 단계보다 수렵·채취 생활을 하며 '생존'의 '일상'에 몰입
하고 있을 때였다. 반도의 동쪽 끝자락 샨르우르파 언덕에 찬연한 꽃을 피웠던
괴벡클리 테페(Göbekli Tepe) 유적에는 20개가 넘는 신전 건축이 새롭게 드러나며 지
금껏 우리가 인류의 과거에 대해 품어왔던 단견과 편견을 여지없이 무너뜨렸다.
우선 무게가 10~30톤에 이르는 거대 돌기둥에 새겨진 정교하고 살아 움직일 듯
역동적인 동물들의 조각과 알 수 없는 우주적 메시지에 놀란다. 이 유적은 인류
최초의 것으로 알려진 이스라엘의 예리코나 아나톨리아 중부 지방의 차탈휘위

크보다 3천 년이나 앞선다. 영국의 스톤헨지나 4대 고대문명이 꽃피운 시기보다 무려 7천 년 전에 체계화된 도시 문명을 이루고, 구조화된 신앙과 사회체제를 갖추었다. 이는 도시 문명이 대규모 인력 동원이 가능한 농경·정착 시대의 산물이라는 기존 이론을 깨뜨리고, 수렵·채취 시대에도 대규모 도시 공동체가 존재했다는 새로운 가설을 정립시켜 주었다.

Çatalhöyük

괴벡클리 테페를 이어 기원전 7500년경에는 아나톨리아 동남부에 차탈휘위크라는 또 다른 도시 문명이 발아했다. 한때 8,000명 정도가 거주했던 가로세로 2~4m, 높이 3m 정도의 건축이 즐비한 고도로 세련된 도시 문명이었다. 가장 높은 언덕에서는 시대를 달리하는 25개의 집터가 드러났다. 집집마다 북쪽 공간에 뿔 달린 황소 머리를 걸고 흙벽을 채색했으며, 종교적 의례 행위도 확인되었다. 붉은색 벽화의 표현기법이나 색감, 자연에 대한 인식, 공동체 간의 협업과 활동 내용 등이 감동적으로 묘사되어 있다.

차탈휘위크를 발굴하고 연구한 이안 호들러 교수에 따르면, 놀랍게도 이 도시는 평등사회였다고 한다. 고대 사회에서 흔히 나타나는 카리스마를 가진 공동체의 리더나 위계질서, 계층 분화가 거의 보이지 않고, 만장일치의 협의체였을 거라고 판단했다. 욕망을 줄임으로써 소박한 삶에 만족하며, 유한한 자원을 후세의 것으로 여기는 차탈휘위크의 생태 철학은 양극화 속에서 소외와 박탈, 가난이 심화하는 오늘날 우리가 배워야 할 교훈으로 전혀 가볍지 않다.

집 안의 의례 공간에는 시신을 바깥에서 처리한 후 유골을 안치했다. 조상의 영혼과 지혜를 이어가려는 신앙 공동체 성격을 띤다. 그들에게 조상은 육신의 소멸로 사라진 것이 아니라 기억 속에 살아있는 역사였다. 그들의 경륜과 지혜를 집 안에 보존하면서 교훈과 가르침을 얻고자 했으며, 대대로 이어가게 하는 진정한 역사 공간이었다. 죽은 조상을 살아있는 식구로 여기며, 매 끼니를 차려놓고 대화를 나누며, 종족 공동체의 선택을 자문하던 아프리카 전통 사회의 '살아있는 사자(死者, Living Dead)'* 개념을 연상케 한다.

* '살아 있는 사자'란, 음부티라는 할아버지가 살아있을 때 태어난 응고르하는 아이가 음부티의 사랑을 받

차탈휘위크 유적은 기원전 7500년경~기원전 5천 년경까지 나타난다. 그리고 기원전 3500년경 티그리스강과 유프라테스강이 만나는 남쪽 지점에서 수메르 문명이 최초의 고대 문명을 꽃피운다. 우리가 알고 있는 소위 4대 문명의 태동이다.

그러면 차탈휘위크 말기에서 수메르 문명 태동까지 약 1500년의 공백을 메꿔 줄 역사적 연결고리는 어떻게 설명할 수 있을까?

이를 설명해 줄 연결고리 문명은 현재 아나톨리아반도 곳곳에서 활발히 진행되고 있는 고고학 발굴이 해결해 줄 것이다. 아직 분명한 이론 단계에 이르지는 못했지만, 차탈휘위크 남쪽의 본주쿠루(Boncuklu)을 비롯해 퀼테페(Kultepe), 아슬란테페(Aslantepe), 아슥크르휘위크(Aashiklihoyuk), 구시르(Gusir) 등지에서 유물이 대량으로 출토되면서 감춰졌던 이야기들을 쏟아내기 시작했다. 메소포타미아의 선행 문명들이 티그리스강-유프라테스강 상류의 아나톨리아반도에서 6천 년 전에 문명실험을 하고 있었던 셈이다.

Mount Ararat

인류문명의 요람인 아나톨리아반도는 유대교·기독교·이슬람교의 성서 속에서 맥을 같이 하고 있다. 일찍이 성서고고학 분야에서 많은 실마리를 던져주었듯이 성경 창세기에 노아의 방주가 걸렸다는 5,137m의 중동 최고봉 아라랏산이 아나톨리아 평원 동쪽에 우뚝 서 있다. 아라랏은 터키와 아르메니아 접경지대의 주민들에게 오래전부터 신화와 영성의 대상이었고, 아나톨리아 최대의 담수호인 반 호수 주변은 인류의 첫 조상이 새 삶을 시작한 에덴의 동산으로 여기고 있다. 아브라함이 나서 활동하던 하란, 사도 바울의 활동무대도 이곳에 있다. 성모 마리아가 마지막까지 거처로 삼았던 셀주크 지방의 마리아하우스가 지금도 많은 순례객의 안식처가 되고 있으며, '마리아를 임종 때까지 모시고 섬겼다(요한 19, 26~27)'는 사도 요한의 유적지들도 함께 있다. 기독교가 단단히 뿌리를 내리고, 의

고 그의 기억 속에 있다면, 비록 음부티가 죽은 후에도 응고르가 살아 그를 기억하는 한 음부티는 공동체의 기억 속에 남아 살아있는 사람과 똑같이 일상을 나누며, 공동체의 일도 상의하면서 그의 지혜와 경륜을 이어가는 개념이다. 응고르가 죽고 그 마을에 음부티를 기억하는 사람이 한 사람도 남아 있지 않을 때 비로소 음부티는 '자마니'. 즉 과거의 시간, 망각의 세계로 돌아가는 것이다.

례적 전통을 확립하는 과정의 산실이었던 초대 7대 교회와 니케아, 에페소스, 칼케돈 등 초기 공의회 장소들도 자리를 잡고 있다. 남부 안탈리아 해변을 따라가다 보면 고대 리키아 왕국(기원전 1250~546)이 있던 '미라'라는 자그만 마을에서 산타클로스로 더 잘 알려진 세인트 니콜라스 주교(270~343)를 만날 수 있다. 사회적 약자를 돌보는 사회선교로 평생을 바친 그의 은혜는 이곳에 세워진 기념 교회와 유적들을 통해 아름다운 향기를 흩날리고 있다.

거룩한 영성은 지중해와 콘스탄티노플에서 출발하여 아나톨리아 북쪽 흑해 트라브존의 쉬멜라 수도원까지 전해져 수많은 사람에게 위안과 희망이 되었다. 쉬멜라 수도원은 4세기 기독교 공인 초기에 건립되어 13세기 트레비존드(Kingdom of Trebizond, 1204~1461) 시기에 가장 번성하였고, 지금은 성스러운 순례지로 세계에 알려져 있다.

Sumela Monastery

동쪽으로 전해진 복음은 아르메니아 사도 교회의 성장으로 이어졌다. 현재 카르스의 중세 아르메니아 교회의 금자탑인 아니(Ani) 대성당을 중심으로 화려한 꽃을 피웠다. 당시 아니는 인구 10만 명의 번성한 국제도시로 교역을 통해 문화적 융성을 꾀했던 아르메니아 기독교 왕국의 수도였다. 도시 곳곳에 수많은 교회가 들어서면서 '1,001 교회의 도시'로 알려졌다. 지금까지 확인된 기독교 유적지만 교회 50여 개, 동굴 교회 33개, 채플 20개에 달한다.

Ani Kathedrali

아나톨리아의 품속에는 그리스와 로마의 진귀한 사연들과 보물들이 숨겨져 있다. 서쪽 끝 트로이에서 북쪽 끝 아마존 왕국과 트레비존드 왕국에 이르기까지 그리스·로마 신화의 찬란한 무대가 되지 않은 곳이 없다. 트로이는 어린 시절 호메로스의 불멸의 대서사시《일리아드》와《오디세이아》를 읽었던 하인리히 슐리만이 역사적 사실로 확인하여 신화에서 역사의 무대로 되돌아왔다. 트로이를 둘러싼 가슴 설레는 수많은 이야기와 이를 작품으로 완성한 호메로스는 모두 아나톨리아가 만든 소중한 씨앗이다.

Troy

트로이가 그리스에게 패배한 후 아나톨리아 동북쪽에서는 히타이트에 의해 새로운 역사의 기운이 샘솟았다. 히타이트는 철기문화를 열며 새로운 시대로 이

끌어 대제국을 이룩했다. 하투샤를 수도로 삼고 남하하면서 메소포타미아 전역을 차지하였고, 급기야 이집트와 쟁패하였다. 결국 두 문명과 두 제국은 기원전 1254년 지금의 레바논-시리아 지역인 카데시에서 대전을 펼치며 끝 모를 파괴 대신 평화를 택하면서 두 문명 모두에게 승리를 안겼다. 이스탄불 고고학 박물관에 전시된 카데시 평화조약을 보면 아나톨리아 문명이 만들어 낸 상생과 공존의 메시지에 숙연해진다.

하지만 이집트 람세스 2세와의 전쟁으로 쇠퇴한 히타이트는 결국 기원전 1200년경 프리기아에 주도권을 내주고 만다. 트로이라는 강한 주군 밑에서 숨죽여 살던 프리기아는 트로이가 멸망하면서 새로운 기운으로 무장하고 약해진 히타이트를 꺾고 아나톨리아 문명의 새로운 승자가 되었다. '임금님 귀는 당나귀 귀', '벌거벗은 임금님', '미다스 왕' 등의 신화로 더욱 친숙한 프리기아는 신화를 통해서도 부강함과 풍성함을 엿볼 수 있다.

Homeros

그러나 기원전 6세기경 그리스 본토가 강성해지면서 이오니아로 불리던 아나톨리아의 서쪽 지역은 그리스의 통치를 받게 되었다. 1만 년 가까운 시간의 축적이 피워낸 문명의 보고 아나톨리아는 이때부터 그리스와 로마 문명의 성숙과 개화에 단단한 자양분이 되었음은 두말할 나위 없다. 《일리아드》와 《오디세이아》를 집필한 그리스 문학의 최고봉 호메로스, '만물의 근원은 물'이라고 설파하던 철학자 탈레스, 역사학의 아버지 헤로도토스, 지리학의 태두 아낙시메네스, 키니코스 학파 디오게네스, 희극시인 디필로스, 지리학자 스트라본 등은 아나톨리아의 아들이며, 의학의 아버지 히포크라테스, 철학자 아리스토텔레스 등도 아나톨리아에서 공부하며 인류사에 이바지한 장본인들이다.

기원전 6세기 아나톨리아에는 리디아 왕국이 그리스 문화와 오리엔트 문명이 접목되면서 인류 최초로 금화와 동전을 주조하는 수준 높은 문명국가로 성장하고 있었다. 그러나 페르시아 제국이 무서운 기세로 쳐들어오자 아나톨리아는 또 다른 변화를 경험하게 된다. 페르시아의 수도인 수사와 리디아의 수도인 사르디스 사이에 2,100km에 달하는 '왕의 길'이 개통되면서 페르시아, 중앙아시아, 인도, 중국 등의 낯선 문명과 새로운 기술들이 전해져 더욱 번성했다. 이로써 아나톨리아는 풍성한 산물, 기술 혁신과 인재의 산실로서 페르시아를 이어 로마와 비잔틴 제국, 셀주크 튀르크와 오스만 제국이 발아되고 성장하는 바탕이 되었다.

대표적인 그리스·로마 유산으로는 에페소스와 페르가몬, 밀레투스와 콤마게네 왕국 등을 들 수 있다. 아나톨리아의 그리스·로마 문화를 잘 보여 주는 도시는 서남부 지중해변에 위용을 자랑하는 에페소스다. 에페소스는 기원전 600년경 리디아의 크로이소스 왕에 이어 페르시아의 지배를 받다가 기원전 334년에는 마케도니아의 알렉산드로스 대왕의 통치를 받았다. 기원전 336년 세계 7대 불가사의 중의 하나인 아르테미스 신전을 복원한 것도 알렉산드로스 대왕이다.

Celsus library

에페소스는 기원전 129년 로마의 속주로 편입되어 로마 제국의 아시아 수도가 되면서 인구 25만 명 규모의 로마에 버금가는 도시로 성장했다. 지금 남아 있는 유적 대부분이 그 시기의 것이다. 좌우로 펼쳐진 도시의 규모나 장엄한 건축물, 신상들의 수준만 보아도 이곳이 아시아 최대의 도시였음을 한눈에 알 수 있다. 대리석 신전과 도서관, 소극장과 대극장, 아고라와 스타디움, 거주지와 창고, 목욕탕과 화장실, 분수와 정원 등이 어제 일처럼 잘 보존되어 있다. 바다와 내륙에 끼인 에페소스는 기원전 600년경부터 아나톨리아반도와 지중해를 연결하는 무역으로 크게 번성했으며, 활발한 국제 교역과 외환 거래를 돕기 위해 상업 은행이 설립되었다고 한다. 아마 이것이 현대식 은행의 효시였으리라.

초기 기독교 역사에서도 에페소스를 빼고 갈 수 없다. 사도 바울이 열정적으로 선교하기 위해 헌신한 지역이자, 고린도전서(3:6)의 표현대로 '바울이 심고, 아볼로가 물을 주고, 하나님이 자라게 하셨다'는 곳이다. 그래서 초대 7대 교회 중 하나가 이곳에 설립되었으며, 431년에는 예수의 완전한 신성을 부정하고, 마리아를 테오토코스(Theotokos), 즉 성모(聖母)로 보지 않고 '예수의 어머니'로 보았던 네스토리우스파를 이단으로 단죄하고, 삼위일체 사상을 정통 교의로 확인하는 에페소스 공의회가 열린 곳이다.

에페소스에서 북쪽으로 1시간 거리에 헬레니즘 시대의 도시 페르가몬이 있다. 오리엔트 최대의 도서관뿐 아니라 그리스 식민 시대의 종합병원 아스클레피온이

위대한 유산 아나톨리아

있는 도시다. 성경에 '버가모'로 나오는 초대 7대 교회가 있던 성소이기도 하다.

Pergamon

기원전 2세기 페르가몬 왕국은 그리스, 아테나, 이집트 등에 버금갈 정도로 번성했으며, 헬레니즘 문화를 집대성해 엄청난 규모의 사원과 신전을 건설하는 등 예술과 학문의 중심지가 되었다. 이집트 알렉산드리아 도서관과 경쟁하면서 오리엔트와 그리스 학문을 집대성한 페르가몬 도서관은 양피지에 기록된 20만 권의 장서가 자랑거리였다. 양피지를 일컫는 팔쉬먼트(parchment)라는 말도 페르가몬(pergamon)에서 유래되었다.

Pergamon

페르가몬이 빛나는 또 다른 이유는 히포크라테스가 의술을 익히면서 환자를 돌보던 그리스 시대의 종합병원 아스클레피온이 잘 남아 있기 때문이다. 이곳은 당시 그리스 에피다우로스에 있던 아스클레피온에 버금가는 의료와 의학의 중심지였다. 의학의 신인 아스클레피오스는 뱀에게 온몸이 칭칭 감긴 형상이다. 뱀이 허물을 벗고 환생하듯, 고통과 질병의 굴레를 던져버리고 새로운 삶을 얻으리라는 신화적 상징이 담겨 있다. 고대는 물론 지금도 유럽이나 이란, 중앙아시아 문화권에서는 약국 표시를 몸을 칭칭 감고 있는 뱀 모양으로 한다. 북쪽 귀퉁이에는 환자들과 의사들을 위한 로마 시대 극장이 남아 있다. 병원의 부속 건물로 환자 스스로 희극과 비극의 주인공이 되어 자아를 찾게 하는 심리요법을 통해 병을 치료하는 고대인의 지혜가 신선하다.

아스클레피온 병원이 유명해진 것은 이 병원이 배출한 의사 갈레노스 덕분이다. 페르가몬 출신인 그는 알렉산드리아, 그리스 등 소아시아 곳곳에서 폭넓은 의학 공부를 한 뒤 귀향하여, 이곳에서 500권에 달하는 의학 서적을 저술하며 환자들을 돌보았다.

Miletus theater-in-the-round

아나톨리아 남쪽 지중해변에는 기원전 6세기에 번성했던 밀레투스라는 고대 그리스 식민도시가 있다. 이오니아 지방 최대의 그리스 도시였으며, 로마 작가 플리니우스(23~79)에 의하면 90개 이상의 식민지를 거느린 대도시였다. 그러나 페르시아 제국의 통치를 받다가, 기원전 499년 밀레투스 소왕 아리스타고라스(Aristagoras)의 지휘로 다리우스 대왕에 맞서 반란(이오니아 반란)을 일으켰으나 잔혹하게 진압되어 약화하였다. 밀레투스는 기원전 334년 알렉산드로스 대왕의 동방

원정으로 그의 통치를 경험했다. 기원전 6세기에 성립된 그리스 최초의 철학 학파가 이곳에서 창시되었고, 그리스 전역으로 확산하였다. 철학의 아버지로 일컬어지는 탈레스를 태두로 밀레투스 학파는 아낙시만드로스와 아낙시메네스로 이어져 그리스 철학의 기초가 되었을 뿐만 아니라 자연을 바탕으로 만물의 근원을 설명하려 했다. 일종의 자연철학의 시작이었다.

Hierothesion

기원전·후에는 콤마게네 왕국(기원전 163~서기 72)이 아나톨리아반도 내륙의 요충지를 중심으로 번성하였다. 아르메니아-파르티아-시리아-로마를 잇는 문명의 로터리에서 아나톨리아 문명을 종합한 왕국이다. 콤마게네에서는 이란 문명의 뿌리에 그리스 문화가 이합하고, 언어와 종교, 예술에서는 아나톨리아가 축적된 다양성이 발현되었다. 현재 남아 있는 콤마게네 왕국의 대표적인 유적은 안티오코스 1세가 그의 부친 미트리다테스 1세를 위해 조성한 히에로테시온(Hierothesion)으로 알려진 왕릉이다. 험준한 넴루트산 정상(2,134m)에 축조된 이 왕릉은 동쪽에 9m 높이의 제단을 마련해 놓았다. 머리 높이만 2m가 넘는 거대한 5개의 석상은 그리스 신들과 페르시아 신들이 제멋대로 혼합되어 있고, 헬레니즘 양식으로 조각되어 있다. 콤마게네의 마지막 왕 안티오코스 4세(Antiochus IV, 38~72 재위)가 72년 자신의 왕국을 로마에 헌납함으로써 이란-그리스계 국가는 로마로 스며들어 갔다.

Hevsel Gardens&Sur

아나톨리아 동쪽 끝자락에서도 로마의 화려한 건축 유산을 만날 수 있다. 2015년 헤브셀 정원(Hevsel Gardens)과 함께 세계문화유산에 등재된 디야르바키르의 수르(Sur) 성채다. 네 개의 문을 통해 진입할 수 있는 천혜의 요새는 4세기 중엽 로마의 황제 콘스탄티누스 2세 때 축조되었다. 티그리스 강변이 눈 앞에 펼쳐진 이 요새는 내·외성 이중 구조로 견고함과 규모가 중국의 만리장성 다음이라 한다. 성채 벽면과 기둥들에는 시대를 달리하는 비문들이 다양한 문자로 새겨져 있어 후리인, 메데스인, 아르메니아인, 로마인, 사산조 페르시아인, 동로마인, 쿠르드 마르완인, 아유브인, 오스만 튀르크인 등 수천 년간 그 땅에서 산 사람들의 숨소리가 고스란히 녹아 있는 듯하다. 지금은 터키 영토지만, 그 땅의 주인은 쿠르드인이었고, 그들의 상징적 수도이다. 바로 앞에는 헤브셀 정원이 펼쳐지는데 티그리스강에서 물길을 끌어다 만든 분수는 가히 환상적이라 하겠다. 절실한 삶의 터전이자 노동의 고단함을 달래주고, 희망찬 미래를 담보하는 신성한 공간이다. 그들에게 이곳은 이 지역에서 오랫동안 전해져 내려오는 에덴의 정원에 비유되기도 한다.

Ayasofya

로마 제국은 콘스탄티누스 1세 때 콘스탄티노플이 새로운 수도로 정해진 후 395년 테오도시우스 1세(Theodosius I, 379~395) 사후에 둘로 나뉘었다. 이제 아나톨리아는 비잔틴 제국*이라고도 불리는 동로마 제국의 영토가 되었다. 동로마 제국은 유스티니아누스 1세(527~565) 때 유스티니아누스 법전을 정비하고, 불멸의 건축이자 동방 기독교 정교(그리스 정교)의 총본산인 성 소피아 성당을 짓는 등 번성기를 누렸다. 그러다가 7세기 중엽부터 새롭게 일어난 이슬람 세력의 확산과 셀주크 튀르크의 침입, 내부 반란 등으로 혼란을 겪다가 1453년 오스만 튀르크의 콘스탄티노플 정복으로 700년 역사를 마감했다.

아나톨리아반도가 튀르크인들과 본격적으로 인연을 맺기 시작한 것은 11세기였다. 1071년 아나톨리아 동부의 반 호수 근처에서 벌어진 만지케르트(터키어로는 말라즈키르트) 전투에서 비잔틴 제국을 물리치고 아나톨리아 전역을 정복하면서부터다. 이로써 중앙아시아에서 이슬람화된 셀주크 튀르크는 아나톨리아라는 문명의 용광로에 중앙아시아의 유목 정신과 이슬람이라는 새로운 기운을 불어넣었다. 튀르크 민족은 이러한 단단한 문명의 자양분을 토대로 이후 1천 년간 세상의 중심에 설 수 있었다.

튀르크인은 누구인가? 동쪽의 만주에서 서쪽의 카스피해 북부까지 북위 40~50도 사이의 초원지대를 제패하면서 흉노, 훈, 돌궐, 위구르, 카라한, 가즈니,

---

* '비잔틴', '비잔틴 제국'이라는 용어는 1453년 동로마 제국이 멸망한 후 유럽 역사학자들이 로마 제국과 구분하기 위해 사용했다. 독일의 역사학자 히에로니무스 울프(Hieronymus Wolf)가 1557년《비잔틴 역사(Corpus Historiæ Byzantinæ)》에서 최초로 사용하였으며, 보편화된 것은 19세기 중엽부터였다. 동로마 제국의 주민들도 19세기까지 로마인의 후예를 자처하면서 로마이오이(Romaioi)로 자신들을 불렀다. 동로마 제국과 접경하며 역사를 공유한 러시아와 이슬람 세계도 동로마 제국이 로마 제국을 계승한 것으로 보았다.

셀주크, 오스만 등 2500여 년의 역사를 통해 100여 개가 넘는 왕국과 제국을 건설했던 민족이 아니던가. 그들이 유라시아 대륙 1만km를 가로질러 아나톨리아 반도에 정착한 11세기부터 아나톨리아는 튀르크인과 이슬람 시대로 접어들게 되었다.

종족과 문화의 다양성을 바탕으로 실크로드의 젖줄을 지배하고 경영해 왔던 이슬람 제국 셀주크 왕조는 종교에서도 관용과 기층 중심의 독특한 신앙체계를 받아들였다. 바로 이슬람 수피즘이다. 특정 민족(아랍인), 특정 언어(아랍어), 특정 지역(아라비아반도), 특정 계층(지식 엘리트 집단)에 몰입해 있던 이슬람을 민중의 종교로 확산시키고, 신을 만나는 폭넓은 채널을 허용했다. 이로써 아나톨리아반도는 이슬람의 땅이 되었고, 메블라나 잘랄레딘 루미(Mevlana Jelaluddin Rumi, 1207~1273)라는 13세기 셀주크 왕조 최고의 관용과 화해의 민중 철학자를 배출해냈다.

Mevlana Jelaluddin Rumi

오라, 누구든 오라

길 잃은 자든

우상을 숭배하는 자든

불을 숭배하는 자든

오라, 누구든 오라

우리는 절망의 카라반이 되어서는 안 된다

비록 일천 번 맹세를 어긴 자도

오라, 또 오라

루미와 함께 이 시기에 짓눌린 민중에게 치유와 위로의 이야기를 선물해 준 이로 나자레딘 호자(Nasrettin Hoja, 1208~1285)로 알려진 성직자가 등장한다. 그의 재치와 해학, 풍자는 터키와 중앙아시아에 널리 퍼졌으며, 오늘날 전 세계 언어로 번역되어 읽히는 고전이 되었다.

Nasreddin Hodja in Bukhara

셀주크 튀르크는 몽골의 성장과 함께 약화하고, 아나톨리아에는 또 다른 튀르크 민족인 오스만 부족이 대제국을 건설한다. 600년 역사의 오스만 제국

(1299~1923)은 아프리카, 아시아, 유럽, 중동을 아우르고, 지중해, 흑해, 홍해, 카스피해, 걸프해, 인도양을 내해로 삼으며 세상의 바다를 품었다. 술레이만 1세(1520~1566 재위) 시대에는 정교한 법전이 정비되고, 밀레트(millet)로 알려진 소수민족 집단에서 고유한 종교적 자치와 민족 문화의 향유가 허용되었다. 세상의 중심인 이스탄불은 정치와 경제는 물론, 문화와 기술이 교류되고 전달되는 최고의 용광로가 되었다. 날마다 벌어지는 오스만 궁중의 화려한 밤 문화에는 오스만 제국이 통치하던 예멘 모카에서 공급된 아라비카 커피 향이 넘쳐났다. 사교와 지식 담론의 아이콘이 된 터키 커피는 유럽 외교관들에 의해 런던, 파리, 비엔나, 베네치아 등에 전해지면서 17세기 말부터 유럽의 카페 문화로 꽃을 피우게 되었다.

Topkapı Palace

그러나 오스만 제국의 경직된 관료제, 정복을 멈춘 군인들의 정치 개입, 승리의 환상에 젖은 매너리즘 등은 대항해시대와 자본주의, 과학기술, 시민혁명 등으로 새로운 세상에 다가선 유럽의 변화에 동참하지 못하며 조금씩 침몰했다. 결국 제1차 세계대전 중에 영국, 프랑스 등 연합국에 맞서 독일, 오스트리아 등과 추축국이 되어 패전함으로써 600년 대제국은 산산조각이 나고 아나톨리아반도만 오늘의 터키 땅으로 남게 되었다.

오늘날 터키인들은 2천 년간 이동하며 만주 벌판에서부터 유럽 심장부까지 통치했음에도 통치한 지역들을 영토사 관점에서 보려 하기보다는 튀르크 민족사를 자랑스럽게 여기며 역사적 정체성을 만들어가고 있다. 그들은 아시아에 뿌리를 두면서도 유럽으로 나가는 진취적 기상을 지녔다. 그들 자신도 '아시아의 정신에 유럽의 옷을 걸친' 이중성으로 정체성을 표현하고 있다. 너와 나의 것이 섞이고, 관용과 화해가 만들어 낸 아나톨리아 정신이다.

인류는 다시 아나톨리아에 열망하고 있다. 문화적 다름을 이해함으로써 불필요한 오해와 편견을 줄이고, 종교적 공유 의식을 통해 공감 인식을 넓혀가는 21세기 지구촌은 1만 2천 년의 화해와 공존, 다름을 받아들여 끊임없이 새로운 창조를 이룩해 온 아나톨리아의 정신에서 인류의 희망과 미래를 보려 한다.

제1장

숙연한
고대문명의
베일을
벗기다

김경미

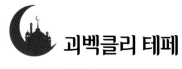

괴벡클리 테페
1만 2천 년 전 인류 최초의 신전 유적지

괴벡클리 테페의 위치와 발굴 역사

20세기 들어 터키 남부 지역에서 하즈라르(Hacilar), 차이외뉴(Çayönü), 차탈휘위크(Çatalhöyük) 등의 신석기 유적지가 연이어 발굴되자 19세기까지 '신석기 시대의 요람'은 비옥한 초승달 지역사진 1의 동쪽과 서쪽 날개에 있다고 한 고고학자들의 이목이 토로스(Taurus)산맥의 구릉 지대와 티그리스 상류 지역에 집중되었다. 20세기 후반에는 터키-시리아 국경지대인 유프라테스에 댐들이 건설되면서 발굴이 확대되었다. 특히 1985~1991년 우르파(Urfa) 인근에 아타튀르크 댐이 건설되면서 발굴된 네발르 초리(Nevalı Çori)는 괴벡클리 테페(Göbekli Tepe)사진 2 발굴에 결정적인 역할을 했다. 기원전 8천 년 무렵의 것으로 추정되는 네발르 초리의 신전 건물에서는 괴벡클리 테페의 'T'자 형 기둥과 똑같은 것을 비롯하여 다수의 석재 조각이 발견되어 세상을 깜짝 놀라게 했다.*

괴벡클리 테페는 오늘날 터키 남동부의 시리아 국경 부근 샨르우르파(Şanlıurfa)

---

* 당시 발굴 책임자는 독일 하이델베르크(Heidelberg) 대학의 하랄트 하우프트만(Harald Hauptmann) 교수였고, 그의 제자이자 동료 학자인 클라우스 슈미트(Klaus Schmidt) 박사가 그를 도왔다.

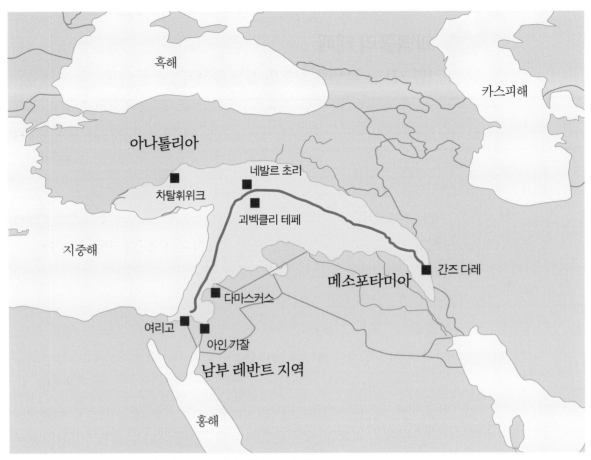

〈사진 1〉 기원전 7500년경 신석기 시대의 주요 유적지인 비옥한 초승달 지대

에서 북동쪽으로 12km 정도 떨어진 해발 760m의 하란고원 정상부에 자리하고 있다. 샨르우르파는 구약성경에 등장하는 아브라함의 고향으로 알려져 있다. 터키어로 '배불뚝이 언덕'을 뜻하는 괴벡클리 테페는 멀리서 보면 약 15m의 나지막한 언덕처럼 보인다. 당시 농부들이 발견한 T자 형 기둥들의 상판은 1963년 이스탄불 대학과 시카고 대학 연구팀에 의해 비잔틴 비석으로 학계에 알려졌다.

하지만 슈미트 박사는 이것이 선사시대의 것임을 한눈에 알아보고 시카고 대학 연구원들이 설명한 위치를 재조사하기로 결정했다. 1995년부터 시작된 발굴은 2014년 슈미트 박사가 갑자기 심장마비로 작고할 때까지 20년간 이어졌다. 슈미트 박사의 노고로 언덕 밑에 묻혀있던 거대한 원형 건물들과 T자 형 기둥들은 거의 1만 년 만에 햇빛을 보게 되었다. 괴벡클리 테페는 인류 역사상 가장 중대한 전환기 중 하나인 수렵·채집 생활에서 농업공동체로 전환되던 시기에 건설된 기념비적 유적으로, 종전까지 알고 있는 선사시대에 대한 정보를 대폭 수정하게 했다. 이제 학자들은 비옥한 초승달 지역에서도 신석기 혁명이 전파된 문명의 핵심지가 존재했다고 믿게 되었으며, 그 중심이 괴벡클리 테페임을 인정했다. 괴벡클리 테페는 2018년 유네스코 세계유산으로 등록되었으며, 현재 독일 연구재단의 지원으로 독일고고학연구소(DAI)가 중심이 되어 연구가 진행되고 있다.

괴벡클리 테페의 구조와 시기 구분

괴벡클리 테페는 서로 다른 시대에 조성된 세 개의 층으로 이루어져 있다. 맨위 고원부에는 T자 형 기둥을 만들었던 채석장과 작업장, 그리고 로마 시대 군사유적들이 있다. 지하 1층은 오랜 농경으로 황폐해진 지층이며, 지하 2층은 중기 신석기(기원전 8천 년) 층으로 지하 3층의 원형 건물로 가기 위한 직사각형 방들이 조성되어 있다. 가장 오래된 초기 신석기 층인 지하 3층에는 원형 혹은 타원형 건물들[사진 3]이 산재해 있다.[*]

이곳에서는 발굴된 거석은 기원전 9500년경의 것으로, 이집트 피라미드보다 7천 년, 스톤헨지보다 6500년, 수메르(Sumer)의 우룩(Uruk)보다 5500년이나 앞선다. 부지는 토기가 없는 신석기 초기에 속하지만, 현재까지 가축이나 재배된 곡식의 흔적이 발견되지 않아 최초의 건물은 수렵·채취기 사냥꾼들에 의해 건축되었으며, 이후 신석기 시대에 증축된 것으로 보인다. 첨단 장비로 조사한 결과 언덕 아래에는 총 20개 정도의 건물과 200개 이상의 돌기둥이 존재하며, 현재까지

---

[*] 티그리스와 유프라테스 상류 메소포타미아 지역의 신석기 시대(기원전 9600~7000)는 일반적으로 초기 신석기(기원전 9600~8700), 중기 신석기(기원전 8700~7000), 후기 신석기(기원전 7000~6000) 등 다양한 연대와 문화적 단계로 나뉜다.(Clare 외 2019, 527)

〈사진 2〉 항공사진으로 찍은 원형건물 A, B, C, D동과 직사각형 구조물

〈사진 3〉 C동

발굴된 원형 건물은 4개 정도이다. 발굴부지 중앙에는 지름 10~30m의 원형 건물들이 포진해 있고, 건물 가장자리에 해당하는 비탈면과 둔덕 정상에는 수많은 직사각형 건물들이 들어서 있다. 전통적으로 원형은 인류의 가장 오래된 공간 형태로서 신성한 공간을 상징하고, 사각 형태는 좌식문화가 시작되면서 나타난다고 가정되어 왔다.*

원형 건물보다 상대적으로 덜 주목받은 직사각형 건물들은 기원전 9천 년경 조성된 것으로 신석기 시대 전반기부터 이 지역에서 채택되었을 가능성을 염두에 두고 원형에서 직사각형으로 전환된 시기를 연구 중이다. 전문가들은 완전히 발굴되기까지는 약 50년 정도가 소요될 것으로 예상한다. 금속 도구가 없었던 수렵·채취 시대에 괴베클리 테페가 어떻게 조성될 수 있었는지 여전히 미스터리다.

하란 고원 정상부에 거대한 단지를 이루고 있는 독특한 건물들은 놀라울 정도로 혁신적이고 창의적 면모를 지녔다. 웅덩이처럼 패인 원형 건물 중앙에는 거대한 T자 형 석회암 기둥 두 개가 판석에 고정되어 마주 보고 있고, 그보다 작은 기둥들은 크고 작은 돌로 쌓아 올린 방벽을 지탱하며 큰 기둥을 호위하듯 원형으로 둘러 서 있다. 인근 채석장에서 가져온 이 기둥들의 높이는 2~3m에서부터 5.5m까지 다양하며, 무게는 최대 10톤으로 원석은 수십 톤에 이를 것으로 추정한다. 슈미트 박사팀은 T자 형 기둥 하나를 옮기는 데 최소한 500명 이상이 동원되었을 것으로 추정했다.

T자 형 기둥에는 온갖 동물, 조류, 파충류가 부조와 양각 등 다양한 방식으로 표현되어 있고, 건물 내부에는 인간과 동물 형상이 뒤섞인 토템 기둥과 돌 조각들이 있다. 원형 건물은 함몰된 원형 공간 내에 당시로는 혁신적인 공법과 건축술로 기능적이고 미학적으로 기둥을 배치하여 일찍부터 '건축물'로 인정받았다. 그런 의미에서 괴베클리 테페를 호모 사피엔스가 정착지를 세운 인류세의 출발

---

* 농경생활이 시작된 신석기 시대에 조성된 영국의 스톤헨지(Stonehenge)와 독일의 쇠네벡(Schönebeck), 푀멜테(Pömmelte) 성소는 원형이다. 원형은 죽음과 삶, 자연의 순환에 대한 신석기 시대 사람들의 의식을 반영한다. 스톤헨지는 무덤, 쇠네벡은 인신공양 흔적이 남아 있는 천문관측소로 알려졌고, 푀멜테는 인신공양을 포함한 대규모 컬트가 이루어진 성소이자 무덤이다. 세 군데 모두 하지에 해가 뜨고 지는 방향을 열어두었다는 공통점이 있다.

지로 보고, 인간 스스로 인간과 자연을 분리하여, 우월하다고 개념화한 최초의 예시라는 주장이 설득력 있게 다가온다.

괴벡클리 테페의 용도: 무덤인가, 신전인가

초기 발굴 과정에서 슈미트 박사를 비롯한 학자들은 원형 건물 내에 매장과 주거 흔적이 없고, 인근에도 대규모 매장지와 집단 주거지가 없다는 이유로 이곳을 제의를 행한 신전으로 추정했다. 무엇보다 원형 건물과 기둥 배치는 종교적 신념 혹은 어떤 원칙에 따라 정교하게 이루어졌기 때문에 특별한 목적을 지닌 공간이라고 추정했다.

이러한 가정에 고고학계는 몹시 당혹스러워했다. 신전 건축의 필요성을 가진 사회조직은 그 자체로 이미 위계질서의 출현을 증명하기 때문이다. 괴벡클리 테페의 출현으로 도시가 발생한 후 사원이 건립된다는 일반적인 정설은 깨졌다. 게다가 수렵·채집 시대에도 체계적인 대규모 공동체가 존재할 수 있다는 새로운 가설이 나오게 되었다. 하지만 일부에서는 수렵·채집 시기에서 농업공동체로 전환되던 시기에 삶과 종교가 얼마나 엄격하게 구분되는지 회의적인 입장도 존재한다.

슈미트는 발굴부지 가장자리에 위치한 정사각형과 직사각형 방들 역시 신전 공간으로 식별했다. 그는 점차 시간이 지나면서 사회의 광범위한 변화로 신전과 제의의 규모도 대폭 축소되었을 것으로 추정했다. 하지만 종교적 사상은 쉽게 변하지 않기 때문에 거대한 원형 성역 주변에 그룹화된 사각형 방들이 소규모로 건설되었을 것으로 생각했다. 사각형 방들에 대해서는 향후 발굴조사로 자세한 정보를 알 수 있을 것이다.

슈미트 박사의 뒤를 이은 리 클레어(Lee Clare) 박사는 괴벡클리 테페에 처음부터 상주하는 인구가 어느 정도 있었으며, 공동체가 존재했을 것이라고 확신했다. 그는 부지 내에서 많은 동물 뼈가 나오고, 건물 내에도 동물 뼈가 남아 있다는 것은 동물희생제의 결과라기보다는 제의와 함께 이루어진 잔치로 퇴적된 쓰레기가 침하한 것으로 보았다.

괴벡클리 테페에는 아직 발굴되지 않은 부지가 넓어 향후 대규모 주거지가 발굴될 가능성이 존재한다. 하지만 발굴이 이어질수록 계절적 이동을 보여 주는 가젤과 멸종된 야생 소의 뼈가 대규모로 발견되어 계절적 제의가 주기적으로 이루어졌을 가능성이 제기되고 있다. 2018년 터키 동부 흑해 지역에서 발견된 타힌 테페(Tahin Tepe)는 기원전 1만 2천 년부터 기원전 7천 년 사이에 조성된 것으로 알려지는데, 학자들은 수렵·채집인들이 1년 중 특정 시기에 모여 사냥하고, 지식을 공유하고, 동물상을 만들어 숭배한 신성한 장소로 추정한다. 따라서 수렵·채집인들 그룹에 의해 계절적 제의 문화가 보편적으로 수용되었을 가능성도 생각해 볼 수 있다.

슈미트 박사는 무덤이 발견되지 않았음에도 원형 신전은 죽은 자들을 숭배하기 위한 장소였으며, 신전 바닥 혹은 작은 돌로 쌓은 방벽들 사이에 사자(死者)가 묻혔을 것으로 추정했다. 그의 주장을 뒷받침해 줄 단서로 지금까지 발굴된 원형 신전 중 가장 큰 신전 D동 벽의 석회암 기둥에 독수리가 육탈한 사람의 두개골을 암시하는 공을 들고 있고, 그 아래에 머리 없는 인간의 이미지가 거론되었다. 지금까지 완전한 매장은 아니지만, 건물과 인근에서 총 691개의 사람 뼛조각이 발견되어 슈미트 박사의 가정이 설득력을 얻는다. 결정적으로 2017년 사람의 두개골 세 개가 발굴되어 과학저널에 보고된 것은 두개골 숭배 컬트가 괴벡클리 테페에 수용되었을 가능성을 뒷받침해 준다.

두개골은 조상 혹은 참수된 적의 것으로 추정되며, 날카로운 석기로 깊은 선들이 조각되었다. 그중 하나는 두 개의 구멍을 뚫어 줄을 달아 매달 수 있게 되어 있다. 죽음과 관련된 두개골 숭배의식은 공동체의 집단적 정체성 구축에 기여한 것으로 추측하는데, 죽은 자의 힘이 살아있다고 생각하고 두개골을 매달았을 것이다. 조상 숭배를 목적으로 한 메소포타미아, 특히 남부 레반트(Levant) 지역의 전통으로 잘 알려진 두개골 분리는 괴벡클리 테페 이후 약 2천 년 후 차탈휘위크에서도 나타난다.

최근 원형 신전 내 복잡한 석조 구조물들에 섞여 눈여겨보지 않았던 작은 원형 구멍이 뚫린 석조물은 신전이 죽음과 관련된 공간이었을 가능성을 높여 준다. 이 석조물은 죽은 자의 영혼이 빠져나가는, 즉 선사시대 고인돌이나 무덤 앞에 뚫어 놓은 '영혼 구멍[슈미트 박사가 독일어 '젤렌로흐(Seelenloch)'라고 명명함]'으로 해석하기도 한다. 샨르우르파 박물관에 전시된 부적으로 추정되는 작은 뼛조각에 새겨진 두 개의 T자 형 기둥 사이에 서 있는 인물을, T자 형 기둥 사이에 서 있는 인물이 영혼 구멍석을 앞에 두고 세 개의 별을 바라보고 있는 장면으로 해석한 것도 흥미롭다. 고대인에게 중대사였던 천문 관측은 신전 의식이 죽음을 넘어 우주 세계로 확장함을 의미한다.

최근 괴벡클리 테페에 대한 연구는 원형 신전 내 중앙 기둥에 암호처럼 새겨진 태양, 달을 닮은 표식, 'H'자 등 각종 상형문자 해독, 그리고 원형 신전의 방위와 별자리 같은 우주적 현상과의 관계를 추적하거나 원형 건물 배열의 기하학적 측면 등으로 확장되고 있다.

T자 형 기둥의 동물 도상

괴벡클리 테페에 대한 최대 관심사는 이 거대한 단지가 어떤 의식을 치르는 신전인지 밝히는 것이다. 궁금증을 풀어줄 열쇠는 신전 내부에 세워진 T자 형 기둥들이다. 신전에는 인간과 동물 형상이 뒤섞여 있는 토템 기둥 사진 4을 제외하면 대부분 동물이 새겨지거나 양각으로 장식된 T자 형 기둥만 있다.

가장 인상적인 것은 D동의 중앙 기둥이다. 이 기둥 사진 5은 포옹하는 모습으로 인간의 두 손을 의인화했는데 네발르 초리에서도 이와 비슷한 것이 발견되었다. 이 기둥 주변을 에워싸고 있는 T자 형 기둥에는 사자, 멧돼지, 여우, 가젤, 뱀, 독수리, 전갈 등 다양한 포식류와 맹독류가 조각되어 있으며, 특히 거대한 벨트를 차고 있어 마치 제왕처럼 카리스마가 넘친다. 벨트에는 H자 모양의 기호와 의미를 알 수 없는 표식들도 보인다. 슈미트 박사는 이것을 선사시대 조상 숭배 전통에 근거해 조상을 상징한다고 추측했다. 이것은 신성한 제스처를 취하는 제사장일 수도 있고, 초기 인류의 원시적 신을 상징할 수도 있다. 무엇을 나타내든 숭배의 대상인 것은 분명하다. 이 기둥을 받치는 판석에는 다섯 마리의 오리가 문양처럼 가로로 양각되어 있다. 오리는 유라시아와 아시아 문화권에서 죽은 자를 천

〈사진 4〉 2층에서 출토된 토템 기둥, 샨르우르파고고학박물관

〈사진 5〉 D동의 중앙 기둥(18번)과 부분

상으로 안내하는 매개자 역할을 하는 동물이라는 점에서 이 기둥이 궁극적으로 조상 숭배와 애도를 나타내고 있음을 알 수 있다. 오늘날 고고학은 과학적 탐구에 치중하다 보니 도상 분석 같은 분야는 상대적으로 미진하다. 슈미트 박사의 연구성과는 후속 발굴이 이어져 과학적 연구로 수정·보완되었으며, 괴벡클리 테페를 이해하는 데 중요한 길잡이가 되었다. 특히 신전 기둥의 동물도상 연구는 괴벡클리 테페를 전체적으로 파악하는 데 도움이 될 것이다.

원형 신전 내 중앙 기둥을 호위하고 있는 T자 형 기둥에 새겨진 동물 중 가장 많이 등장하는 것은 독수리와 뱀이다. 각각 하늘과 땅을 대표하는 동물로 자연스

〈사진 6〉 참수된 인체가 묘사된 T자 형 기둥(43번), D동

〈사진 7〉 T자 형 기둥(56번), H동

〈사진 8〉 T자 형 기둥(27번), C동

〈사진 9〉 T자 형 기둥(27번) 부분, C동

럽게 태양과 대지를 상징한다. 뱀은 여러 건물에 다양하게 그려졌고, 인근 네발르 초리에서도 빈번하게 등장하는 모티프다. 뱀을 통해 대지와 풍요를 상징하는 메소포타미아와 크레타 그리고 고대 페르시아 지역의 문화적 유사성에 대한 기원을 확인할 수 있다.

독수리가 등장하는 가장 유명한 기둥은 D동의 43번^{사진 6}이다. 거대한 핸드백처럼 보이는 울타리 아래로 독수리와 다른 조류도 보인다. 그 아래에는 거대한 전갈과 새 등이, 뒤쪽 우측 아래 모서리에는 신전 내 T자 형 기둥에 그려진 유일한 인간으로 추정되는 이미지가 머리가 없는 상태로 등장한다. 이 이미지를 머리가 잘린 남자로 식별한 슈미트 박사의 해석을 수용한 학자들은 남부 레반트 지역과 중동의 매장 관행인 두개골 분리가 아나톨리아 지역에 오래전부터 폭넓게 수용되었을 것으로 추정한다. 중앙의 독수리 날개에 얹힌 공을 절단된 두개골로 해석하여 독수리에 의한 육탈과 조장 가능성도 제기되고 있다.

43번 기둥이 가장 서사적인 부조라면, 언덕 북서편 H동의 56번 기둥^{사진 7}은 원형 신전의 동물 배열이 다분히 의도적이라는 것을 보여 준다. 기둥 표면은 마모가 많이 되었지만 확실하게 식별되는 동물 51마리가 기둥 표면을 패턴처럼 뒤덮고 있는데, 새가 23개체, 뱀이 21개체, 네 발 달린 동물이 7개체로 확인되었다. 특이하게도 중앙의 큰 독수리와 뱀 한 마리만 우측을 향하고, 나머지는 전부 좌측을 향하고 있다. 추가발굴로 확인할 수 있는 동물 도상 연구를 통해 당시 사람들의 영적 세계관을 보다 더 구체적으로 이해할 수 것이다.

죽은 조상 중 특별한 존재는 오랫동안 기념하기 위하여 거석으로 표식하고, 동물들이 에워싸 호위했다는 해석으로 보면 원형 신전은 외적으로 웅장하고, 내적으로도 숭고하고 장엄한 분위기를 자아낸다. 그런 의미에서 단연 눈에 띄는 것은 C동의 27번 기둥^{사진 8}에 새겨진 정체불명의 동물이다. 기둥에는 맹수 한 마리가 이빨을 드러내며 내려오는 모습^{사진 9}을 양각하여 포식자의 모습을 강렬하게 표현했다. 그 아래에는 작은 새끼 동물 한 마리가 가는 선묘로 존재감 없이 궁지에 몰려 있다. 포식자의 모습은 경북 달성군 현풍면에 있는 도동서원(道東書院) 중정당(中正堂)의 기단부를 장식하고 있는 세호(細虎)와 매우 닮았다. 막돌을 쌓아 올린 기단부 양쪽에 각각 세호 한 마리를 꽃문양과 나란히 양각하여 장식했는데, 한 마리는 위에서 내려가고, 한 마리는 아래에서 올라오는 모습이다. 'ㄱ'자로 휘어진 꼬리는 신기할 정도로 비슷하다. 괴벡클리 테페의 T자 형 기둥에 새겨진 정체불명의 석수는 이곳이 신전이라는 점을 고려하면 프랑스의 무아삭 수도원(Moissac Abbey) 벽면을 기어 다니는 그로테스크한 동물들을 떠올리게 한다.

지역 센터로서의 괴벡클리 테페

최초의 농업공동체가 생겨난 괴벡클리 테페의 T자 형 기둥 양식은 주변 지역으로 확산되었다. 괴벡클리 테페보다 약 1천 년 후 건설된 네발르 초리는 괴벡클리 테페의 건축과 예술을 충실히 전수하였다. 지금의 밀과 가장 가까운 품종이 최초로 재배된 곳으로 알려진 네발르 초리의 신전은 원형이 아니라 정사각형 구조로 더 발전된 양식으로 지어졌지만, 중앙에 두 개의 기둥을 세우고 작은 기둥들이 에워싸는 배치는 같다. 무엇보다 T자 형 기둥이 세워진 공간은 주거 공간과 구분된 성소라는 점에서 괴벡클리 테페의 원형 건물들이 신전 공간이라는 가능성을 높여 준다. 또 중앙 기둥에 새겨진 장식과 동물 묘사도 괴벡클리 테페와 매우 비슷하여 눈길을 끈다. 다만, 동물이 압도적으로 많은 괴벡클리 테페와 달리 네발르 초리에서는 대부분 소형이지만 인간 형상이 압도적으로 많다. 아울러 신석기 혁명은 수렵·채집을 중단하고 길들이고 재배하는 삶의 변화임과 동시에 인간이 동식물에 우위를 점하는 새로운 시대임을 네발르 초리의 출토 유물에서 확인할 수 있다.

괴벡클리 테페의 초기 사회조직이 다른 지역으로 확산했을 가능성은 크다. 괴벡클리 테페의 영향력은 인근으로 확산된 T자 형 기둥의 분포가 증명한다. T자 형 기둥을 가진 지역들은 네트워크를 구축하여 괴벡클리 테페의 컬트에 참여하며, 잔치를 벌이고, 정보도 공유했을 것이다. 현재 학자들은 사냥꾼들의 잔치에 없어서는 안 될 발효된 알코올음료 증거를 확인하고 연구 중이다.

여러 지역에서 많은 사람이 모이면 교역도 이루어진다. 괴벡클리 테페에서 발견된 130여 개의 흑요석 중에는 500km 떨어진 중부 카파도키아산과 250km 떨어진 동부 반(Van) 호수 근처의 것으로 추정되는 것도 있다. 이 사실은 단순 협력에서 더 나아가 상당히 넓게 확장된 무역 가능성을 시사한다. 이것은 슈미트 박사가 앞서 예고했던 국제도시의 가능성을 재확인해 준다. 괴벡클리 테페는 지역 센터로서 신석기 농업공동체의 구심점 역할을 했을 것이다. 최초의 재배 작물과 가축들이 등장했던 괴벡클리 테페 주변 지역은 농업혁명의 최전선에 있었다. 새로운 작물의 대규모 재배와 가축 사육에 대한 정보 공유와 연대는 초기 신석기 농업공동체가 혁명으로 나아가는 전제조건이었다. 괴벡클리 테페는 아나톨리아가 어떻게 농업혁명을 확산시켰는지 말해 주고 있다.

수렵·채집 생활에서 농부로 전환하던 시기의 초기 건축자들은 새롭게 도래한 시대에 필요한 덜 평등하고 계층화된 사회의 새로운 질서를 이러한 단지 조성으로 구체화하려고 했다. 괴벡클리 테페는 대규모 컬트가 벌어진 종교와 신석기 문화와 예술, 그리고 교역의 중심지로서 농업혁명의 구심점 역할을 했을 뿐 아니라 인근 지역으로 영향력을 전파했다.

괴벡클리 테페는 기원전 8천 년경 의도적으로 흙더미에 묻혔다. 독일의 퓌멜테 성소처럼 사용자들이 스스로 폐쇄한 것이다. 선사시대 사람들이 오랫동안 사용했던 부지를 폐쇄하는 방식은 또 다른 논의 거리다. 주거지가 아니라 성역이었기 때문에 폐쇄하는 방식 역시 그들의 고유한 신념에 따랐을 것이다. 단일 성역이었던 퓌멜테와 달리 수십 개의 건물이 들어선 단지가 동시에 폐쇄되었는지는 추후 밝혀지겠지만, 신화적 생물의 상징적 매장을 암시하는 원형 신전은 일정 기간이 지나면 정기적으로 고분화되었다고 보는 입장이 있다.

그렇다면 신석기 시대 종교와 문화, 예술의 중심지이자 농업혁명의 구심점 역할을 했던 괴벡클리 테페가 수명을 다 한 이유는 무엇일까. 슈미트 박사가 예상했듯이 농부의 고단한 삶과 대규모 노동력을 필요로 하는 농업혁명의 확산은 두 개골 숭배와 대규모 컬트가 이루어졌던 구시대적 연대의 해체로 이어졌으며, 자연스럽게 새로운 시대에 맞는 사회구조로 바뀌었다. 향후 이 지역에서는 최초로 재배된 작물들이 등장하며, 괴벡클리 테페의 주인들은 새 세계를 탄생시켜 전 세계로 농업기술을 전파하는 주역이 되었다.

차탈휘위크
1만 년 전 인류가 실험한 공동체의 삶*

차탈휘위크의 위치와 발굴 역사

터키 남부 콘야(Konya)에서 남동쪽으로 45km 떨어진 곳에 있는 차탈휘위크(Çatalhöyük)^{사진 10}는 신석기 시대 유적으로 아나톨리아 콘야 평원 위에 20m 높이로 솟아오른 두 개의 언덕으로 이루어져 있다. 터키어로 '휘위크(höyük)'는 '구릉, 언덕'을 지칭한다. 차탈휘위크의 면적은 3만여 평 정도로 북쪽에 강을 끼고 있다. 두 언덕 중 높은 동쪽 언덕에는 기원전 7400~6200년의 거주지가 18개 층을 이루며 남아 있다. 서쪽의 작은 언덕은 이보다 좀 더 늦은 기원전 6200~5200년 신석기 시대에서 청동기 시대로 넘어가는 과도기의 흔적들이 보인다. 대략 3,500~8,000명 정도 살았던 것으로 추정되는 이 정착촌은 수렵·채집 생활에서 농경 생활로 변화하는 모습을 보여 준다는 점에서 의미가 있다. 또 독특한 주거방식과 매장문화를 거의 2천 년 동안 유지해 왔다는 점, 그리고 풍부한 예술적 면모가 주목할 만하다. 차탈휘위크는 신석기 주거지의 원형을 그대로 보존하고 있는 매우 드문 예

* 차탈휘위크에 대해서는 필자의 다음 논문 내용을 발췌·보완하여 수록함. 김경미, 〈신석기 시대 거주지 차탈휘위크의 삶과 예술〉,《동서인문학》, 제58집, 계명대학교 인문과학연구소, 2020: 145~178.

〈사진 10〉차탈휘위크 동쪽 마운드(ⓒ계명대학교)

〈사진 11〉차탈휘위크 모형 집 내부(ⓒ계명대학교)

라는 점에서 2012년 유네스코 세계유산으로 지정되었다.

1958년 영국의 고고학자 제임스 멜라트(James Mellaart)에 의해 처음 발견된 차탈휘위크는 비옥한 초승달 지대 가장자리에 있다. 발견 당시부터 많은 관심을 일으켰으며, 1993년부터는 이안 호더(Ian Hodder)가 발굴을 진행하여 2006년까지 약 80개의 건물을 발견했다. 현재 동쪽 마운드만 일반인에게 개방되어 있고, 입구에 마련된 모형 집을 통해 집 내부와 벽화 및 부조장식 등을 확인할 수 있다.

차탈휘위크의 특징: 길 없는 평등 도시

차탈휘위크 발굴로 확인된 가장 놀라운 사실은 이 정착촌에는 거리 혹은 보행로가 없다는 것이다. 모든 집은 다닥다닥 붙어 있고, 사람들은 지붕의 구멍을 통해 사다리[사진 11]를 타고 집안을 오르내렸다. 옥상에는 불을 피우는 화로나 요리용 화덕의 흔적이 있으며, 옥상은 이동로이자 그룹 활동에 활용되었을 것으로 여겨진다. 주택의 크기는 거의 비슷하고, 내부는 정사각형의 큰 방과 창고가 하나 딸린 구조이다. 건물 사이의 쓰레기 퇴적층에는 사람과 동물의 배설물이 뒤섞여 있지만, 건물 내부는 청결하다. 야생동물과 가축 등 육류 및 다양한 곡물을 섭취하여 영양 상태도 양호한 것으로 나타나 상당히 안정적인 공동체였음이 밝혀졌다.[*]

길이 없는 차탈휘위크의 18겹 주거 형태의 비밀은 신석기 시대 환경적 요인에서 기인한다. 근처 차르삼바(Çarsamba)강의 계절적 범람으로 차탈휘위크 사람들은 홍수를 피해 언덕 위에 정착해야만 했다. 농사는 현장에서 최대 12km 떨어진 물이 잘 빠지는 산기슭에서만 이루어졌을 것으로 추측한다. 정착촌 내에서 다수 출토된 흑요석은 차탈휘위크의 중요한 수입원이었으며, 고도로 가공된 비즈 역시

---

[*] 차탈휘위크 주민들의 위생상태와 건강상태도 학자들의 관심거리였는데, 매장지에서 배설물과 골반 토양을 분석하여 장내 기생충 감염을 조사한 결과 거주 인구의 일부가 촌충에 감염되었다는 사실을 밝혀내기도 했다. 그런데 동일 식습관을 가진 사이프러스와 스페인의 다른 지역보다 이곳의 기생충 종이 더 적다는 사실이 주목할 만하다. 또한 좁은 공간에서 인구과밀화의 스트레스가 가져다 준 것으로 보이는 골골막염 등이 보고되고 있다.

경제원이었다.

차탈휘위크는 현세적 풍요를 유지하기 위해 연대와 평등사회 구현에 주력했다. 불리한 환경조건은 보행로를 포기해야 하는 주거의 불편함을 주었지만, 공생이 강조되어 연대가 주는 안정감을 제공했다. 주민들 스스로 공생을 위해 기꺼이 불편함을 감수하고 연대하며 공동체의 안정과 번영에 동참했다. 현재까지 발굴 결과로 볼 때 중심 역할을 한 대형 공공건물이나 정치적·종교적 기능을 한 건물이나 인물들이 존재했다는 흔적은 발견되지 않았다. 또 부지 내에 매장된 인골의 남녀 성비가 비슷하고, 그 방식에 차별이 없다는 점을 들어 학자들은 매우 평등한 사회였을 것으로 추정한다.

차탈휘위크 사람들은 다양한 방법으로 불편을 해소했는데 그중 하나가 클레이볼(clay ball)이었다. 야구공 크기의 클레이볼은 가열하면 온도를 유지하는 특성이 있는데, 각 가정에서는 이를 이용하여 실내에서 불을 피우지 않고 물과 음식을 데우거나 난방 등에 사용했을 것으로 추정한다. 또 화폐 대용으로도 사용했을 클레이볼은 신석기 시대 최고의 발명품이자 인기 아이템이었을 것이다.

차탈휘위크의 매장문화

차탈휘위크에서 가장 충격적인 것은 바로 살던 집 바닥, 벽 등 건물 공간 내에 선대의 사체를 쌓는 매장문화사진 12이다. 집은 평균적으로 1년에 한 번 회반죽 칠을 하고, 약 80년 동안 사용한 후 신속하게 해체된다. 좁은 촌락 부지 내에서 주거와 매장을 동시에 해결해야 했던 궁여지책으로 여겨진다. 매장 층은 18겹에 이르지만, 매장 사례는 집마다 다르다. 전혀 없는 집도 있고, 두세 구에서 최대 60구에 이르는 집도 있어 매우 다양하다. 약 400개 이상의 매장지를 발굴한 결과 성인은 북쪽 플랫폼 아래, 신생아나 유아는 남쪽 구석의 난로 구역 등 나이에 따라 매장 장소가 달랐다.

어찌 되었든 그들은 강한 결속력으로 연결된 사회 구성원들이 죽으면 정착촌 밖에 묻지 않고 천장을 제외한 모든 면에 매장하여 기꺼이 동거했다. 현재 차탈

플랫폼

매장 구덩이

〈사진 12〉 132번 방, 동쪽 마운드(상)와 안내판 이미지(하)(ⓒ계명대학교)

〈사진 13〉 독수리 조장을 암시하는 모형 집 벽화(ⓒ계명대학교)

휘위크 동쪽 마운드 남편과 북편 두 군데가 개방되어 있는데 안내판에는 가장 큰 132번 방 왼쪽 구덩이에서 새끼손가락에 뼈로 만든 반지를 낀 남성이 발견되었다고 적혀 있다.

연대와 귀속 의식이 강하게 작용하는 사회 분위기는 그들의 독특한 매장문화에 반영되었다. 가족, 사회적 관계와 정체성에 대한 일종의 기록이기도 한 매장문화는 매장된 유골을 재발굴하거나 하악골을 제거하기도 하고, 두개골을 분리하여 재구성하기도 했다. 차탈휘위크 주거지 벽면에 그려진 단서^{사진 13}는 시신을 사후처리하기 위해 독수리에 의한 조장(鳥葬) 가능성을 암시한다. 차탈휘위크와 같이 주거지에 매장해야 하는 곳에서는 부패로 인한 냄새 제거와 매장에 조장이 큰 도움을 준다. 독수리는 살을 제거하고 인대와 힘줄을 그대로 유지하므로 골격 보존에 용이하다. 차탈휘위크 사람들은 집 안에 적절한 공간을 찾아 완벽하게 육탈한 인골을 최대한 구부려 묻었다. 아나톨리아 지역, 비옥한 초승달 지역인 팔레스타인 여리고(Jericho), 요르단 아인 가잘(Ain Ghazal) 등에서도 발견되듯 회반죽과 황토 칠을 한 두개골은 차탈휘위크에서도 나타난다.

고고학자들은 수렵·채집 생활을 하던 사람들이 정착 생활을 하면서부터 조상 숭배가 시작되었다고 본다. 두개골 분리와 재배열, 특히 하악골 분리는 조상 숭배나 연장자 우대로 해석된다. 즉 정착 생활에 필요한 땅을 놓고 벌이는 경쟁에서 선조들의 뼈가 묻힌 것을 증명함으로써 땅의 소유권을 확보한다는 믿음이 생겨났다고 보는 것이다. 따라서 주요 인물의 두개골을 한데 모아두거나 분리하여 매장하는 것은 신석기 시대의 공동체가 정체성을 강화하는 방식이며, 땅과 그 땅의 소산에 대한 소유권을 확보하는 길이기도 하다.

차탈휘위크의 가계는 혈연관계로 구성된 것이 아니었기 때문에 두개골 분리는 신생아, 청년, 여성 등 모든 이에게 일어났으며 노장들에게만 부여된 특권은 아니었다. 따라서 차탈휘위크의 두개골 분리는 가정과 사회에 대한 기억을 보존하고, 공동체의 정체성과 연대감을 강화하는 매우 의례적인 액션으로 볼 수 있다.

차탈휘위크의 예술

이 사회는 노년을 우대하고, 동물과 여성을 형상화했으며, 특히 야생동물을 통해 활력을 얻어 풍요를 구축하려는 문화가 지배했다. 이러한 문화를 향유하는 차탈휘위크인의 예술적 감각과 능력은 삶 전반에 작용하여 삶의 질을 결정하는 데 기여했을 것으로 보인다.

발화 점토로 만든 손가락 크기의 풍요의 여신상들^{사진 14}은 차탈휘위크인이 염원한 현세적 풍요를 반영한다. 그중에서 좀 더 큰 크기로 만든 여신은 좌우에 표범 두 마리의 호위를 받으며 앉아있는데, 놀랍게도 출산하는 중이다. 이 여신상은 초기 농경사회 풍요의 여신으로 수용되어 '지모신(地母神)'으로 불린다. 발굴 초기 멜라트는 이 여신상을 주목하여 한때 차탈휘위크가 지모신을 숭배하는 모계사회로 오인되었다.

그런데 차탈휘위크에는 인간 형상보다 동물 형상의 모티프가 압도적으로 많다. 뿔 형상 741개, 동물의 사족 449개, 하지만 인간의 형상은 189개에 불과하다. 그 이유는 초기 농경 생활로 전환되는 과정에서 생존에 가장 중요한 존재가 바로 동물들, 특히 야생동물들이었기 때문이다. 따라서 동물들은 그들에게 생활 방식을 결정하는 중요한 요인이었다. 이로 인해 차탈휘위크의 주거 공간은 채색된 야생동물 이미지, 동물 가죽, 두개골, 이빨, 부리, 상아, 뿔 등으로 장식되었다. 그중에서도 풍요와 신성함을 상징하는 거대한 야생 소의 뿔과 두개골로 장식한 방^{사진 15}에서는 특별한 의식과 잔치가 치러졌다. 소머리가 달린 벽면은 기원전 3천 년경 이집트의 사카라(Saqqara)에 조성된 벤치형 무덤 마스타바 가장자리에 줄지어 배열된 거대한 뿔 달린 소의 두개부를 연상시킨다.

라스코나 알타미라 같은 구석기 시대 동굴벽화가 예술의 시작을 알리고 있다면 차탈휘위크는 예술이 어떻게 분화되어 가는지 보여 준다. 차탈휘위크인은 다른 어떤 집단보다 손재주가 뛰어난 사람으로 훈련되었다. 이러한 가정은 분절된 동물의 사지와 소형 인형들을 통해 그들이 얼마나 촉각적인 존재였는지 짐작할 수 있다. 그들은 언제 어디서든 손안에 들어갈 만한 크기로 가공했다.

주요 수입원 중 하나였을 비즈 가공기술에서 알 수 있듯이 그들의 남다른 수공

〈사진 14〉〈여신상〉, 기원전 5750년경, 발화 점토, 두상(복원)(아나톨리아문명박물관ⓒ계명대학교)

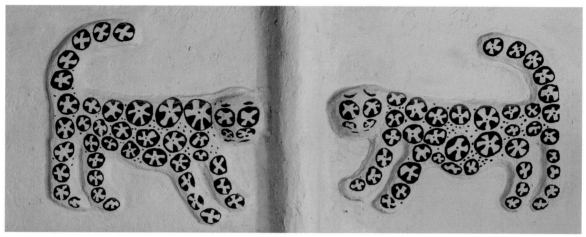

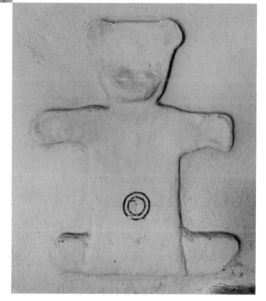

〈사진 15〉 차탈휘위크의 벽 장식 동물 부조, 모형집 복제품 사례. 위로부터
표범, 야생 소, 곰(ⓒ계명대학교)

〈사진 16〉 80번 방의 벽화(복원), 차탈휘위크 동쪽 마운드(ⓒ계명대학교)

예 능력은 추상적인 문양을 세련되게 구사하는 인장 예술에서 빛을 발한다. 곰으로 식별되는 인장은 간결한 선묘로 동물의 형상을 문양화하여 수준높은 인장예술을 보여 준다. 차탈휘위크에서는 구운 점토로 만든 인장이 총 48개 발견되었으며, 손잡이가 달린 것과 구멍에 고리를 달 수 있게 한 것도 있다. 이 밖에 무덤 세 곳에서 네 개의 인장이 출토되어 인장이 개인 소유물임을 알 수 있다.

차탈휘위크인이 집에 남긴 것을 보면 그들이 놀라울 정도로 창의적이며, 예술적 감각이 뛰어났음을 알 수 있다. 구상·비구상은 물론, 회화, 드로잉, 조각, 고부조, 저부조, 공예, 콜라주, 아상블라주, 설치미술 등 예술 장르로 표현할 수 있는 모든 방법을 자유롭게 시도했다. 회화의 경우 사냥에 대한 기억은 구석기 시대

벽화처럼 사실적으로 재현했고, 단순 벽 장식은 기하학적이고 추상적인 문양으로 세련되게 했다. 표범이나 곰, 야생 소 같은 맹수들은 석회를 이겨 양감을 살린 부조로 장식하고, 동물의 특성을 살려 채색하거나 문양을 그려 넣는 순발력도 발휘했다. 동쪽 마운드의 80번 방^{사진 16}은 회벽을 몇 번 발라 붉은 선묘로 장식했는데 너무나 현대적이다. 추상 조각을 연상시키는 일명 버드맨(Bird Man)이라 불리는 작은 조상은 시대를 초월한 단순화된 조형미를 자랑한다. 이런 단순화의 계보는 수천 년이 지난 후 에게문명의 옷을 입은 키클라데스 제도의 조상에서 다시 볼 수 있다. 또 차탈휘위크의 토기에 나타난 풍요의 상징인 거대한 뿔을 머리에 쓴 얼굴은 수천 년 후 현대 조각가 브랑쿠시(Constantin Brancusi)의 〈뮤즈〉의 얼굴로 환생했다.

공동체 실험의 종료

차탈휘위크는 공동체 삶이 1천 년을 넘는 기적을 만들었다. 거기에는 예술이 큰 역할을 했다. 예술은 불리한 자연환경이 가져오는 삶과 죽음, 거주와 제의, 매장 등을 한꺼번에 해결해야 하는 물리적인 답답함을 해소해 주었으며, 공동체의 연대감을 형성하는 데 기여하며 삶을 윤택하게 해 주었다.

사람들이 차탈휘위크를 떠난 시기를 대략 석기와 금속을 병용하던 과도기로 추정하면 내외부적 무력 충돌 가능성도 배제할 수 없다. 점점 더 느슨해지고, 독립적인 삶을 추구하며 서쪽 마운드로 이동해 갔던 변화 역시 견고했던 초기 연대의 분열 조짐으로 해석할 수 있다. 정착촌이 금속을 채굴하고 제련한 최초의 장소 중 하나였다는 사실은 전문화된 계층의 출현으로 평등사회의 해체를 예고한 것일 수도 있다. 사회의 분화는 위계질서를 요구하게 하고, 18겹으로 터전을 쌓으며 구축해 온 연대의식을 위협했을 것이다. 평등사회의 붕괴는 매장했던 유골을 재발굴해서 소속감을 재확인하며 유대감을 다져온 차탈휘위크 역사에 종지부를 찍었을 것이다. 지하수 고갈과 갈대의 확산 같은 자연환경의 변화도 붕괴를 가속화했을 것이다. 금속기 시대의 도래는 새로운 사회 구축과 정착지에서의 질서 재편을 요구했다.

차탈휘위크가 도시인가, 촌락인가에 대한 물음은 여전히 남아 있다. 차탈휘위크는 처음부터 고대도시로 성립한 것이 아니라 점진적으로 규모가 커지며, 동쪽과 서쪽 마운드를 포함하여 대략 2천년 동안 존속했다. 따라서 근대적 의미의 도시와는 다른 차원에서 살펴볼 필요가 있다. 도시가 갖는 정치·경제·종교·예술·상업 활동을 고려해 보면, 차탈휘위크 안에서 정치(평등사회), 경제(흑요석 등의 교역), 종교(제의적 활동, 제의적 건물의 분리) 등이 모두 이루어지고 있었으며, 비즈나 클레이볼 등이 대체 화폐로 사용되었을 가능성도 있다. 무엇보다 예술의 다양한 분화는 그 자체로 이미 고도로 발달한 사회문화의 성격을 보여 준다. 특히 비즈 가공은 단순한 촌락문화를 넘어서는 전문 분야이기도 하다. 따라서 차탈휘위크를 '최초의 고대도시'로 소개하는 것은 당연하다.

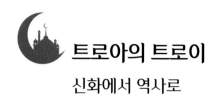

트로아의 트로이
신화에서 역사로

트로이 신화의 시작: 헬레네와 파리스

영원한 신화의 도시 트로이(Troy)는 3천 년 동안 서구 문학과 예술에서 풍부한 영감의 원천이었다. 기원전 700년경 완성된 호메로스(Hómēros)의 《일리아드(Iliad)》에 나오는 트로이 전쟁은 고대 그리스인과 로마인에게 예술적 표현과 철학적 성찰의 주제를 제공했고, 많은 예술가, 문학가, 정치인, 과학자, 역사가, 탐험가 등에게 영감을 불어 넣었다. 헤로도토스는 트로이 전쟁의 원인을 신화에서 끌어와 트로이 왕자 파리스가 스파르타의 메넬라오스 왕의 아내 헬레나를 납치한 것 때문이라고 전한다. 실제로 헬레네를 구출하기 위해 그리스·미케네 연합군이 아가멤논의 지휘하에 통합되었으며, 트로이와 동맹국에 맞서 싸웠다고 믿는 학자들이 있었다. 《일리아드》에서는 트로이 전쟁 초반부나 트로이 왕자 파리스, 아킬레우스의 죽음, 그리고 트로이 함락 등은 다루지 않지만, 오디세우스의 목마에서 나온 아카이아 전사들이 트로이 성문을 열어 도시를 멸망시켰다고 전한다. 또 《오디세이아》는 트로이 전쟁이 끝난 후 오디세우스가 이타카로 향하는 10년간의 여정을 다루고 있다.

트로이 전쟁의 배경에는 신과 인간의 이야기가 복잡하게 얽혀 있다. 제우스는

〈사진 17〉 피터 폴 루벤스, 〈파리스의 심판〉, 1632~1635, 144.8×193.7cm, 캔버스에 유채, 런던 내셔널갤러리

훗날 아킬레우스의 어머니 테티스를 취하고 싶었지만, 그 아들이 권좌를 차지한
다는 신탁이 두려워 펠레우스에게 양보한다. 이들의 결혼식에 초대받지 못한 불
화의 여신 에리스는 앙심을 품고 '세상에서 가장 아름다운 여인에게'라는 글자를
황금사과에 새겨 던져 놓았다. 그러자 헤라, 아테나, 아프로디테가 자신이 주인이
라며 싸웠지만 아무도 심판자를 자처하지 않았다.

세월이 지나 이다(Ida)산에서 양을 치던 파리스가 여신들의 눈에 들어왔다. 파
리스는 원래 트로이의 왕 프리아모스의 아들로 알렉산드로스라는 이름의 왕자

〈사진 18〉 자크 루이 다비드, 〈파리스와 헬레네의 사랑〉, 1788, 146x181cm, 캔버스에 유채, 파리 루브르미술관

였지만 저주를 받아 버려져 양치기 소년으로 자랐다. 파리스는 신들이 마다한 여
신들의 미모 싸움에 겁 없이 심판자로 뛰어들었다. 그는 세상의 권력을 주겠다는
헤라와 빛나는 지혜를 주겠다는 아테나도 마다하고, 세상에서 가장 아름다운 여
인을 주겠다는 아프로디테를 선택함으로써[사진 17] 길고 긴 미모 경쟁의 종지부를
찍으며 운명의 소용돌이에 휘말린다.

　　한편, 제우스와 레다의 딸로 사람이 낳은 여인 가운데 가장 아름다운 헬레네
는 아름다운 처녀로 성장한다. 그녀는 그리스의 많은 구혼자 중 훗날 스파르타

의 왕좌에 오르는 메넬라오스와 결혼하지만 아프로디테의 신탁으로 트로이 왕자 파리스와 사랑에 빠져 사진 18 납치를 가장해 트로이로 도피한다. 헬레네는 결국 구출되어 메넬라오스에게 돌아가지만, 그녀로 인하여 파리스를 비롯한 그리스와 트로이의 영웅들 등 수많은 목숨이 희생되고 만다.

트로이의 위치와 발굴 역사

트로이가 있는 아나톨리아 북서쪽 끝은 고대에는 '트로아(Troad)'로 알려졌지만 오늘날에는 터키어로 '비가(Biga)반도'로 불린다. 트로이 북쪽은 고대 그리스인이 '헬레스폰트(Hellespont)'라 부른 다르다넬스 해협이, 서쪽과 남쪽은 에게해로 삼면이 둘러싸여 있다.

트로아반도의 지형은 전체적으로 산이 많고, 남쪽은 이다(Ida)산이 지배하고 있다. 반도를 흐르는 두 개의 강이 합류하는 지점에 요새를 의미하는 히사를리크(Hisarlık) 둔덕에 트로이 성채가 자리하고 있다. 이곳은 아시아와 유럽이 만나고, 에게해에서 마르마라해를 거쳐 흑해로 들어가는 길목으로, 예로부터 전략적 요충지였기 때문에 수많은 충돌이 있었다. 그리스를 침략하려는 페르시아의 크세르크세스도, 아시아를 정복하려던 알렉산드로스 대왕도 이곳을 지나갔다.

트로이가 발굴되기 전부터 히사를리크 언덕은 사라진 트로이가 묻혀 있을 가능성이 큰 곳으로 인식되었다. 그 이유는 바다 근처 트로이 평원에 트로이 전쟁 영웅들의 거대한 고분이 흩어져 있었기 때문이다. 그중 데메트리우스 고분(Demetrius Tumulus)으로 알려진 케식 테페(Kesik Tepe)는 알렉산드로스 대왕이 트로이로 가는 길에 제물을 바쳤다는 아킬레우스의 무덤으로 전해진다. 트로이 전쟁 당시 그리스 선박은 남쪽인 베식만(Besik Bay)에 정박했다고 하는데 베식만은 고대 그리스 아카이아인의 항구로 알려졌다. 베식만 북쪽에는 아킬레우스를 기념하는 아킬레움이라는 정착지가 세워졌고, 미케네 유물이 출토*되어 이곳에 항구시설들

---

* 초기 발굴자 슐리만은 다르다넬스 입구에 있는 쿰 테페(Kum Tepe)를 아킬레우스의 무덤으로 생각했다. 항

〈사진 19〉 발굴 보물을 착용한 슐리만의 아내 소피아, 1874년경
〈사진 20〉 프리아모스의 보물 일부

이 있었을 것으로 추정한다.

트로이 지역의 본격적인 발굴은 1871년 《일리아드》에 사로잡혀 한평생을 트로이 발굴에 투신한 독일인 하인리히 슐리만(Heinrich Schliemann)에 의해서 이루어졌다. 부유한 상인 출신이었던 슐리만이 뒤늦게 고고학을 공부하며 신화 속의 트로이를 현실로 끄집어냈다. 그가 이룩한 가장 큰 성과는 1873년 금은 장신구와 구리 그릇류, 단검 등을 발견한 것이다. 그는 이것을 프리아모스의 보물(Priam's

구 주변 트로이 평원에 산재한 거대 고분들의 주인공을 식별하기는 쉽지 않다. 트로이 남쪽의 위베식 테페(Üvecik Tepe) 고분은 트로이 영웅인 아킬레우스의 무덤으로 알려졌으나, 그를 숭배한 로마 황제 카라칼라(211~217 재위)가 가장 총애했던 페스투스의 무덤으로 밝혀졌다. 페스투스는 214년 로마 황실의 트로이 방문 중에 사망하여 이곳에 묻힌 것으로 보인다.

Treasure)^{사진 19, 사진 20}로 불렀다. 하지만 과학적인 조사 결과 프리아모스 왕의 시기보다 앞선 트로이 2기(Troy II, 기원전 2550~2250)의 것으로 확인되었다.

슐리만은 단시간에 많은 보물을 손에 넣기 위해 많은 인부를 고용하여 트로이 유적의 층을 무분별하게 훼손했고, 관리 소홀로 유물들을 유실시켰으며, 무엇보다 많은 유물을 독일로 밀반출함으로써 큰 충격을 주었다. 그가 밀수하여 세계 각지로 흩어진 트로이의 보물은 전 세계 7개 도시 9개 박물관에 소장되어 있다. 가장 큰 컬렉션은 제2차 세계대전 중 러시아군이 독일에서 모스크바 푸시킨 박물관으로 가져간 것이다.

1890년 슐리만이 사망하자 동료였던 빌헬름 되르프펠트(Wilhelm Dörpfeld)는 1893년부터 2년간 연구하여 유적의 지층을 축조 순서에 따라 10개로 구분하였다. 이후 미국 신시내티 대학 칼 블레겐(Carl W. Blegen)이 1932~1938년까지 트로이 발굴을 진행하여 총 46개의 축조 단계로 이루어졌음을 확인했다. 블레겐 이후 독일 튀빙겐 대학의 오스만 코르프만(Manfred Osman Korfmann)이 1988년부터 2005년 사망할 때까지 재발굴했다. 그는 트로이 지층 1에서부터 7기의 규모가 10배 이상 더 큰 도시 구조임을 밝혀냈다.

코르프만의 발굴에서 주목할 것은 트로이 8b층에서 히타이트어와 깊은 관계가 있는 루비아어로 된 인장이다. 이 인장은 트로이에서 발견된 가장 오래된 문자 기록으로 한쪽 면에는 서기관이라는 직업과 함께 한 남자의 이름이 표시되어 있고, 반대쪽에는 여성의 이름이 새겨져 있다. 이 인장으로 당시 트로이가 부분적으로 루비아어를 사용했음을 알 수 있으며, 히타이트 문서에 기록된 대로 트로이, 윌루사(Wilusa)와 일리움(Ilium) 또는 일리오스(Ilios)는 모두 하나의 도시일 가능성이 높아졌다.

트로이 유적 현황

트로이는 화재·전쟁·지진에도 불구하고 3천 년 동안 지속적인 정착이 이루어졌으며, 시기마다 화재인지, 전쟁으로 인한 것인지는 알 수 없으나 도시 전체가

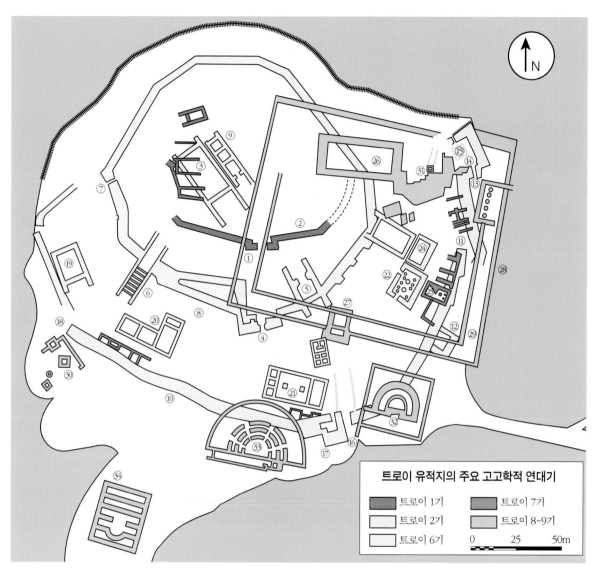

〈사진 21〉 1: 게이트 2: 도시 성벽 3: 메가론 건물들 4: FN 게이트 5: FO 게이트 6: FM 게이트 및 경사벽 7: FJ 게이트 8: 도시 성벽 9: 메가론 건물들 10: 도시 성벽 11: VI. S 게이트 12: VI. H 타워 13: VI. R 게이트 14: VI. G 타워 15: 우물 16: VI. T 다르다노스 게이트 17: VI. I 타워 18: VI. U 게이트 19: VI. 하우스 A 20: VI. M 궁전-창고 21: 기둥이 있는 하우스 22: VI. 열주가 있는 하우스 F 23: VI. 하우스 C 24: VI. 하우스 E 25: VII. 창고 26: 아테나 신전 27: 프로필레움 28: 외부 뜰 벽 29: 내부 뜰 벽 30: 성소 31: 수도사업소 32: 볼레우테리온(회의장) 33: 오데온 34: 목욕탕

〈사진 22〉 하늘에서 본 트로이 유적

파괴된 경우도 빈번했다. 굽지 않은 어도비 벽돌은 쉽게 부서져 재사용할 수 없었기 때문에 파괴된 건물을 재건하기 위해서는 오래된 층은 평평하게 다진 후 그 위에 새로운 구조물을 건설했다. 트로이 유적은 선사시대부터 그리스와 로마까지 시대를 달리하는 10개 층위의 10개 도시가 15m 높이로 켜켜이 쌓여 있다. 가장 이른 시기의 것은 초기 청동기에서 초기 철기 시대(Troy I~Troy VII)에 속하는 7층위 주거 유적으로 50개 이상의 축조 단계로 이루어져 있다. 그 위로 고대 그리스 유적(Troy VIII)과 일리움이라는 로마 도시(Troy IX)가 있으며, 그 위로 비잔틴 시기 주거지(Troy X)가 있다.사진 21 이런 과정으로 이루어진 인공 둔덕이 히사를리크다.

지난 150년 동안 트로이에서 40여 차례 이상 이루어진 발굴조사로 성채와 저지대 마을에서 많은 유적지사진 22가 발견되었다. 그중에는 성채 주위의 방어 성벽 주요 부분과 11개의 성문, 경사 석축, 5개의 방어용 보루 등이 있다. 이 유적들은 대부분 2기에서 6기에 해당한다. 프리아모스의 보물이 있던 트로이 2기(Troy II, 기원전 2550~2250)는 초기 청동기 시대로 이전보다 더 웅장한 정착지가 세워져 넓은 경사로와 높은 탑이 있는 부유한 도시였다. 하지만 이 시대도 세 번의 큰 화재로 파괴된 흔적이 보이고 결국 화재로 종료된다. 2기에 이어 아주 짧은 3기(Troy III, 기원전 2250~2200)가 등장하는데, 이전보다 건물 간격이 더 조밀하게 지어진 특징이 있고 큰 화재로 종료됐다. 후기 트로이 4기와 7기(Troy VI, VIIa, 기원전 1730~1300)는 호메로스의 트로이기로서 히타이트와 미케네 시기의 그리스를 지칭하는 아히야와(Ahhiyawa) 사이에서 트로이의 중요성이 부각되던 시기다. 학자들은 이 시기를 트로이 전쟁이 일어난 트로이 시기로 식별했다. 고고학자들은 구도시에서 발견된 해자나 방어시설 등과 지형학적 조사 결과 일리아드에 묘사된 고대 트로이와 대체로 일치한다고 보았다.

트로이 6기 성벽은 방어 건축의 주요 특징을 보여 준다. 불규칙한 지반을 따라 각을 세우기 위해 탑을 만들지 않고 상당히 발전된 기술로 간격을 얕게 띄워 굴곡진 벽을 쌓았다. 진입하려는 적군은 이 굴곡에 의해 움직임이 방해받았다. 여러 구역으로 지어진 벽은 어떤 규모의 병력도 집결하기 힘들게 한다.

좋은 요새는 요새 안에 충분한 식량과 물을 확보할 수 있어야 한다. 이를 잘 대비한 사례는 트로이 7기에서 볼 수 있다. 트로이 7기는 다수의 저장 항아리를 모든 집 바닥에 묻어 물 문제를 해결했다. 트로이 6기의 주요 수원은 성채 북동쪽 모퉁이로, 원천을 9m 높이의 거대한 탑으로 둘러싸고 성채 내부로 이어지는 돌계단을 쌓아 주민들이 쉽게 이용할 수 있게 했다. 이로써 트로이는 두 강이 만나는 히사를리크 둔덕에 자리하여 비교적 물 걱정 없이 지냈음을 알 수 있다.

트로이는 고고학적 증거로 볼 때 기원전 1180년 무렵 정착지가 파괴된 후 오랫동안 비어 있었다. 그러다가 기원전 8세기 이후 지중해 전역에 상업 활동이 활발해져 먼 지역에 무역 식민지를 건설하면서 그리스와 로마인들의 신성한 정착지가 되었고, 주요 인물들이 지리적·역사적 중요성에 주목하면서 트로이를 찾아왔다. 기원전 480년에는 페르시아의 크세르크세스가, 기원전 334년에는 알렉산드로스 대왕이, 로마 시대에는 하드리아누스, 아우구스투스 등이, 1462년에는 정복자 메흐메드가 방문하였다. 트로이 유적지는 1998년 유네스코 세계문화유산으로 지정되었고, 2018년 트로이 고대도시 부지에 트로이박물관이 개관했다.

히타이트 문헌으로 본 트로이

오늘날 학자들은 오랜 논쟁 끝에 히타이트 문헌에 등장하는 윌루사(Wilusa) 혹은 윌루시아(Wilusija) 왕국을 대체로 트로이로 보고 있다. 문헌학적으로 윌루사는 그리스어 일로스[(W)ilios] 또는 일리온(Ilion)과 동일시된다.

청동기 시대 고대 그리스는 아히야와(Ahhiyawa)라고 불렸는데, 아히야와 왕은 밀라완다(Millawanda) 혹은 밀라와타(Milawata)라고 불린 오늘날의 밀레투스(Miletus)를 전초 기지로 삼아 서부 아나톨리아와 인접 지역에 해상무역뿐만 아니라 정치적 영향력을 확장했다. 히타이트 제국 시절 아나톨리아 서부 아르자와(Arzawa) 지역은 히타이트에게 걸림돌이 된 친그리스 세력이었다. 그리스와 히타이트가 정치적 영향력을 확보하기 위해 첨예하게 대립한 곳이 바로 윌루사였다. 히타이트는 그리스의 영향력이 미치기 쉬운 윌루사 사수에 사활을 걸었다. 윌루사에 대해 알 수 있는 객관적인 사료로는 히타이트 제국의 문서들이 있다. 이를 통해서 미케네가 아나톨리아 문제에 관여한 기간이 대략 기원전 15세기 후반부터 기원전 13세기 후반까지 약 200년이며, 기원전 13세기 전반에 절정에 이르렀음을 알 수 있다.

히타이트의 문서는 호메로스의 《일리아드》가 허구에 기반한 것이 아님을 일깨운다. 기원전 1280년에 히타이트의 무와탈리 2세(Muwattalli, 기원전 1290~1272년 재위)와 윌루사의 알락산두(Alaksandu) 사이에 협정을 체결하였다. 협정문을 보면 무와탈리 2세는 그리스와 동맹을 맺고 윌루사를 여러 번 습격한 문제아 피아마라두(Piyamaradu)의 공격으로 불안정해진 상황에서 선대왕 쿠쿠니(Kukkuni)를 계승한 알락산두를 인정하고, 쿠쿠니와 무와탈리 2세의 할아버지인 수필룰리우마 1세(Suppiluliuma I)와의 우정을 회상하며 히타이트와 윌루사 사이의 300년이 넘는 우정을 상기시킨다. 히타이트의 왕들은 그리스의 습격이 있을 때마다 군대를 파견해 윌루사를 지원했다. 무엇보다 그리스식 이름의 알락산두는 헬레네를 납치한 파리스의 원래 이름이며, 프리아모스의 아들 파리스로 식별된다는 점에서 무척 흥미롭다.

또 알락산두 이후 윌루사의 후기 군주 왈무(Walmu)는 히타이트식 이름을 사용하였으나, 그리스식 이름을 쓴 알락산두는 비전통적인 수단을 통해 권력을 얻은 아웃사이더라는 점을 암시한다. 그리고 알락산두가 그의 아버지의 말에 따라 권력을 잡았다고 명시함으로써 비록 적통으로 왕위를 계승한 것은 아니지만 히타이트가 그의 존재를 정당화해 주었음을 알려 준다. 훗날 왈무는 친그리스 노선으로 반역을 꾀했는지 폐위되고 만다. 피아마라두가 윌루사를 습격했을 당시 도시 보안을 강화하기 위하여 요새를 확장하고, 타워를 추가 건설한 흔적이 고고학적으로 확인되었다.

신화에서 역사로: 트로이 전쟁의 역사적 배경

트로이 전쟁에서 신화를 걷어 내기 위해서는 역사성 확보가 불가피하다. 하지만 '트로이 전쟁은 실재했을까' 하는 질문은 무의미하다. 앞서 살펴본 바와 같이 트로이의 여러 지층은 심각한 화재로 마감되었다. 호메로스의 《일리아드》처럼 트로이가 그리스·미케네 연합군에게 함락되었을지라도 최소한 히타이트 제국

〈사진 23〉 영화 〈트로이〉의 촬영 후 차낙칼레시에 기증된 목마 소품

시기 동안 트로이는 항상 아나톨리아의 일부였다. 따라서 트로이 전쟁 층에서 목마 파편이나 전쟁의 흔적을 찾아내는 것보다 히타이트 제국 시기 트로이(윌루사)를 두고 그리스와 대립한 배경을 밝히는 것이 더 의미가 있다.

청동기 시대 가장 중요한 금속은 주석이었다. 아나톨리아 서부는 중부보다 주석이 모자랐고, 수입원 확보가 시급했다. 아시리아 상인들이 독점하여 공급원이 제한되어 있는 주석 루트 중 중부 유럽에서 들어오는 루트는 트로이가 유일했다. 히타이트에게 트로이는 히타이트 북서부 변방에 위치한 가장 중요한 공국이었다. 그리스가 신들과 영웅들까지 동원하여 신화화하며 트로이를 에게문명권으로 통합하려고 했던 열망 속에는 청동기 시대 후반 금속자원의 확보와 아나톨리아 진출이라는 절박한 이유가 숨어 있었다.

트로이 전쟁의 가능성 역시 시대적 상황 속에서 이해할 필요가 있다. 이집트를 비롯한 그리스, 아나톨리아 등 지중해를 비롯한 에게해 국가들의 갈등은 기원전 1200년대에 위기를 맞으며 역사상 유례없는 파국을 초래했다. 위기의 기원은 기원전 1240년경 히타이트가 아나톨리아 동쪽의 구리광산 통제권을 상실하면서부터다. 여기에 후기 청동기 시대 대기근과 지중해 북동부 국가의 큰 화재로 이집트와 인근 지역으로 폭력을 앞세운 대규모 이주가 일어났다. 이로써 히타이트는 금속자원의 지배력을 상실하며 봉신국들과의 연대가 무너져 결국 몰락하고 말았다.

히타이트를 멸망시킨 '바다 민족들(Sea Peoples)'의 중심 세력은 그리스 미케네인이었다. 히타이트 말기에 프리기아인은 아나톨리아로 몰려와 그리스 연합군으로 히타이트와 싸웠고, 수 세기 후 아나톨리아의 새로운 강자로 부상했다. 트로이는 미케네인의 공격을 받은 아나톨리아의 도시 중 하나였다. 따라서 전설적인 트로이 전쟁은 이런 동시대의 역사적인 배경 속에서 보다 구체적인 전모를 추적해 볼 필요가 있다.

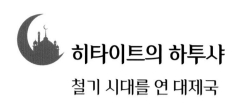

히타이트의 하투샤
철기 시대를 연 대제국

사라진 제국, 히타이트 발굴 역사

히타이트(Hittite)는 어느 날 아나톨리아에 등장하여 철기문화를 일으키고 갑자기 사라진 미스터리한 제국으로 잘 알려져 있다. 에게해와 아나톨리아 내 권력다툼이 치열하던 청동기 후기 히타이트가 역사에서 사라진 방식은 더욱 미스터리하다. 히타이트는 아직도 완전히 밝혀진 것이 아니다.

기원전 1650~1200년 히타이트 제국사진 24의 위대한 왕들은 오늘날 터키 대부분을 통치하며 이집트의 파라오, 아시리아와 바빌로니아의 왕들과 동등한 지위에서 정기적으로 접촉했다. 히타이트가 세상에 알려진 것은 1906년 후고 빙클러(Hugo Winckler)와 테오도르 마크리디(Theodore Makridi)가 히타이트의 수도인 하투샤(Hattsha)에서 1만여 점의 점토판을 발굴하면서부터다. 이 점토판은 1924년 체코의 프리드리히 호로즈니(Bedřich Hrozný)가 해독하면서 히타이트의 실체가 드러나게 되었다. 히타이트의 무와탈리 2세(Muwatalli II)와 이집트의 람세스 2세(Ramesses II)는 기원전 1274년 오늘날 시리아 북부 카데시(Kadesh)에서 전투를 벌였다. 충돌이 잦았던 이 지역에서 전쟁이 장기화되자, 기원전 1269년 하투실리 3세(Hattusili III)와 람세스 2세는 평화조약을 체결하고 긴 전투의 종지부를 찍었다. 이 협정은 19세기

흑해

Pala

트로이(윌루사)

앙카라

알라자 휘위크

호로즈테페

고르돈

하티

하투샤

Upper Land

Anatolia

아히야와

아르자와

카네시

Ishuwa

밀레투스

Lower Land

키주와트나

루카

타르수스

아다나

하란

카르케미시

미탄니

알레포

알라시야

우가리트

카데시

지중해

〈사진 24〉 기원전 1350~1300년 히타이트 제국의 지도(녹색 선)

〈사진 25〉 이집트-히타이트 카데시평화조약, 기원전 1259년(이스탄불고고
학박물관 ⓒ계명대학교)

이집트의 카르나크 신전 기둥에 새겨진 것이 발견되어 알려졌지만 구체적인 실체를 파악할 수 없었다. 1906년 히타이트의 점토판들과 함께 세계 최초의 이 평화협정 사본이 발견되면서 수도 하투샤의 존재가 증명되었다. 이후 독일과 터키의 고고학자들이 공동으로 하투샤를 연구하면서 히타이트 연구는 획기적인 진전을 이루게 되었다. 히타이트 점토판들의 발굴과 해독에도 불구하고 서양인들에게 히타이트의 존재는 여전히 베일에 가려져 있었다. 최근 히타이트에 대한 연구가 활발하게 진행 중이다. 1975년부터 히타이트어 사전 편찬 작업 중인 시카고대학 동양연구소는 히타이트의 위상을 다음과 같이 의미 심장하게 밝히고 있다.

히타이트어는 가장 오래된 인도-유럽어족 언어로 그리스어, 라틴어, 산스크리트어보다 더 오래되었다. 인도-유럽어로서 히타이트어는 영어와 같은 현대 언어와 관련이 있다. 대부분이 생각하는 것과는 다르게 현대 서구 문명은 그리스에서 시작되지 않았다. 서구 문명의 진정한 요람은 지금의 중동이다. 많은 문학적·예술적 주제는 직접 그 세계로 거슬러 올라가야만 볼 수 있다. 성경은 고대 근동 사회에 내재해 있었고, 우리가 현대 과학이라고 부르는 분야의 초기 형태는 바빌론에서 찾아볼 수 있다. 아나톨리아는 동방 세계와 그리스·로마 문명을 잇는 다리이며, 이 지역에 살았던 히타이트와 그 후손들은 고대 근동문화를 서방에 전수하는 중개자 역할을 했다.

하티의 땅: 하티인은 누구인가?

빙클러가 발견한 설형문자 석판에는 당시 국제공용어인 아카드어, 히타이트어 외에 인도-유럽어인 하티어도 있었다. 히타이트인이 아나톨리아로 이주해 왔을 때 이미 아나톨리아 중부 지역에는 금속을 잘 다루는 상당히 발달한 문명의 하티인이 거주하고 있었다. 당시 아나톨리아 대부분은 하티의 땅(Land of Hatti)으로 불렸다. 이 명칭은 히타이트 제국 이후까지 계속 사용되었다. 그런 이유에서 히타이트인은 그들의 수도를 하투샤로 이름 지었다.

〈사진 26〉 알라자휘위크 스핑크스의 문(ⓒ계명대학교)

알라자휘위크(Alacahöyük)에는 이집트의 영향을 보여 주는 스핑크스 성문, 왕들의 무덤 13기, 사당 등 건물터가 남아 있다. 왕실 가족의 무덤은 현재 6기가 복원되어 투명 플라스틱 지붕이 씌워진 채 공개되고 있는데, 이 무덤들에서 수백 기의 금속 유물을 수습하였다. 무덤은 다소 조잡하나 신라의 매장방식처럼 돌을 쌓고 나무 널을 붙인 적석목곽분으로 선 디스크(sun disk)들이 무덤 바닥에 군데군데 놓여 있다. 또 동물의 두개골을 배열해두어 흉노 무덤과도 비슷하다. 이런 방식은 전형적인 북방 초원의 매장문화로 러시아 남부 마이콥(Maikop) 문화와 유사하여 피장자들을 쿠르간(Kurgan)인으로 볼 수도 있다.

이 무덤에 부장된 선 디스크는 태양을 둥근 원판으로 형상화하여 풍요와 번영을 비는 태양 숭배기념물로 고대 농경사회에서 사용하였다. 이 지역에서는 태양의 여신 아리나를 숭배하는 제의를 위해 이글거리는 태양을 투각한 다양한 선 디스크를 만들었는데, 거대한 야생 소의 뿔을 양쪽에 두고 두 마리의 황소 사이에 몸보다 더 큰 뿔을 가진 사슴을 단에 세운 모습이다. 선 디스크는 태양의 여신 숭배뿐 아니라 사슴과 하늘 위로 높이 솟은 사슴뿔을 신성하게 여기는 초원문화의 속성도 반영된 것이다. 하티인들은 탬버린의 전신인 청동 시스트럼(Sistrum)을 제의에 사용하였는데 시스트럼은 이집트와 크레타와도 공유하는 문화였다. 스핑크스의 문 좌우에 하티인이 석조 부조로 새긴 왕과 왕비가 황소의 제단 신상에 경배하는 이미지는 히타이트인에게 그대로 전승되어 후세인 화병의 부조로 재현되었다. 제단 위에 선 황소는 메소포타미아 문화 전반에서 확인할 수 있다. 같은 크기와 모양의 또 다른 후세인 화병 상단에 부조된 황소 뛰어넘기 장면은 크레타의 황소 뛰어넘기 벽화의 기원을 추측하게 한다. 크레타의 벽화나 유물에 풍요의 상징으로 자주 등장하는 양날 도끼 '라브리스(Labrys)'는 히타이트와 공유하는 모티프다.

청동기 시대 후기 아나톨리아에는 하티인 외에도 여러 민족이 들어와 도시국가를 이루고 있었으며, 기원전 2천 년경에는 전국을 연결하는 무역 시스템이 아시리아 상인들에 의해 운영되고 있었다. 히타이트 제국은 아시리아 상인들의 네트워크를 제국 경영에 적극적으로 활용했고, 아시리아 왕들과 공생관계를 유지했다. 아시리아 상인들은 도시 외곽의 카룸(Karum)이라 불리는 정착촌에 거주하면

〈사진 27〉 알라자휘위크 유적 전경(ⓒ계명대학교)

〈사진 28〉 왕가의 무덤(재현), 알라자휘위크(ⓒ계명대학교)

〈사진 29〉 왕가의 무덤에서 출토된 선 디스크(아나톨리아문명박물관 ⓒ계명대학교)

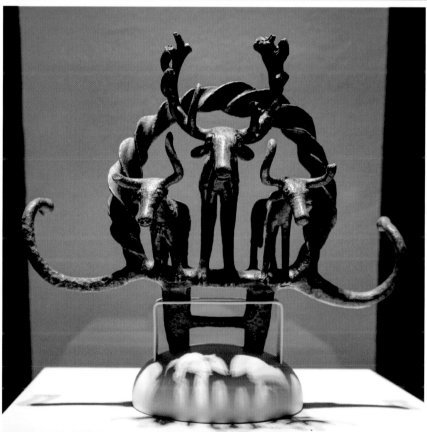

서 청동기 시대 금속 제조에 필요한 주석을 공급했다.

히타이트 제국이 성립된 후에도 히타이트의 왕들은 아나톨리아 내의 도시국가들을 효율적으로 견제하고 관리하는 데 공을 들였다. 특히 주석 루트 확보를 최우선에 두고 관련된 국가들과는 절대로 전쟁을 하지 않았다. 대표적인 나라가 윌루사였다. 윌루사에 대해서는 여러 해석이 있으나 오늘날 학자들은 대체로 트로이로 파악하고 있다. 주석은 기원전 3천 년 이전부터 사용되었으며, 주석이 없었다면 청동기 시대도 없다고 할 만큼 귀중한 금속이었다. 청동은 구리에 주석을 섞어 만드는데, 당시 아나톨리아에는 구리가 있었지만, 주석은 중앙아시아나 중부 유럽에서 수입해야 하는 국제 교역품목이었다. 따라서 히타이트 제국은 중부 유럽에서 들어오는 주석 루트를 확보하기 위해 윌루사를 잘 관리해야만 했다. 이처럼 청동기 시대의 국가적 명운은 주석 확보에 달려 있었다.

히타이트 제국의 영광과 몰락:
히타이트를 멸망시킨 '바다 민족들'은 누구인가?

빙클러가 점토판을 발견한 보아즈칼레는 아나톨리아의 장엄한 평원을 배경으로 한 지역으로 과거에는 보가즈쾨이(Bogazköy)로 불렸다. 이 일대를 수도로 삼은 히타이트는 기원전 1650~1200년 번성했지만, 그 기원과 종말에 대해서는 지금까지도 수수께끼로 남아 있다.

히타이트라는 이름은 히타이트 제국의 초대 왕인 하투실리 1세의 이름에서 따온 것으로 추정된다. 히타이트의 수도인 하투샤는 험준한 바위 위에 성채와 사원이 펼쳐진 광대한 요새 도시사진 30, 사진 31다. 하투실리 1세는 전략적 위치 때문에 기원전 1650년 하투샤, 즉 보가즈쾨이를 수도로 선택했다. 이 도시는 비록 험준한 지대에 있었지만, 아나톨리아가 자랑하는 요새화 기술로 도시 전체를 성벽으로 덮고, 높은 바위로 이어지는 지역을 에워싸고, 깊은 협곡을 두 번 연결하여 가파른 언덕까지 확장하며 완성되었다. 도시에는 하투실리 1세에 의해 종교, 정치, 행정, 문화, 규칙 등이 제정되었고, 필요한 건물들이 들어서면서 확대되었다.

가장 두드러진 변화는 상부 도시(Upper City)^{사진 31, 사진 33} 중심에 자연 지형을 이용해 사원 구역을 조성하고 24개 이상의 예배소를 만든 것이다. 하부 도시(Lower City) 사진 30, 사진 34, 사진 35에 세워진 대사원은 히타이트 사원 건축의 백미로 꼽힌다. 가장 높은 암석 고원인 부육칼레에는 아름다운 세 개의 문이 도시를 굳건하게 지키고 있다. 왕의 문사진 38과 사자의 문사진 36 주변에는 고급 저택들이 자리하고 있다. 사자의 문은 미케네의 사자의 문과 자연스럽게 연결된다. 도시 최남단에는 보행자용 문인 스핑크스 문사진 36이 있다. 왕의 문을 지키는 조각은 아나톨리아문명박물관에서, 스핑크스는 보아즈칼레박물관사진 39에서 원본을 확인할 수 있다. 성문이 연결되는 성벽사진 40, 사진 41을 따라 걸으면 신성한 도시의 거룩한 공기와 은혜로운 스카이라인을 덤으로 누릴 수 있다.

히타이트 제국은 무르실리 1세(Mursili I)가 암살된 후 왕위계승전이 발생하며 멸망 위기에 놓였으나 강력한 지도자 텔리피누(Telipinu)가 제국을 통합하며 외침에 대항할 수 있었다. 하지만 히타이트 제국에 대한 기록은 수필룰리우마 2세(Suppiluliuma II) 때 갑자기 사라진다. 하투샤의 최종 함락은 기원전 12세기 초로 추정하며, 멸망 이유와 과정 등은 아직 불분명하다. 세계사에서는 히타이트 제국을 멸망시킨 주인공을 '해적' 혹은 '바다 민족들'로 정리하고 있다. 이집트에 의해서 전해진 이들에 대한 정보가 오랫동안 구체적으로 식별되지 않은 것은 미스터리하다. 당시 이집트의 람세스 3세는 두 번의 전쟁을 가까스로 막아내며 몰락을 피했다. 서양의 역사가들은 이들의 침략으로 고대 중동의 기록이 갑자기 중단되었기 때문에 격변의 정확한 범위와 기원이 불확실하다고 한다. 브리태니커 사전은 이들에 대해 '기원전 13세기에 동부 아나톨리아, 시리아, 팔레스타인, 키프로스 및 이집트를 침략한 공격적인 그룹 중 하나'로 두루뭉술하게 설명하고 후대 그리스인들에게는 에트루리아인의 조상인 아나톨리아 출신의 해적으로 알려져 있다고 서술하고 있다.

히타이트 제국은 해군이 없었기 때문에 우가리트(Ugarit)에 해군을 요청해서 싸웠다. 일찍이 아나톨리아 서부 해안은 그리스인이 진출하여 밀레투스 같은 도시국가를 건설하였다. 히타이트 제국 당시에도 그리스 연합세력이 장악하고 있었으며, 아르자와(Arzawa)는 히타이트에게 가장 고약한 그리스계 국가였다. 소아시

〈사진 30〉 하투샤 상부 도시에서 바라본 하부 도시 전경, 보아즈칼레(ⓒ계명대학교)

〈사진 31〉 하투샤(보아즈칼레)의 자연경관(©세넝내학교)

〈사진 32〉 상부 도시와 하부 도시로 나눠지는 하투샤, 보아즈칼레(©계명대학교)

〈사진 33〉 하투샤 상부 도시의 자연경관, 보아즈칼레(©계명대학교)

〈사진 34〉 하투샤 상부 도시에서 바라본 자연경관, 보아즈칼레(©계명대학교)

〈사진 35〉 하투샤 하부도시의 대사원(The Great Temple) 유적터, 기원전 13세기, 보아즈칼레(©계명대학교)

〈사진 36〉 사자의 문, 하투샤 상부 도시, 보아즈칼레(ⓒ계명대학교)

〈사진 37〉 스핑크스의 문, 하투샤 상부 도시, 보아스칼레(ⓒ셰닝내학교)

〈사진 38〉 왕의 문, 하투샤 상부 도시, 보아즈칼레(ⓒ계명대학교)

〈사진 39〉 스핑크스의 문, 기원전 13세기(보아즈칼레박물관ⓒ계명대학교)

〈사진 40〉 상부 도시 성벽(ⓒ계명대학교)

〈사진 41〉 상부 도시 성벽(ⓒ계명대학교)

아의 강자인 아시리아나 바빌로니아가 그리스에 관심조차 없을 때도 그리스는 에게해의 해상권을 장악하고 아나톨리아의 풍부한 자원을 확보하기 위해 서부 해안의 도시국가들을 지속해서 지원하였다. 또 1천 년 후에는 서부 해안 도시들의 반란을 지원하며 페르시아 제국의 다리우스, 크세르크세스와 전쟁을 벌였다. 이를 보면 그리스의 아나톨리아 서부 해안 진출의 역사는 장구하다고 할 수 있다.

최근 히타이트 연구는 제국의 말기 붕괴 원인 규명에 집중되면서 학자들의 여러 이론이 등장했다. 그중에서 기원전 1200년경 동부 지중해에 닥친 극심한 가뭄 이론이 널리 통용되었지만, 가뭄으로 인한 직접적인 변화보다는 곡물 공급 중단 같은 인적 요인이 더욱 타당하다는 반론이 제기되었다. 여러 학자는 히타이트 제국 말기 왕권 찬탈로 인한 권력 유실과 그로 인해 히타이트 왕들이 사활을 걸었던 금속 네트워크가 붕괴하면서 연대가 무너졌다고 여긴다. 히타이트 전문가인 트레버 브라이스(Trevor Bryce)는 2005년 출간한《히타이트 왕국(The Kingdom of the Hittites)》에서 히타이트를 멸망시킨 바다 민족들의 침략과 정체에 대해 다음과 같이 적었다.

> 그 침략은 단순한 군사 작전이 아니라 육지와 바다를 통해 정착할 새로운 땅을 찾는 많은 인구의 이동을 수반했음을 강조해야 한다. (중략) 우리는 이제 이 침략자들의 정체와 출처, 그리고 후기 청동기 문명 붕괴에 끼친 역할을 조사해야 한다. '바다 민족들'이라는 용어는 이집트 자료에 기술된 바다 건너편의 침략자를 지칭하기 위해 19세기 후반에 만들어졌으며, 이후로 역사가와 고고학자들에 의해 널리 사용되었다. 그러나 그것은 오해의 소지가 있는 용어이다. 왜냐하면 거기에 포함된 많은 민족이 섬이나 해안에 기원을 두지 않았으며, 실제로 그들의 움직임과 활동이 바다 또는 연안 지역에 국한되지만 거의 모든 근동세계를 포함하기 때문이다.

아나톨리아 전역을 거의 500년간 통치한 히타이트의 역사가 제대로 정립될 때 프리기아와 리디아로 이어지는 아나톨리아 고고학의 연속성은 확립될 수 있다.

히타이트와 철기 문명: 그들은 철제 무기를 보유했었나?

히타이트군은 청동기 시대 최강자라고 알려져 있다. 그들의 강점은 기동력, 화력, 보안 등으로 정의되며, 경마가 끄는 병거가 주요 무기였다. 중동 전역으로 확산한 히타이트의 경전차는 무게가 가벼워 기동력이 좋았으며, 나무 프레임을 가죽으로 덮어 화력을 높였다. 또 히타이트 전사들은 날이 낫처럼 구부러진 칼과 도끼, 활 등도 사용했다. 히타이트가 철기 문명을 일으킨 주역으로 널리 알려졌기 때문에 청동기 시대에 가볍고 혁신적인 철제 검을 사용했는지는 최대 관심사다. 테임즈 앤 허드슨(Thames & Hudson)에서 출간된《히타이트와 소아시아의 동시대인들(The Hittites and their Contemporaries in Asia Minor)》에는 히타이트에 대한 세 가지 오해를 다음과 같이 적고 있다.

> 첫째, 히타이트가 철이라는 비밀 무기 생산을 독점해 지배적 위치를 차지했다는 증거는 현재까지 전혀 없다. 두 번째, 히타이트의 계급 구조가 언어나 인종에 기반을 두었다는 증거도 전혀 없다. 히타이트인은 다른 민족들과 마찬가지로 인종 구성이 다양했다. 세 번째, 히타이트인은 기원전 1595년 메소포타미아 문명에 내려온 야만적인 산악인 무리로 묘사되었다. 하지만 이들은 오히려 수준이 높았을 뿐 아니라 탐욕보다 합리적인 경제 원칙에 기초하고 있었다.

전 세계적으로 철제 칼은 초기 철기 시대(12세기경) 나타나기는 하지만 기원전 8세기 이전까지는 보급되지 않았다는 것이 일반론이다. 특히 5만 명의 병사들이 철제 검으로 무장할 만큼 상용화된 제련기술이 없었다는 것이 학자들의 결론이다.

최근 히타이트에 대한 과학적 탐구는 철제 무기 및 제련 흔적을 찾는 데 집중되었다. 인류가 처음 사용한 철은 운석에서 추출한 운철이었다. 운철은 제련 과정을 거치지 않아도 되기 때문에 사용하기가 쉽다. 투탕카멘 무덤에서 출토된 단검도 운철로 만든 것이다. 오늘날 학자들은 철을 사용한 증거로 검이나 철제도구를 거론하지 않고 제련 중에 버려진 찌꺼기에 더 주목한다. 제련 찌꺼기인 슬래

〈사진 42〉 히타이트 전차, 시리아 카르케미시에서 발굴, 후기 히타이트 시대(기원전 10세기~8세기경)(아나톨리아문명박물관ⓒ계명대학교)

그(slag)를 분석하면 제련된 철의 순도를 알 수 있기 때문이다.

히타이트 문헌에 등장하는 철제 왕좌, 철제 대야, 철 비늘갑옷 등에 대한 기록은 히타이트의 철기 생산 가능성을 높여 준다. 청동기 시대 철에 대한 결정적인 언급은 기원전 13세기 히타이트 왕 하투실리 3세가 아시리아 왕에게 보낸 편지에서 나타난다.

당신이 말한 좋은 철에 대해 말하자면 키주와트나(Kizzuwatna)에 있는 창고에 좋은 철이 다 떨어졌습니다. 지금은 철을 생산하기에 좋은 시기가 아닙니다. 철을 곧 생산하겠지만 아직은 아닙니다. 다 되면 보내드리지요. 대신 철 단검을 보내드리겠습니다.

이에 대해 많은 학자들은 기원전 2천 년 초반 소량의 철이 제련되었고, 제국 후기에 철에 대한 언급이 많아졌지만, 어느 정도인지는 아직은 불분명하다고 보고 있다. 왜냐하면 생산 기술의 한계를 넘어 현재까지 상용화한 증거나 결과가 없기 때문이다. 2005년 아나톨리아 카만칼레휘위크(Kaman-Kalehöyük) 유적에서 작은 철 조각을 발굴하고 기대를 모았으나, 히타이트가 비록 철을 산출했지만, 제련보다는 안료로 사용되었을 것이라는 연구 결과가 보고되었다. 학자들에게 흑해 남부와 동부 지역은 오랫동안 초기 철 생산 가능성을 추측하게 하는 흥미로운 장소였다. 1960년대 초 조지아 고고학자들이 흑해 동부에 있는 수백 곳의 제련소 중 서른 곳을 발굴했다. 이들 중 가장 오래된 것은 기원전 1천 년 중반의 것도 있었지만 모두 구리 제련소로 조사되었다. 현재까지의 연구 결과에 의하면 아나톨리아 중부 및 동부에는 철 제련소 유적이 거의 없고, 추가 발굴이 뒤따르지 않는 이상 히타이트의 철기 문명을 증명하는 것은 불가능하다.

그러나 히타이트의 몰락은 청동기 시대의 종말이자 철기 시대의 시작이기도 하다. 제국의 붕괴와 함께 이어진 주석 루트의 와해로 구리와 주석을 대체할 금속에 대한 요구는 값싸고 흔한 철이 부상하게 했다. 또한 당시 독보적 기술을 보유했던 히타이트의 철 제련 장인들은 제국이 붕괴되자 아나톨리아와 세계 전역으로 흩어져 철기 시대의 도래를 앞당기는 데 결정적인 기여를 했을 것으로 추정된다.

동서양 문명의 전령사, 히타이트

야즐르카야[사진 43]는 하투샤 상부 도시에 지어진 성소이자 노천 박물관으로, '천 신(千神)을 가진 사람들'이라 불리는 신성한 곳이다. 이곳 천연 암벽에 새긴 부조 들은 기원전 13세기 후반 투달리야 4세(Tudhaliya IV)와 수필룰리우마 2세(Suppiluliuma II) 때 완성되었다. 먼저 마주하게 되는 챔버 A의 양쪽 벽면에는 폭풍의 신 테숩 (Teshub)과 태양의 여신 헤바트(Hebat)를 비롯하여 64신이 행진하고 있다. 왼쪽 벽에 는 전통 킬트, 뾰족한 신발, 뿔 달린 모자를 쓴 남성 신들의 행렬이 보인다. 산신 은 바위산을 상징하기 위해 비늘이 박힌 치마와 함께 표시되었다. 오른쪽 벽은 왕관과 긴 치마를 입은 여성 신들의 행렬이 있는데, 마모가 심해 식별하기 어려 운 것도 있다.

우측 안쪽으로 들어가면 챔버 B로 들어갈 수 있는데 비교적 잘 보존된 부조가 벽면에 새겨져 있다. 각 부조 옆에는 시신을 안치할 수 있는 사각형 구멍이 패여 있어 투달리야 4세[사진 44]의 장례와 관련된 성소로 추정해 볼 수 있다. 투달리야 4세는 천둥의 신 테숩의 아들 샤루마(Sharruma)에게 꼭 안긴 채 큰 검을 들고 있는 지하세계의 신을 피해 왼쪽으로 가고 있다.[사진 44] 투달리야 4세가 등장하는 곳에 는 왕을 상징하는 날개 달린 새와 같은 표식[사진 45]이 새겨져 있다. 히타이트 왕들 은 자신의 왕권을 표식하는 기호로 인장이든 부조든 다른 것과 구별되게 표시 했다. 이 표시는 아시리아의 태양의 신 아슈르(Ashur)를 거쳐, 페르시아에 이르러 조로아스터교의 최고 신 아후라 마즈다(Ahura Mazda)의 신성, 파라바허르(Faravahar) 표식으로 전승되었다. 모두 날개를 달고 있다는 공통점을 가진다.

히타이트인은 후리인의 신화를 받아들여 히타이트화하고, 이웃 문화권의 신 화까지 꼼꼼하게 기록하여 후대에 전하였다. 〈쿠마리(Kumarbi) 서사시〉는 하투샤 의 히타이트 왕실도서관 잔해에서 발견된 번역 작품으로 히타이트어로 작성되 었지만, 주요 역할을 하는 신들은 바빌론어와 후리어를 사용하고 있다. 즉, 아나 톨리아 남동부, 시리아 북부, 메소포타미아 북부의 헷족, 인도-유럽어와 유사 한 언어를 사용하지 않는 민족이나 집단의 신들이다. 이들 중 많은 수가 기원전 14~13세기경 히타이트 제국에 편입되었고, 그들의 신은 히타이트 판테온의 환대를 받았다. 또 천국의 왕권투쟁, 울리쿰미와 쿠마르비의 노래, 홍수와 영웅 이야기 등도 같이 불렸다. 후리인의 이 서사시는 그리스의 헤시오도스의 〈신들의 계보〉와 비교된다.

히타이트가 계승하고 후대에 전승된 신들 중 풍요의 신은 주목할 만하다. 폭풍의 신 테슙도 후기에는 포도송이와 곡물싹을 들고 있는 풍요의 신과 포도원의 신으로 변형되어 디오니소스를 연상하게 한다. 무엇보다 풍요의 여신 쿠바바(Kubaba)사진 46는 가장 매력적이다. 그녀는 긴 치마와 로브를 입고, 꽃이 새겨진 관을 쓰고, 한 손에는 거울, 다른 손에는 석류 송이를 들고 있다. 근동에서 석류는 생명의 열매로 다산을 상징한다. 아나톨리아에서 풍요의 여신과 지모신의 역사는 차탈휘위크나 하즈라르에서부터 시작하기 때문에 매우 특별하다. 풍요의 여신은 다산과 출산의 여신으로서 모성을 대변하며 시대마다 다른 이름으로 불리기도 한다. 에페소스에서는 아르테미스(Artemis), 히타이트에서는 후리의 여신인 헤파트(Hepat), 프리기아에서는 키벨레(Cybele)로 숭배된다. 프리기아에서는 키벨레 신앙의 중심이 되고, 후에 사르디스로도 전파된다. 그리스 숭배자들은 그녀가 올림포스의 신들과 여신 헤스티아, 데메테르, 헤라, 하데스, 포세이돈, 제우스의 어머니인 레아와 같다고 믿었다. 그래서 쿠바바 도상 중 곡물싹을 들고 있는 도상도 등장하는데 데메테르가 바로 그 모습으로 재현되기도 한다.

히타이트는 기원전 12세기 초 수도가 함락되면서 종말을 고한다. 아시리아는 청동기 시대 후반 격동의 혼란기를 견뎌내고 새로운 강자로 부상하지만 기원전 7세기 후반 바빌로니아와 메디아 연합군에 의해 멸망한다. 히타이트 유민들은 고향에 남거나 다른 지역의 이민자들과 합류하기도 하고, 아나톨리아 남부와 시리아 북부로 이동해 가며 후기 히타이트를 재건하면서 근동의 문화를 편견 없이 수용하고 중개하였다.

히타이트가 고대 중동의 강대국 중 하나로 인정된 것은 최근의 일이다. 이 지역의 발굴과 연구는 히타이트에 대한 정보뿐만 아니라 후기 청동기 시대의 아나톨리아 지역에 대한 지식을 크게 확장했다. 동양의 관점에서 볼 때 그리스는 알렉산드로스 대왕의 동방원정 이전에는 문명 세계의 가장 변방에 있었다. 히타이트는 해상 강국이 아니었기 때문에 에게해와 지중해 무역에 별로 관심이 없었다.

〈사진 43〉야즐르카야 성소, 챔버 A(ⓒ계명대학교)

〈사진 44〉신의 가호를 받는 투달리야 4세, 야즐르카야 챔버 B(ⓒ계명대학교)

〈사진 45〉투달리야 왕의 이름을 나타내는 상형문자, 야즐르카야 챔버 B(ⓒ계명대학교)

〈사진 46〉쿠바바 여신(아나톨리아문명박물관ⓒ계명대학교)

히타이트는 서해안보다 동쪽과 남쪽, 미탄니 왕국, 아시리아, 바빌로니아, 이집트를 바라보았다. 고대 인류 문명의 중심은 바로 이 지역이었으며, 서양인들의 기대와 달리 실제 문명의 이동은 르네상스 이전 모든 시대에 걸쳐 동쪽에서 서쪽으로 이동했다. 하타이트는 그 핵심적 역할을 수행했다.

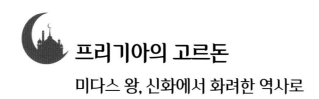

프리기아의 고르돈

미다스 왕, 신화에서 화려한 역사로

미다스 왕의 신화

아나톨리아 고고학에서 청동기 시대와 철기 시대는 유독 느슨하게 정의되어 수천 년에 걸친 물질문화의 연속성을 추적하는 것 자체가 매우 도전적인 일이 되었다. 아나톨리아와 에게해 주변 국가들에게 격동적이고 혼란스러웠던 청동기 시대 말기는 히타이트의 몰락과 함께 마감되었다. 이 시대를 암흑기라 부르는 이유는 바다 민족들의 침입과 내륙 부족들의 개입으로 역사가 중단되면서 아나톨리아의 민족적·정치적 풍경이 완전히 사라져 버렸기 때문이다. 히타이트의 몰락에 아나톨리아·에게해 주변 나라는 어떤 식으로든 연루되어 있었다. 프리기아도 예외는 아니었다.

프리기아에 대한 최초의 기록 중 하나는 아시리아인에 의해 전해진다. 아시리아인은 프리기아를 무시키(Mushiki)라 불렀다. 아나톨리아 북부의 흑해 주변에 있던 카스카(Kaska) 부족은 히타이트 왕들이 정복할 수 없었던 강자였다. 히타이트 제국이 붕괴할 당시 아나톨리아로 유입해 들어 온 프리기아인은 카스카인과 함께 아시리아의 티글라스-필레저 왕(Tiglath-Pileser, 기원전 1112~1072)과 싸웠는데, 아시리아 왕의 비문에는 무시키인 2만 명과 다섯 왕을 항복시켜 조공을 받았다고 적혀 있다.

청동기 시대 말에 일어난 격변의 위대한 생존자이자 가장 큰 수혜자 중 하나는 아시리아였다. 히타이트가 사라진 아나톨리아에 아시리아를 상대할 강자는 없었다. 아시리아에 굴복하여 조공과 십일조를 바쳤던 프리기아는 혼란기를 틈타 대국으로 성장하였다. 프리기아가 카스카 부족에게 힘을 보탰을 때 아시리아 왕이 '다섯 왕'이라고 한 것을 보면 프리기아는 초기에 부족연합으로 출발한 것으로 추측된다.

프리기아에 대한 정보는 생각보다 많지 않고 일관성도 없다. 히타이트 제국이 망할 무렵 역사에 처음 등장한 프리기아는 크게 주목받지 못했다. '프리기아'라는 이름보다 오히려 알렉산드로스 대왕의 '고르디오스의 매듭(Gordian Knot)'*이라는 일화나, 전성기를 이끌었던 미다스(Midas) 왕이 더 잘 알려져 있다. 아시리아 왕 사르곤 2세 연대기에 미타(Mitha)로 등장하는 미다스 왕(기원전 738~696 재위)은 〈임금님 귀는 당나귀 귀〉 설화의 주인공이기도 하다.

오늘날 우리가 알고 있는 고대 세계의 정보는 대부분 그리스 학자들을 통한 것이다. 아시리아와 바빌로니아는 수준 높은 문화를 이룩한 아시아의 강자였지만 헤로도토스(Herodotos)는 《역사》에서 두 나라를 전혀 언급하지 않았다. 그 이유는 이들이 그리스에 조공도 보내지 않았을 뿐더러 그리스에 관심조차 없었기 때문이다. 하지만 그리스에 조공을 보냈던 프리기아와 리디아에 대해서는 이와 반대였다. 특히 미다스 왕은 그리스와 특별한 인연이 있다. 기원전 5세기 중반 헤로도토스는 델포이의 아폴로 성소에서 미다스가 봉헌 선물로 보낸 보좌를 봤다고 했다. 미다스가 소아시아 서쪽 해안의 그리스 도시인 키메(Kyme) 통치자의 딸과 결혼했다고 하니 이 말이 이해된다.

우리가 알고 있는 미다스 신화는 모두 작가들에 의해 탄생한 것이다. 손만 대면

---

* '고르디오스의 매듭'은 알렉산드로스 대왕이 칼로 잘랐다고 하는 전설 속의 매듭이다. '대담한 방법을 써야만 풀 수 있는 문제'라는 뜻의 속담으로 쓰이고 있다. 프리기아의 수도 고르돈에는 고르디오스의 전차가 있었고, 그 전차에는 매우 복잡하게 얽히고설킨 매듭이 달려 있었다. 아시아를 정복하는 사람만이 그 매듭을 풀 수 있다고 전해지고 있었는데, 알렉산드로스가 그 지역을 지나가던 중 그 얘기를 듣고 칼로 매듭을 끊어버렸다고 한다.

황금으로 변한다는 이야기는 그의 왕국에 상당한 부가 축적된 것이 배경이다. 미다스 신화는 기원전 7세기 중반 스파르타의 시인 티르타이오스(Tyrtaios)를 시작으로 몇 세대 후에도 계속되다가 변형된 판타지인 황금빛 터치가 등장한다. 세월이 지나면서 미다스가 사티로스를 잡았다거나, 당나귀 귀를 가졌다거나, 로마 시대에는 황금빛 터치로 굶어 죽었던 그가 황소의 피를 마시고 자살했다거나 점점 더 많은 판타지가 가미되었다. 플루타크(Plutarch)는 미다스의 자살을 악몽과 연관시켰고, 역사가 스트라보(Strabo)는 킴메르족이 프리기아에 쳐들어왔을 때 자살했다고 전한다. 이제 그의 죽음은 황소의 피를 마시고 자살했다는 신화적 판타지가 지배한다. 이쯤 되니 미다스 왕의 무덤이 아직 확인되지 않고 있어 그의 생몰도 의심스러워진다.

고르돈 발굴과 프리기아의 역사

프리기아의 기원이나 역사는 불분명하지만, 고고학적 발굴은 프리기아를 이해하는 데 많은 도움을 준다. 프리기아인은 기원전 11세기 초에 발칸반도에서 아나톨리아로 왔을 가능성이 있다. 앞서 언급한 바와 같이 아시리아인은 '무시키'라 불렀으며, 프리기아는 그리스식 명칭이다.

프리기아인은 기원전 8세기 후반 정치적 통합을 이루었으며, 지금까지의 연구 결과에 따르면 프리기아의 첫 번째 왕 고르디우스(Gordios)는 수도를 자신의 이름을 따서 고르돈(Gordion)이라 불렀다. 고르돈은 현재 터키 중부 앙카라 남서쪽으로 100km 떨어진 곳으로 전략적으로 중요한 곳이다. 또 청동기 시대부터 현대까지 4천 년 이상 점유된 근동의 가장 중요한 고고학 유적지 중 하나다. 고르돈은 1900년 독일 쾨르테 형제(Gustav Körte and Alfred Körte)가 처음 발굴했으며, 1950년부터 현재까지 미국 펜실베이니아 대학이 발굴을 진행 중이며, 로드니 영(Rodney S. Young)이 1973년까지 단장을 맡은 이래 여러 고고학자가 발굴 책임을 맡았다. 고르돈은 도시 전체가 하나의 성채를 이루고 있다. 성문으로 이어지는 벽으로 둘러싸인 둑의 길이는 아나톨리아에서 가장 긴 65m이다. 발굴팀은 성문과 이어지는 도로를

〈사진 47〉 프리기아 유색 조약돌 모자이크, 고르돈박물관 뜰(ⓒ계명대학교)
〈사진 48〉 프리기아 유색 조약돌 모자이크, 고르돈박물관 뜰(ⓒ계명대학교)

발굴하고, 요새 복원에 집중하고 있다.

고르돈 성채는 프리기아의 역사를 대변해 준다. 초기 철기 시대(기원전 1200~900)부터 프리기아 초기(기원전 900~800)에 몇 번의 건축을 통해 견고해졌다. 프리기아 초기에는 얕은 대기실이나 현관이 앞에 있는 직사각형 구조의 메가론(Megaron) 유형이 등장한다. 메가론은 다양한 크기로 건물 특징을 잘 보여 주는데, 홀 바닥을 장식하고 있는 추상적이고 거친 패턴의 유색 조약돌 모자이크는 프리기아인의 남다른 미의식을 보여 준다. 고르돈박물관 뜰에 옮겨 놓은 조약돌 모자이크사진 47, 사진 48는 이 기법이 프리기아에서 시작되었음을 알려 준다. 우물루스(Tumulus W) 고분사진 50은 초기에 건립된 왕릉이다.

프리기아 중기(기원전 800~540)에는 성채가 화재로 심각한 손상을 입었다. 로드니 영은 이 화재가 기원전 700년 킴메르족의 공격에 의한 것으로 생각했으나 확인 결과 기원전 800년 무렵의 것으로 밝혀졌다. 이 시기 저 유명한 대고분(Tumulus

MM)도 건설되었다.

프리기아 후기인 기원전 540년대에 고르돈은 페르시아 제국의 일부가 되었고, 헬레니즘 시대에는 알렉산드로스 군대의 집결지로 사용되다가 이후 큰 도시로 성장했다. 고르돈은 다른 문화 배경을 가진 지역에 헬레닉 문화가 확산한 이유를 보여 주는 좋은 예이다.

고분 왕국 고르돈

수도 고르돈의 역할은 사회 엘리트들의 수많은 고분들^{사진 49}에 의해 입증된다. 고르돈을 보면 경주를 떠올리게 되고, 어떻게 이런 거대한 고분들을 만들었는지, 이들은 대체 어디에서 왔는지 궁금하다. 고분은 유럽의 경우 청동기 시대(기원전 1600~1200)에 남동부에서 등장한다. 아나톨리아에는 고분군이 여러 곳 있는데, 리디아의 왕들의 영묘가 있는 빈 테펠러(Bin Tepeler), 프리기아의 고르돈, 콤마게네의 넴루트(Nemrut)산 등이 꼽힌다. 프리기아인의 이동은 12세기 후반에 이루어졌으나 고분은 9세기 중반까지 나타나지 않았다. 최초의 기념비적인 우물루스 고분(Tumulus W)은 기원전 850년경 조성되었다.

프리기아에서는 왕족, 사령관, 부자 등 고위급 인사가 죽으면 시신과 부장품을 넣은 후 목재 묘실 주변을 돌로 채운 후 흙으로 덮어 주변과 조화를 이루는 큰 고분을 만든다. 이런 고분은 도굴하기도 어렵지만, 조성하는 데 많은 시간과 인원이 동원된다. 1950년 로드니 영이 발굴을 시작한 이래 식별한 고분의 수는 80기였으나 오늘날 항공 사진, 위성 이미지, GPS 기반 지상 조사 등 다양한 방법을 통해 약 240기가 확인되었다. 이와 함께 성문 밖 3km 이내에서도 192기가 드러났다. 2019년 현재 고고학적으로 조사된 것은 44기이다.

흥미롭게도 고르돈의 크고 작은 고분은 강을 따라 뻗어 있는 도시와 같은 선상에 있는데, 도로를 따라 계곡과 능선에 위치하여 가시성과 영향력을 높였음을 알 수 있다. 고분 크기는 힘을 표시하는 수단으로 사회계층 구조를 반영하고 있으며, 피장자의 신분을 나타냈다. 고대 페르시아인도 이러한 인식을 하고 있었다.

〈사진 49〉 고분들이 산재한 수도 고르돈 전경

〈사진 50〉 우물루스 고분, 기원전 850년경

또 부장품의 품질과 수 역시 피장자의 지위를 대변했다. 고르돈의 고분 높이는 지반 침하나 훼손으로 낮아진 3m에서부터 침하에도 불구하고 53m나 되는 것 등 다양하다. 피장자는 성 구분이 없으며, 연령대도 다양하다.

고르돈에서 가장 오래된 우물루스 고분(Tumulus W)그림 49은 많은 이의 관심을 끈다. 가장 오래됐다는 역사성도 있지만, 초기 프리기아의 성채 바깥 축에 나란히 서 있어 성채 건설 당시 집권했던 왕의 무덤으로 추정된다. 비록 그의 이름과 이야기는 현재 전하지 않지만, 그의 백성이나 후계자들은 성문과 나란히 서 있는 고분을 보며 항상 그를 기렸을 것이다.

대고분(Tumulus MM)

프리기아 고분 중 가장 관심을 끄는 것은 미다스의 무덤(Midas Mound, Tumulus MM)
^{사진51}으로 알려진 고분이다. 하지만 이러한 구전과 달리 피장자는 미다스의 아버
지로 알려져 있다. 무덤방이 건설된 것은 기원전 740년인데 기원전 709년 아시
리아의 기록에 미다스가 나타나기 때문에 무덤의 주인이 아님을 방증한다.

〈사진 51〉 대고분 MM(Tumulus MM) 전경(ⓒ계명대학교)

〈사진 52〉 대고분 MM 입구(ⓒ계명대학교)

〈사진 53〉 대고분 MM의 무덤방으로 가는 복도(ⓒ계명대학교)

〈사진 54〉 대고분 MM의 목관 일부(ⓒ계명대학교)

〈사진 55〉 목재 상감 테이블, 대고분 MM 출토(아나톨리아문명박물관 ⓒ계명대학교)

〈사진 56〉 목재 상감 테이블의 문양 사례(ⓒ계명대학교)

〈사진 57〉 목재 서빙 스탠드, 대고분 MM 출토 (아나톨리아문명박물관ⓒ계명대학교)

〈사진 58〉 네 개의 사이렌 손잡이 장식이 달린 청동 솥, 대고분 MM 출토 (아나톨리아문명박물관ⓒ계명대학교)

이 고분은 1957년 펜실베이니아 대학팀에서 발굴을 시작했다. 높이 53m, 너비 300m로 고르돈에서 가장 크고, 아나톨리아에서 두 번째로 커서 '대고분'이라고 불리며 멀리서도 한눈에 볼 수 있다. 로드니 영에 따르면 원래 높이는 70~80m, 너비는 250m였으나 침하로 인해 높이가 낮아지고 지름은 커졌다고 한다. 고분 안으로 들어가려면 외부 길^{사진 52}과 내부 길^{사진 53}을 한참 걸어야 한다. 무덤방은 소나무와 향나무로 만들어졌으며, 거대한 목관^{사진 54}은 일부만 볼 수 있다.

대고분은 압도적 크기로 인해 피라미드와 비견되지만 비교적 짧은 기간에 만들어졌을 것으로 추정된다. 만약 동원된 인력이 1,000명이었다면 건설하는 데 1년 반 이상이 걸렸을 것이다. 이 고분을 건설하기 위해 왕국 전체가 막대한 노동을 감당했을 것이다. 또 묘실 주변 포장에 사용된 원석 대부분이 작아 어린아이들도 동원되었을 가능성도 있다. 프리기아 고분들 중 삼각뿔처럼 생기지 않고 사각기둥 모양으로 평평하게 쌓다가 만 듯 불완전한 사례도 있는데 이는 막대한 노동력 때문에 맨틀을 채우다 중단했기 때문이다.

이 고분을 발굴했을 때 피장자인 고르디우스의 골격이나 관절은 매장 당시 온전한 상태였음을 말해 주고 있다. 무덤방을 열었을 때 부장품이 생각보다 많고 프리기아의 매장 관습을 알 수 있어서 세간의 큰 관심을 끌었다. 목재 상감 테이블^{사진 55}의 섬세한 상감문양^{사진 56}은 매우 아름다우며, 또 다른 서빙 스탠드^{사진 57}는 디자인과 정교한 문양이 독특하다. 당시 장례식 연회에 사용된 식기류는 사용 후 전부 부장되었는데, 사이렌 손잡이 고리가 달린 청동 솥^{사진 58}을 포함한 솥단지 3개, 구형 청동 주전자 10개, 사발 100개, 더 큰 사발 15개가 부장되었다. 사발 개수는 지위가 상대적으로 낮은 100명과 상대적으로 높은 15명의 추모객이 참석했음을 알려준다. 흥미롭게도 추모식 참가자 중 한 명이 청동 그릇 가장자리에 밀랍으로 자신과 친구 세 명의 이름을 새겨 놓았다. 이 고대의 악동들은 무덤방 지붕 들보 측면에도 이름을 새겨 고르디우스와 함께 전 세계가 그들을 기억하게 하였다.

마타르 키벨레 숭배

프리기아의 숭배 관행은 히타이트처럼 암석을 깎아 만든 신전과 봉헌 공간, 자연석 노두에 조각한 부조 파사드 등 천연 재료와 배경을 사용해 신성함을 보이고자 했다. 그런 기념물에는 비서이나 계단, 의인화된 서상 등이 있다. 대부분 하나의 인간 형태로 묘사되지만, 소수의 경우 한 쌍의 인물이 표현되기도 한다. 그런 이미지는 도시나 시골 어디에서나 나타난다. 고르돈 북쪽 사카랴(Sakarya)강 위의 높은 절벽에는 여성 신을 의인화하여 명확하게 묘사했다. 정교한 의상과 머리 장식을 한 모습이 전형적이다. 이와 비슷한 부조는 위에서 언급한 건축학적 파사드와 출입구를 묘사하지만, 신성은 묘사하지 않는다. 그녀는 프리기아의 어머니 여신인 마타르(Matar)다.

풍요의 여신을 섬기는 아나톨리아의 역사는 매우 깊다. 신석기 시대 차탈휘위크에서 발견된 소형 조각상에서 진화하여 히타이트 시대에는 수메르의 쿠바바 여신 숭배를 계승했다. 히타이트 미탄니 왕국의 카르케미시(Carchemish) 지역에서 널리 숭배되었던 키벨레 여신은 프리기아에서 적극적으로 수용되었다. 프리기아인은 어머니 여신 마타르 키벨레(Matar Cybele)를 위해 신비한 숭배물로 땅을 장식했다. 바위에 새겨진 이 숭배물은 자연을 상징하는 키벨레 여신에 대한 존경과 헌신을 나타낸다. 각 숭배물의 기능은 같고, 여신에게 바쳐진 야외 제단의 디자인은 다양하다. 키벨레에 대한 프리기아 컬트를 설명하는 텍스트나 신화는 남아 있지 않다. 고르돈박물관의 〈마타르 키벨레〉사진 59는 신성한 붉은 돌에서 지금 막 태어나는 듯하다. 그녀는 높고 견고한 관을 쓰고 있으며, 긴 로브의 옷 주름까지 가지런히 정돈되어 있어 옷깃을 여미게 한다. 프리기아의 키벨레 숭배 관행은 다른 지역으로 전해져 키벨레와 지역마다 다른 여신 숭배로 전승되어 아나톨리아 풍요의 여신 계보를 이어갔다. .

〈사진 59〉 〈마타르 키벨레〉 (고르돈박물관ⓒ계명대학교)

제2장

성서의
거룩한
땅을 밟다

이인경

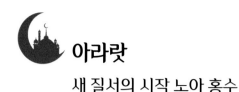

아라랏

새 질서의 시작 노아 홍수

구약성서에 의하면 홍수가 그친 뒤 노아의 방주가 "아라랏산에 머물러 쉬었다"(창세기 8장 4절)고 기록되어 있다. 아라랏산은 아시리아어 '우라르투'의 히브리어식 표기이며, 구약성서에 네 차례 등장한다.

먼저 창세기의 홍수 이야기에서 '하레이 아라랏(הָרֵי אֲרָרָט)'으로 기록된 아라랏은 아라랏산이라기보다는 '아라랏 산지', 즉 우라르투 산지를 의미한다. 열왕기하 19장 37절과 이사야서 37장 37절에서 '아라랏 땅'으로 기록된 아라랏은, 아시리아의 산헤립 왕을 죽인 그의 아들들이 도망간 곳이다. 당시 정세에 비추어 볼 때, 아라랏 땅, 즉 우라르투는 아시리아의 대등한 세력이었기에 망명지가 될 수 있었다. 마지막으로 예레미야서 51장 27~28절에서 아라랏은 '아라랏 왕국', 즉 우라르투 왕국이라고 기록되어 있다. 성서고고학자 김성은 이러한 근거에 기초하여 구약성서의 아라랏이 아라랏산이라는 특정한 산을 지칭한다기보다는 우라르투 지역 또는 우라르투 왕국이라고 주장한다.

우라르투는 기원전 13세기 아시리아의 샬마네세르 1세(Shalmaneser I, 기원전 1263~1234 재위)의 원정 기록에서 '우루아트리'라는 이름으로 최초로 언급되었다. 그 기록에

〈사진 1〉아라랏산

서 우라르투는 왕국이 아니라 느슨한 연맹체로 구성된 반 호수 근처의 고원 지역
이름으로 나온다. 그러다가 9세기 아시리아어 비문에서 우라르투는 신아시리아
제국 북부의 강력한 라이벌로 재등장한다. 이 시기의 우라르투는 기존의 연맹체
와 부족들을 통일한 왕국이었다. 우라르투 왕국의 군사력이 최정점에 달했던 기
원전 8세기 후반에 우라르투는 당시 고대 근동에서 가장 강력한 왕국 가운데 하
나였다. 이렇게 볼 때, 구약성서의 아라랏은 아라랏산이라는 특정 산이라기보다
는 반 호수 근처의 고원 지역 또는 그 지역 연맹체와 부족들을 통일하고 기원전

9~6세기까지 300년 동안 지속했던 우라르투 왕국을 가리킨다고 하겠다.

오늘날 노아의 방주가 있었던 장소로 알려진 터키의 '아르 다으(Ağrı Dağı)', 즉 '아르산'은 우라르투 왕국의 영토였던 반 호수, 세반 호수, 우르미야 호수를 연결하는 삼각 지대의 한가운데에 있다. 아르산이 구약성서의 아라랏산과 동일시된 것은 중세시대부터였다. 아르메니아어로 마시스(Masis)산인 아르산이 아르메니아 영토였던 시대부터 현재까지 아르산은 아르메니아의 국가적 상징이며 성스러운 산으로 여겨져 왔다. 그러나 아르산이 창세기 홍수 이야기의 아라랏산인지 확정할 수 없다. 앞에서 말했듯이 창세기의 아라랏산은 특정 산을 가리키는 것이 아니기 때문이다.

구약성서의 노아 홍수 이야기(창세기 6~9장)에서 하나님은 사람을 창조한 것을 후회하고 마음 아파하며 탄식하신다. 사람의 죄악이 세상에 가득 차서 세상이 썩고 무법천지가 되었기 때문이다. 하여 하나님은 하늘 아래에서 살아 숨 쉬는, 살과 피를 지닌 모든 것을 홍수로 멸하겠다고 노아에게 말씀하신다. 단, 노아와 그의 가족들 그리고 암수 쌍을 이룬 각종 짐승들은 하나님이 명하여 노아가 만든 방주에 들어가서 화를 면할 수 있었다. 노아는 당대에 의롭고 흠 없는 사람이자 하나님과 동행하는 사람이었다.

이와 유사한 이야기들이 고대 근동의 홍수 이야기에서도 나타난다. 그 가운데 메소포타미아의 아트라하시스(Atrahasis) 이야기와 길가메시(Gilamesh) 이야기에 수록된 홍수 이야기는 문학적 구조와 소재 등의 측면에서 노아 홍수 이야기와 밀접한 연관성을 가진다. 이 이야기들의 존재와 발견은 노아 홍수 이야기 해석에 대한 다양한 스펙트럼의 반향을 불러일으켰다. 스펙트럼의 양극단에는 종교사학파와 미국의 성서신학운동이 있다. 구약학자 김회권은 종교사학파가 "창세기의 신학적 고유성과 독특성을 아예 무시하고 고대 근동의 세계 기원론의 일부로 창세기를 격하시키는" 반면, 미국의 성서신학운동은 "창세기의 신학적 고유성과 독특성을 과장"한나고 평가했다.

구약성서의 노아 홍수 이야기를 어떻게 읽어야 할까? 이는 '어떤 의도와 목적을 가지고 해석할 것인가? 어떤 맥락과 상황에서 접근할 것인가?'라는 문제와 연관된다. 우리가 어떤 이야기를 읽을 때, 본문만 읽어서는 잘 이해되지 않는 경우

〈사진 2〉 우라르투 왕국의 요새

가 있다. 이야기가 독자와 동시대 작품이 아닌 경우는 더욱 그러하다. 어떤 이야기든 이야기가 산출된 시대를 반영하기 때문이다. 이야기의 구성 요소인 인물·사건·배경을 이야기 본문에서 찾을 때, 어떤 인물이 등장하고, 어떤 사건이 발생했으며, 사건의 지리적·시간적 배경이 무엇인가를 알고자 하는 것만은 아닐 것이다. 등장인물이 이야기 속에서 어떤 평가를 받고, 발생한 사건의 의미가 무엇인지도 알고 싶기 때문이다. 본문 자체만으로는 그런 것들을 알기 힘들다. 그러므로 인물 평가의 기준과 사건의 의미 등을 알기 위해서는 이야기가 수록된 작품의 전체 문맥과 작품이 산출된 상황에서 접근해야 한다. 이때 독자가 누구인가 하는 점은 이러한 일련의 과정에 영향을 미친다.

노아 홍수 이야기가 수록된 구약성서는 고대 근동 세계의 산물이다. 구약성서는 고대 이스라엘의 역사를 기록한 책이며, 고대 이스라엘은 고대 근동 세계의 일부였다. 길가메시 이야기 속 우트나피쉬팀이 들려주는 홍수 이야기, 아트라하시스의 태초 이야기에 등장하는 홍수 이야기, 구약성서의 노아 홍수 이야기 등은 '같은 이야기의 다른 버전'처럼 보인다. 같은 이야기의 다른 버전이라고 할 때, '같은 이야기'란 문학적 구조와 소재가 같다는 의미이다. '다른 버전'이란 구약성서 창세기의 저자가 야훼 신앙의 관점에서 홍수 이야기를 신학적으로 재해석했다는 뜻이다.

구약학자 트렘퍼 롱맨 3세와 존 H. 월튼(Tremper Longman III and John H. Walton)에 의하면, 고대 메소포타미아의 홍수 이야기들과 노아 홍수 이야기에서 홍수는 '새 질서 수립'을 위해 사용된 수단이라고 한다. 고대 근동 사람들에게 홍수는 친숙한 사건이었다. 또 고대인은 신들이 모든 인간을 전멸시키려 한다는 말을 거부감 없이 받아들였다고 한다. 아트라하시스 이야기에서 홍수는 인구조절 수단으로 그려진다. 신의 노동을 대신하기 위해 창조된 사람들의 울부짖는 소리를 참지 못한 신들이 인구조절 수단으로 홍수를 일으켰다는 것이다. 길가메시 이야기에서 홍수는 영원한 생명의 비법과 관련된다. 영원한 생명을 얻기 위한 길가메시의 여정에서 우트나피쉬팀이 들려주는 홍수 이야기가 등장하기 때문이다. 우트나피쉬팀의 홍수 이야기에서는 홍수의 원인이 언급되지 않는다. 노아 홍수 이야기에서는 사람의 죄악에 대한 신의 징벌이 홍수의 원인이다. 인간의 악행으로 세상이 썩고 무법천지가 되었기 때문에 인간을 멸하기 위해 하나님이 홍수를 징벌로 내렸다는 것이다.

그러므로 이들 홍수 이야기에서 홍수 발생의 역사성은 문제가 되지 않는다. 고대 메소포타미아 홍수 이야기들의 존재가 노아 홍수 이야기의 역사성을 입증한다는 주장은, 종교 전승(경전)과 역사성의 관계를 어떻게 볼 것인가에 따라 평가가 달라진다. 종교 전승은 역사성을 배제하지 않지만, 역사성이 종교 전승의 가치를 규정할 수는 없다. 고대 근동의 홍수 이야기가 세상에 알려지지 않았더라도 노아 홍수 이야기는 신앙적 의미가 있기 때문이다. 종교가 역사성을 무시해서는 안 되겠지만, 역사성에 기대어 자신의 존재 가치를 입증하려 한다면 오히려 종교의 가치와 의미가 약화될 수 있다.

고대 메소포타미아의 홍수 이야기들과 노아 홍수 이야기의 차이는, '홍수를 통해 어느 신이 새 질서를 수립하고, 그 질서에서 누가 사는가?'이다. 노아 홍수 이야기에서 하나님이 홍수를 통해 새로운 질서를 세우고, 노아와 그의 자손들만이 그 질서 속에서 살아간다. 이렇게 볼 때, 노아 홍수 이야기에서 주목할 것은 홍수의 역사성이나 방주가 있던 장소가 아니라, 하나님이 새 질서를 세웠고 하나님과 함께한 노아와 그의 자손들이 새 질서의 백성이 되었다는 점이 아닐까?

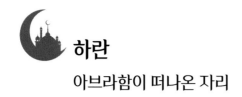

하란
아브라함이 떠나온 자리

기독교에서 믿음의 조상으로 일컬어지는 아브라함은 기독교만의 인물이 아니다. 유대인의 조상으로서 이스라엘 족장 역사에 첫 번째 족장으로 등장하는가 하면 알라의 예언자 가운데 가장 중요한 다섯 예언자 중 한 사람이다. 이렇듯 아브라함계 종교로 분류되는 유대교, 기독교, 이슬람교에서 아브라함은 중요한 위상을 차지한다. 실크로드학자 정수일은 이 세 종교가 같은 뿌리라고 언급한다.

> "유대교나 기독교, 이슬람교의 개조(開祖)는 모두 아브라함의 후예들이고, 세 종교는 똑같이 한 고장의 한 뿌리에서 뻗어나와 유일신을 섬기는 친연(親緣) 종교들이다. 이러한 친연성을 감안해 유대교와 이슬람교는 '숙질간'이고, 기독교와 이슬람교는 '사촌 간'이라고 비유하기도 한다."

아브라함 이야기를 담고 있는 구약성서는 기독교의 경전인 동시에 유대교의 경전이기도 하다. 이슬람교에서도 구약성서의 오경과 다윗의 시편에는 알라의 계시가 나타나 있다고 인정한다. 물론 이슬람교는 구약성서의 계시가 일부 왜곡

되었으며 꾸란이야말로 가장 완성된 계시라고 주장한다. 하여 이슬람교에서는 아브라함에서 이삭으로 이어져 예수까지 연결되는 계보를 인정하되, 그보다는 아브라함과 이스마엘로 계승되어 무함마드에서 완결된다고 주장한다. 무함마드는 알라가 보낸 예언자 중 최후의 예언자이기 때문이다.

구약성서에 의하면, 아브라함은 그의 아버지 데라를 따라 메소포타미아 남부 지역인 바빌로니아의 우르(Ur)를 떠나 가나안으로 가다가 메소포타미아 북부 지역인 하란(Haran)에 자리를 잡는다(창세기 11장 31절). 이후 하란은 아브라함과 그의 상속자들로 이어지는 이스라엘 족장 역사의 무대가 된다. 아브라함이 하란에 정착할 때의 나이는 알 수 없어 거주 기간을 가늠할 수 없다. 다만, 하나님의 부름을 받아 하란을 떠날 때의 나이는 75세였다. 아브라함은 하란을 떠날 때 그동안 일구고 얻은 재산과 사람들을 거느리고 떠났는데, 이로 미루어 하란에서 어느 정도 기반을 다진 것으로 짐작된다.

우르로부터 약 1,000km를 이동하여 자리 잡은 하란에서 기반을 다진 아브라함이 이곳을 떠난 이유는 무엇일까? 그보다 더 앞서 아브라함의 아버지 데라는 왜 우르를 떠났을까? 물론 아브라함은 하나님의 부름을 받아 길을 떠난 것으로, 즉 신앙적 결단을 한 것으로 창세기에 나와 있다. 하지만 현대를 사는 보통 사람의 상식으로는 이해하기 힘들다.

아브라함의 행동을 이해하기 위해서는 먼저 구약성서의 특성을 살펴볼 필요가 있다. 구약성서는 고대 이스라엘의 역사를 신앙적 관점에서 기록한 책이다. 고대 이스라엘은 고대 근동 세계의 일부였으며, 구약성서는 고대 근동 신화의 언어와 종교가 반영되어 있다. 그러므로 구약성서를 이해하기 위해서는 고대 근동을 알아야 한다. 고대 근동의 시간적 배경은 수메르 문명의 시작부터 페르시아 제국의 멸망까지, 즉 기원전 33세기에서 기원전 330년까지 약 3,000년간을 가리킨다. 또 공간적 배경은 메소포타미아, 이집트, 아나톨리아반도의 히타이트 제국, 시리아-필리스티아 등 네 개로 나눌 수 있다. 고대 이스라엘은 기원전 11세기경 세워졌으며, 남북왕국으로 분단되었다가 북왕국은 기원전 722년 신아시리아 제국에, 남왕국은 기원전 587년 신바빌로니아 제국에 정복되었다. 고대 이스라엘은 고대 근동 세계의 지정학적 요충지에 위치한 약소국으로서 주변 강대국들의 패권 다툼의 영향을 받는 한편, 비옥한 초승달 지대의 중요한 교통로라는 입지 조건 덕분에 다양한 문물을 접하고 수용할 수 있었다. 이러한 맥락에서 보면 아브라함이 어떤 사람이며, 왜 우르와 하란을 떠났는지 알 수 있다.

고대 근동학자 주원준에 따르면, 고대 근동에서는 신과 함께 사는 것을 당연하게 여겼으며, 각자 수호신이 있어서 그 신은 그 사람의 정체성을 드러내는 표지였다고 한다. 하여 고대 근동에서 어떤 사람을 평가할 때 기준이 되는 것은 '그의 신이 누구인가' 그리고 '그 사람이 자기 신에게 충실한가'였다. 이 기준으로 볼때, 아브라함은 자기 신에게 충실한 사람이었다. 자기 신인 하나님에게 충실한 아브라함은 '의롭다'고 인정받았다(창세기 15장 6절).

그렇다면 아브라함이 섬기는 신은 누구인가? 그 신이 어떤 신인지를 알면 아브라함이 하란을 떠난 이유를 알 수 있을 것이다. 주원준은 아브라함의 하나님이 변방의 작은 신이었다고 주장한다. 즉 자기 성읍, 자기 도시를 가지지 못한 신이라는 것이다. 그 말은 아브라함과 그의 상속자들이 '성 밖 사람들(비도시인)'이라는 의미이다. 비록 아브라함이 하란에서 기반을 잡았다고는 하나 '성읍 사람들'에 끼지 못했다. 그의 하나님이 그것을 원치 않았고, 아브라함은 자기 신에 충실한 사람이었기 때문이다. 아브라함이 아버지 데라를 따라 우르를 떠난 이유도 마찬가지인 것으로 보인다. 발전된 도시인 우르를 떠난 것은 아브라함과 그의 아버지가 우르에서도 '성 밖 사람들'이었기 때문이었다. 성 밖 사람들은 자기 성읍이 없어서 이동하는 사람들이었다. 창세기의 고대 이스라엘 족장 역사를 보면 아브라함과 그의 상속자들이 한 곳에 정주하기보다는 떠나는 모습으로 나타난다.

아브라함이 하나님의 부름을 받은 하란은 그의 아들 이삭의 아내 리브가의 고향인 아람나하라임으로, 이삭의 아들 야곱이 형 에서를 피해 도망갔던 밧단아람으로 불리는 곳이기도 하다. '아람나하라임'과 '밧단아람'이라는 지명은 '두 강의'라는 뜻의 '나하라임'과 '길'을 의미하는 '밧단'에 아람인을 가리키는 '아람'이 붙여진 이름이다. 여기서 한 가지 흥미로운 점이 있다. 모세가 이스라엘 백성들에게 하나님의 율법을 선포하고 당부하는 연설에서 아람인을 이스라엘의 조상으로 보았다는 것이다. "내 조상은 떠돌아다니면서 사는 아람 사람으로서."(신명기 26장 5절) 이러한 자료에 기초할 때, 아브라함은 하란에 정착했던 아람인으로 야훼 하나님의 부름을 받아 하란을 떠나서 유대인의 조상이 된 것으로 볼 수 있다.

하란은 샨르우르파(Şanlıurfa)주에 있는 고대 도시이다. 기원전 2,000년대 후반기 고대 근동의 강대국 중 하나였던 밋탄(Mittan)의 중심지였으나 히타이트의 공격으로 불탔으며, 뒤이어 아시리아의 지배를 받았다. 아시리아의 지배하에서 하란은 오히려 번성하여 아시리아 제국의 최고 신인 달신 '신(Sin)' 숭배의 중심지로서 명성을 떨쳤다. 그 후 바빌로니아 제국이 아시리아를 정복하여 패권을 장악하면서 하란은 바빌로니아에 편입되었고, 달신 숭배는 바빌로니아의 최고 신 마르둑(Marduk) 숭배로 대체되었다. 그러다가 바빌로니아의 마지막 왕 나보니두스(Nabonidus, 기원전 556~539 재위)가 달신 숭배를 부활시키면서 하란은 옛 명성을 회복하게 되었다.

하란 출신으로 알려진 나보니두스는 마르둑 숭배의 신년 축제인 아키투 축제를 중단시키고, 마르둑 신전 일부를 신 신전으로 개조하였다. 이미 쇠락하고 있던 바빌로니아 제국 말기에 비왕족 출신으로 정권을 잡은 나보니두스는 새로운 종교 사상에 기초하여 바빌로니아를 개혁하고자 한 것으로 평가된다. 기득권 세력인 마르둑 사제들의 반발과 저항이 이어지는 것은 당연했다. 나보니두스의 개혁은 제국의 수도 바빌론이 페르시아 제국의 키루스 대제(Cyrus the Great, 기원전 559~530 재위)에게 함락당하면서 실패로 끝났다. 나보니두스의 개혁정책으로 기득권을 빼앗긴 마르둑 사제들이 키루스와 결탁한 결과였다. 현재 하란에 남아 있는 달신 신전 유적과 출토 유물을 통해 달신 숭배의 흔적을 볼 수 있다.

하란에서 출토된 나보니두스 비문에는 나보니두스와 그의 어머니 아다드-굽피(Adad-Guppi)를 찬미하는 내용이 있으며, 특히 비문의 머리 부분에는 달과 별과 해에게 기도하고 있는 나보니두스의 모습이 부조로 새겨져 있다. 나보니두스의 어머니 아다드-굽피는 나보니두스에게 많은 영향을 준 것으로 알려져 있으며, 자서전을 남길 정도로 존재감이 큰 인물이었다. 아다드-굽피의 자서전도 하란에서 출토되어 나보니두스 비문과 함께 샨르우르파박물관에 소장되어 있다.

하란은 이웃한 샨르우르파와 함께 그 지역의 패권 변화에 따라 부침을 겪었다. 알렉산드로스 대왕과 셀레우코스 왕조의 지배를 받았으며, 에데사(Edessa, 지금의 샨르우르파)를 수도로 한 오스로에네 왕국의 주요 거점도시로서 로마와 파르티

〈사진 3〉 하란의 천문탑과 달신 신전 유적

아 제국(Parthia, 기원전 247~서기 224)은 완충지대 역할을 하였고, 사산 제국의 지배를 받다가 6세기 중반 이슬람화되었다. 우마이야 왕조의 마지막 칼리프 마르완 2세(Marwan II, 744~750 재위) 때 세워진 울루 자미와 마드라사는 아나톨리아반도 최초의 모스크이자 이슬람 세계 최초의 대학으로 알려져 있다. 그러나 13세기 몽골 제국의 침략으로 울루 자미와 하란성 전체가 파괴되어 현재는 일부 부속 건물만 남아 있다.

아브라함의 이야기와 역사를 품고 있는 하란은, 아브라함의 믿음을 본받고자

〈사진 4〉 하란의 울루 모스크와 마드라사 유적

〈사진 5〉 하란성벽

〈사진 6〉 하란의 전통적인 진흙 벽돌 건물

〈사진 7〉 하란성 전경

하거나 아브라함에게 존경을 표하고자 하는 아브라함의 후손들에게 특별한 의미가 있다. 이는 아브라함이 하나님의 부름을 받은 하란 평원, 야곱이 라헬을 처음 만난 우물, 그리고 울루 자미 유적에 발길이 끊기지 않는 이유이기도 하다.

하란의 이웃 도시 샨르우르파는 초기 기독교 역사의 한 축을 형성하는 중요한 도시이다. 에데사가 오스로에네 왕국(Osroene, 기원전 132~서기 214)의 수도였을 때 이미 기독교인들이 있었으며, 교회 예배당이 201년 홍수로 파괴되었다는 기록이 있다. 에데사에 기독교가 전파된 과정을 기록한 시리아어 작품《아다이의 가르침》에 따르면, 오스로에네 왕국의 왕 아브가르 5세(Abgar V Ukama, 기원전 4~서기 7, 서기 13~50 재위)가 예수와 서신 왕래를 했으며, 예수의 제자 도마가 보낸 아다이가 아브가르 5세의 한센병을 고쳐 주었다고 한다. 학자들은 이 일로 에데사에 기독교가 전파되었을 것으로 보고 있다.

에데사의 기독교를 가리켜 시리아 교회라고 하는데, 에데사는 시리아 교회가 시작된 곳이며 중심지였다. 에데사는 에데사 학파의 본거지이며, 에데사 학파는 로마 제국 교회의 양대 축 중 하나로 간주되는 안디옥 학파의 신학적 거점으로 발전했다. 시리아 교회는 에페소스 공의회(431)와 칼케돈 공의회(451) 이후 두 그룹으로 분열되었다. 그중 한 그룹인 아시리아 동방교회는 네스토리우스의 '크리스토토코스(Christotokos, 그리스도의 어머니)' 주장을 지지한다는 이유로 제2차 콘스탄티노플 공의회(553)에서 이단으로 단죄되었다. 실상은 아시리아 동방교회가 네스토리우스의 주장을 지지했다기보다는, 로마 제국의 적국인 사산 제국(Sassanian Persia, 224~651)에 속해 있는 에데사의 아시리아 동방교회가 살아남기 위해서 취한 입장 때문에 단죄된 것이다. 아시리아 동방교회는 기독론에 대한 로마 제국 교회의 입장인 칼케돈 공의회의 결정을 수용하지 않은 것이지 네스토리우스의 주장을 지지한 것은 아니었다. 로마 제국과 사산 제국의 정치적 역학관계 속에서 살길을 찾은 결과였다. 그러므로 아시리아 동방교회를 네스토리우스파라고 부르는 것은 아시리아 동방교회의 입장에서 볼 때 부당한 처사였다. 현재는 네스토리우스와 네스토리우스파에 대한 이단 낙인과 파문이 철회되었다. 종교개혁자 마르틴 루터는 네스토리우스에 대한 이단 낙인이 잘못된 것이라고 주장했으며, 아시리아 동방교회와 로마 가톨릭교회가 서로에 대한 파문을 철회하고 양측 기독론을 타

〈사진 8〉 아브라함의 연못

당한 것으로 인정했다. 이렇듯 샨르우르파는 초기 기독교 역사에서 중요한 위치를 차지한다.

샨르우르파는 터키 이슬람의 성지이기도 하다. 구약성서 창세기에는 아브라함이 현재 이라크 지역의 갈대아 우르에서 태어났다고 기록되어 있지만, 샨르우르파에서는 아브라함의 출생지가 샨르우르파라는 터키 이슬람의 전승이 설득력을 얻고 있다. 하여 아브라함의 연못, 아브라함의 동굴 등 샨르우르파의 아브라함 관련 유적들에 사람들의 발길이 끊이지 않고 있다.

에페소스에서 라오디케이아까지
일곱 교회의 삶의 자리와 마리아 하우스

팔레스타인 지역의 갈릴리에서 예수 운동으로 시작된 기독교는 예수의 제자들과 추종자들을 통해 아나톨리아의 여러 도시로 전파되었다. 신약성서의 요한계시록(요한묵시록)에 언급된 일곱 교회와, 예수의 어머니 마리아가 마지막 생을 보냈다고 알려진 곳도 아나톨리아에 있다. 또 로마 가톨릭, 정교회, 개신교가 공동 유산으로 간주하는 초기 일곱 차례의 기독교 공의회(council)가 콘스탄티노플과 아나톨리아의 도시에서 개최되었다. 이렇듯 아나톨리아는 초기 기독교 역사에서 중요한 지역이 아닐 수 없다.

요한계시록에 등장하는 일곱 교회는 에베소(에페소스), 서머나(스미르나), 버가모(페르가몬), 두아디라(티아티라), 사데(사르디스), 빌라델비아(필라델피아), 라오디게아(라오디케이아) 등이다. 일곱 교회의 지역들은 요한계시록의 저자인 요한이 유배되어 있던 밧모(파트모스)에서 가장 가까운 지역인 에페소스에서부터 시계 진행 방향으로 위치해 있다. 이 교회들은 몇몇 사람들이 집에 모여 기도하고 예배드렸던 가정교회의 형태를 띠었다. 이런 가정교회들이 일곱 지역의 교회들이다. 그러므로 요한계시록의 일곱 교회는 일곱 지역의 특정 교회를 지칭하는 것이 아니라 일곱 지역에 존재했던 기독교인들을 가리킨다. 교회는 건물이 아니라 '사람들의 모임', '사람들의 공동체'라는 것을 이보다 잘 보여 주는 것이 있을까?

요한계시록이 120~150년경 전체 교회에 유포되었다는 연구 결과에 비추어 볼 때, 그 기록 연대는 1세기 말이라는 것이 일반적이다. 역사학자들에 따르면 이 시기에 네로 황제의 박해 외에는 기독교에 대한 로마 제국의 대대적인 박해가 없었다고 한다. 기독교인이라는 이유만으로 박해를 받았던 시기는 2세기 이후였다. 1세기에는 법과 같은 강제력으로 신앙생활이 전면 금지되지는 않았다. 일곱 교회의 존재 자체가 이를 증명한다. 그러나 지역에 따라 라이벌 집단인 유대인과의 갈등으로 인해 박해를 받거나, 동업조합과 관련된 우상 숭배와 황제 숭배 거부로 불이익을 감수해야 했다.

일곱 교회 중 유대인과의 갈등과 적대관계가 심각했던 교회는 스미르나와 필라델피아의 교회였다. 요한계시록에서 유대인들은 "사탄의 무리(사탄의 회당)"(요한계시록 2장 9절; 3장 9절)로 표현되어 있다. 그들은 자칭 유대인이지만 유대인이 아니라 사탄의 무리라는 것이다. 이러한 언급은 유대교 내의 예수 운동으로 출발한 기독교가 유대교와 적대관계에 놓이게 되고, 별개의 종교로서 정체성을 형성하는 상황을 보여 준다. 서기 70년 예루살렘 성전 파괴 이전까지 유대교는 다양한 그룹들로 이루어져 있었으며, 예수 운동은 유대교 내의 여러 그룹 중 하나로 여겨졌다. 그러나 예루살렘 성전이 파괴된 후 유대교가 '랍비 유대교'를 중심으로 새롭게 통일되면서 기독교는 유대교의 이단으로 인식되었다. 이에 따라 기독교인들이 유대교 회당에서 출교당하는 일들이 발생했다. 요한복음서에는 이러한 상황이 언급되어 있다.

"예수를 그리스도라고 고백하는 사람은 누구든지 회당에서 내쫓기로, 유대 사람들이 이미 결의해 놓았기 때문이다."(요한복음서 9장 22절)

"지도자 가운데서도 예수를 믿는 사람이 많이 생겼으나, 그들은 바리새파 사람들 때문에, 그 사실을 드러내지는 못했다. 그것은 그들이 회당에서 쫓겨날 것을 두려워했기 때문이다."(요한복음서 12장 42절)

"사람들이 너희를 회당에서 내쫓을 것이다."(요한복음서 16장 2절)

요한복음서의 기록 연대를 서기 90~100년으로 볼 때, 위의 구절들은 예루살렘 성전 파괴 이후 유대교가 기독교인들을 회당에서 내쫓는 상황을 보여 준다.

마태복음서에도 기독교인과 유대인의 갈등 상황이 나타난다.

"사람들을 조심하여라. 그들이 너희를 법정에 넘겨주고, 그들의 회당에서 매질을 할 것이다."(마태복음서 10장 17절)

"예수께서는 그들의 율법학자들과 달리, 권위 있게 가르치셨기 때문이다."(마태복음서 7장 29절).

'그들의' 회당, '그들의' 율법학자라는 표현과 '권위 있게 가르치시는 예수'의 모습에서 마태공동체가 자신들을 유대인과 구분 짓고 자신들의 권위를 부각하고 있음을 알 수 있다.

요한계시록에 의하면 일곱 교회 가운데 에페소스, 페르가몬 그리고 티아티라 교회에 우상 숭배를 조장하고 부추기는 사람들이 있었음을 알 수 있다. 그들은 "우상의 제물을 먹게 하고, 음란한 일을 하게" 하는 "니골라 당"과 "이세벨"이다. 안용성은 로마 협회(collegia)에 관한 에버렛 퍼거슨(Everett Furguson)의 연구에 기초하여 우상 숭배를 동업조합과 관련 있는 것으로 보았다. 로마에는 경제, 종교, 사회 등 각 분야를 망라한 다양한 조합들이 있었다. 조합의 이름은 주로 신들이나 황제의 이름을 따랐으며, 신들과 황제는 조합의 수호신이 되었다. 종교 분야의 조합이 아니더라도 종교는 모든 조합의 중요한 요소였다. 이러한 조합들 중에 동일 직업 종사자들로 구성된 동업조합이 있었는데, 각 조합은 직업과 직접 관련된 활동 외에 수호신에 대한 제사와 찬양 그리고 제사 음식 나눔 등 종교활동도 행하였다. 제사 음식을 나눈다는 것은 우상의 제물을 먹는 것이고, 수호신에게 제사와 찬양을 하는 것은 음란한 일에 해당한다. 이렇듯 조합의 회원이 되기 위해서는 황제 숭배 등 우상 숭배를 포함한 종교행사에 참여해야 했기에 기독교인들은 신앙적 딜레마에 직면하게 되었다. 조합에 가입하지 않은 채 각 직업 분야에서 활동할 수 있었지만, 직업 종사자 대부분이 조합원인 상황에서 비조합원의 불이익이 컸기 때문이다.

니골라 당이 활동한 에페소스와 페르가몬은 대표적인 우상 숭배 도시였으며, 공식적인 황제 숭배 신전이 있었다. 특히 페르가몬은 요한계시록에서 '사탄의 왕좌'(요한계시록 2장 11절)가 있는 곳이라고 소개될 정도다. 사탄의 왕좌는 제우스 제단(페르가몬 제단 또는 대제단)으로 불리는 제단을 가리킨다고 알려졌지만, 기독교 신

〈사진 9〉 페르가몬 트라야누스 신전

〈사진 10〉 페르가몬의 아스클레피온

앙의 눈으로 볼 때 페르가몬의 아크로폴리스와 아스클레피온 그리고 세라페이온 유적 등 도시 전체가 소위 사탄의 왕좌라 할만하다. 의술의 신 아스클레피오스 신전인 아스클레피온은 현대판 종합병원이라 불리기도 하지만, 의술과 종교 제의가 결합한 형태로 대중의 삶에 깊이 파고든 종교 신앙의 장소였다. 하여 티베리우스 황제(Tiberius, 14~37 재위)는 황제의 생일에 대중적 인기가 높은 이곳에 모여 황제 가문을 찬미하고 신에게 희생제를 바쳤다. 페르가몬의 아스클레피온이 로마 황제 숭배의 중심지였다는 평가에 고개를 끄덕이게 된다.

로마의 황제 숭배는 초대 황제 아우구스투스(Caesar Augustus, 기원전 16~서기 14 재위) 때부터 시작되어 기원전 30~29년 페르가몬에서 아우구스투스 황제 숭배가 제정되었다. 이후로도 페르가몬에는 트라야누스 신전이 세워져서 트라야누스 황제(Trajanus, 98~117 재위)와 하드리아누스 황제(Hadrianus, 117~138 재위)에게 봉헌되었다. 페르가몬에는 헬레니즘 시대부터 역대 왕들에게 제사를 지내는 헤로온(Heroon)이 있었다. 그런 페르가몬에서 로마 황제 숭배가 시작된 것은 자연스러워 보인다.

에페소스에는 티베리우스 신전 건립을 시작으로 89~90년경 도미티아누스 황제 숭배가 제정되었으며, 이어서 트라야누스 신전과 하드리아누스 신전이 건립되었다. 황제 숭배는 로마보다 아나톨리아 속주에서 적극적으로 행해져, 서기 26년에는 아나톨리아 11개 도시가 황제 숭배 유치 경쟁을 할 정도였다. 그 결과 스르미나에 티베리우스 신전이 세워졌다. 이처럼 아나톨리아에서의 황제 숭배는 코이논(koinon, 지방동맹 또는 지방의회)이 공식적으로 주도하거나 각 지역에서 다른 신들에 대한 제사와 함께 행해졌다.

오늘날 일곱 지역에 남아 있는 교회 유적은 후일 기독교가 로마 제국의 합법 종교가 된 이후 세워진 기념 교회들이다. 초기 기독교 역사에서 중요한 위치를 차지하는 에페소스에는 다른 지역들보다 기독교 유적이 많은 편이다. 성모 마리아에게 봉헌된 첫 번째 교회인 성모 마리아 교회 터, 아야술록 언덕의 성 요한 기념 교회 유적, 그리고 마리아 하우스(House of Virgin Mary)가 에페소스에 있다.

성모 마리아 교회는 기독교 공의회 가운데 수위성(首位性)을 인정받은 초기 네 차례의 공의회 중 하나인 에페소스 공의회(431)가 열린 곳이다. 에페소스 공의회에서는 마리아를 '그리스도의 어머니(크리스토토코스, Christotokos)'로 보는 네스토리우스의 주장을 이단으로 단죄하고 파문하였다. 마리아를 '신의 어머니(테오토코스, Theotokos)'로 확정한 에페소스 공의회는 기독교의 '마리아 공경' 전승을 주도했다는 평가를 받는다. 기독교의 마리아 공경은 에페소스에서 오래전부터 이어오던 독특한 아르테미스(Artemis) 숭배와 아나톨리아의 위대한 어머니 신 키벨레(Cybele) 숭배의 영향을 받은 것으로 볼 수 있다.

아야술룩 언덕의 성 요한 기념 교회는 4세기에 처음 세워졌다. 6세기에 바실리카 형식의 크고 새로운 교회로 다시 건축되었으나 14세기에 발생한 지진으로 무너졌다. 현재는 잔해로 남아 있는 기둥들과 벽들 그리고 복원도를 통해 크기와 화려함을 짐작할 뿐이다.

가장 인상적인 것은 십자가 모양의 세례조가 있는 세례당(baptistery)이다. 세례 집례자와 피세례자가 세로축 양쪽에 있는 계단을 통해 세례조 안으로 들어갈 수 있다. 필자가 참여했던 탐사단의 단원들은 종교와 상관없이 한 사람씩 세례조에 들어가서 기념촬영을 했다. 비록 세례조에 물도 없고 세례식도 거행하지 않았지만, 마음을 움직이는 무언가가 작동하는 것 같았다. 그런 와중에 예상치 못한 일이 발생했다. 가톨릭 신자인 한 단원이 개신교 목사인 필자에게 세례를 받겠다고 한 것이다. 농담 반 진담 반인 요청에 당황했지만, 세례조로 내려가 약식 세례 퍼포먼스를 행했다. 지금도 두고두고 기억이 난다.

에페소스 근교의 마리아 하우스는 예수의 어머니 마리아가 생의 마지막을 보낸 곳이다. 로마 가톨릭에서는 마리아 하우스를 성지로 지정하여 교황청에서 파견된 성직자들이 매일 기도와 미사를 드리고 있다. 아담한 돌집인 마리아 하우스 내부에는 성모 마리아 상과 소박한 제단이 놓여 있다.

마리아 하우스 마당에는 '치유의 샘터'와 '소원의 벽'이 있어서 그곳을 찾아온 사람들이 물을 마시거나 손을 씻고, 소원 쪽지를 철망 벽에 리본처럼 묶어 놓는다. 기독교(가톨릭) 성지이자 이슬람 신자가 대부분인 터키에서 샤머니즘적 모습이라니! 이는 기독교와 이슬람교가 종교의 유형상 절대자에 전적인 헌신과 믿음을 강조하는 '신현(神顯, theophany)적 종교'의 범주에 속하지만, 샤머니즘처럼 특정한 힘의 결핍에서 발생한 사태를 극복을 위해 그 힘을 가진 존재에게 의존하는 '역현(力顯, kratophany)적 종교'의 특성도 가지고 있음을 보여 준다.

〈사진 11〉 에페소스 성 요한 기념 교회와 세례당(ⓒ계명대학교)

〈사진 12〉 성모마리아가 여생을 보낸 마리아 하우스(ⓒ계명대학교)
〈사진 13〉 마리아 하우스 입구의 성모마리아 동상

스미르나에는 순교자 폴리캅(Polycarp)을 기념하여 세운 성 폴리캅 기념 교회가 있다. 성 폴리캅 기념 교회는 17세기에 프랑스 교구에서 세운 가톨릭교회로 현재 미사를 드리고 있다.

서기 69년에 태어난 폴리캅은 스미르나의 주교였다. 예수의 제자들 뒤를 바로 잇는 사도라는 의미에서 '속사도 교부'라고 불리는 폴리캅 주교는 안티오키아의 주교 이그나티오스(Ignatios)와 동시대 인물이었다. 이그나티오스 주교는 트라야누스 황제 때 박해를 받아 순교했는데, 죽음을 앞둔 이그나티우스가 여러 지역의 기독교 공동체에게 자신에 대한 탄원을 하지 말라는 내용과 함께 죽음을 신앙으로 받아들이겠다는 편지를 보냈다. 이때 스미르나 교회의 폴리캅도 이그나티오스의 편지를 받았던 것으로 알려졌다. 그때 폴리캅도 자신에게 닥쳐올 순교의 시간을 준비하고 있었는지 모르겠다. 그로부터 50년 후 폴리캅도 박해를 받아 순교한다. 폴리캅의 편지와 순교록을 담은 《폴리캅의 순교록》(한국어로는 《편지와 순교록》)에 의하면, 그는 86세에 체포되어 순교한 것으로 보인다. 그는 배교를 권고하는 스미르나 총독의 회유와 권고에 굴하지 않고 화형대에 오른다.

페르가몬의 가장 유명한 교회 유적은 세라페이온에 있다. 붉은 벽돌로 지어져 터키어로 '크즐 아블루(Kızıl Avlu)'라고 불리는 세라페이온은 본래 하드리아누스 황제 때 세워진 세라피스 신전이다. 세라피스는 이집트의 신 오시리스와 그리스의 신 하데스를 절충한 신이다. 세라페이온은 비잔틴 시대에 성 요한 교회로 개조되었으며, 8세기 초반 아랍의 침공으로 파괴된 후 재건축되었다. 1950년대 이후에는 정교회 순교자 소예배당이었던 북쪽의 부속 건물이 모스크로 사용되고 있다. 한 지역의 패권을 누가 장악하느냐에 따라 기존 종교 사원이 새로운 패권의 주인이 공인하고 신봉하는 종교의 사원으로 탈바꿈되는 경우가 종종 있다. 여러 층위의 종교문화를 보여 주는 세라페이온이 그 대표적인 사례라고 하겠다.

티아티라에는 교회 터로 추정되는 유적만 남아 있다. 요한계시록에 의하면, 티아티라 교회에는 에페소스 교회와 페르가몬 교회의 니골라 당처럼 '간음하게 하고, 우상의 제물을 먹게 하는', '이세벨'이라는 여자의 존재가 언급된다. 학자들은 이세벨의 존재와 그녀의 부추김을 티아티라의 동업조합 및 조합원이 되기 위해 요구되는 우상 숭배와 연관지어 설명한다.

〈사진 15〉 사르디스의 교회 유적과 아르테미스 신전

〈사진 14〉 페르가몬 교회 유적과 세라피스 신전(©계명대학교)

사르디스의 교회 유적은 아르테미스 신전에 있다. 아르테미스 신전의 한쪽 모서리에 있는 사르디스 교회는 4세기 중엽에 세워졌다고 한다. 구약학자 오택현에 의하면, 오바댜서 1장 20절에서 유대인들이 잡혀갔던 곳으로 언급된 스바랏(Sepharad)이 사르디스의 셈어식 표기라고 한다. 학자들의 추정에 따라 그 시기를 바벨론 포로기(기원전 6세기)라고 본다면, 사르디스에는 오래전부터 유대인들이 거주했던 것으로 보인다. 현재 사르디스에 있는 유대인 회당은 본래 바실리카였다가 3세기경 유대인 회당으로 바뀐 것이다. 규모도 크고 화려하며 유대인 회당임을 나타내는 비석까지 있어서 당시 유대인들의 사회적 지위를 가늠케 한다. 초기 기독교 역사에서 유대인 디아스포라 출신 기독교인들이 꾸준히 증가했다는 연구 결과에 비춰볼 때, 사르디스 교회에도 유대 기독교인들이 있었을 것으로 보인다.

필라델피아에는 6세기에 세워진 성 요한 기념 교회 유적이 있다. 본래 여섯 개의 육중한 기둥으로 이루어진 장방형(직사각형) 건물이었는데, 현재는 기둥 세 개만 남아 있다. 그나마도 한 개는 땅에 반쯤 파묻혀 있다. 요한계시록에서 필라델피아 교회는 유대인과 갈등이 있었던 것으로 언급된 것을 볼 때, 필라델피아에는 디아스포라 유대인들이 있었으며, 그들 중에서 기독교인이 된 유대인이 있었음을 알 수 있다.

라오디케이아에는 4세기에 세워진 교회 유적이 있다. 파묵칼레 대학교 젤랄 심셰크(Celal Şimşek) 교수 발굴단이 발굴과 복원작업을 진행하여 2017년에 일반인에게 공개했다. 교회 유적 입구에 세워진 안내판에는 라오디케이아 지역 공의회(341~381)에서 제정한 60개 항목의 교회 법령이 소개되어 있어 당시 교회의 상황이 반영된 구체적인 신앙 지침들을 알 수 있다.

교회 유적에는 세례당이 독립된 공간으로 배치되어 있다. 세례당은 벽돌을 쌓고 대리석으로 감싼 1m 깊이의 십자가 모양 세례조를 갖추고 있다. 에페소스 성 요한 기념 교회의 세례당과 비슷한 형태라는 점에서 초기 기독교 의식을 엿볼 수 있다. 예배당 바닥에는 갖은 문양과 다채로운 색의 모자이크 장식이 선명하다. 라오디케이아 교회 복원 사업은 2017년 유로파 노스트라(Europa Nostra, 유럽의 문화·자연유산 보호를 위한 민간기구)로부터 "초기 기독교 교회에 대한 치밀한 연구로 문화유

〈사진 16〉 필라델피아 성 요한 기념 교회 유적

〈사진 17〉 티아티라 교회 유적

〈사진 18〉 라오디케이아 유적(ⓒ계명대학교)

〈사진 19〉 라오디케이아 교회 복원 현장

〈사진 20〉 라오디케이아 교회 바닥 모자이크

〈사진 21〉 라오디케이아 교회 세례당

산의 보존과 향상에 크게 기여했다."는 평가를 받았다. 바티칸에서도 추기경이 두 차례 다녀갈 정도로 교회 복원에 큰 관심을 보였으며, 2013년에는 유네스코 세계문화유산 잠정 리스트에 올랐다.

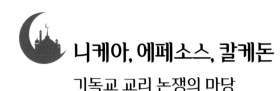

니케아, 에페소스, 칼케돈
기독교 교리 논쟁의 마당

로마 가톨릭, 정교회, 개신교는 일곱 차례의 기독교 공의회(council), 즉 제1차 니케아 공의회(325), 제1차 콘스탄티노플 공의회(381), 에페소스 공의회(431), 칼케돈 공의회(451), 제2차 콘스탄티노플 공의회(553), 제3차 콘스탄티노플 공의회(680~681), 제2차 니케아 공의회(787)를 공동 유산으로 인정한다. 이 공의회는 모든 지역의 자치교회 대표들이 참석하여 합의를 통해 하나의 결론을 이끌어 내고, 그 결론이 전체 교회에서 구속력을 가진다는 점에서 '보편 공의회 또는 에큐메니칼 공의회(ecumenical council)'라고 불리며, 특정 지역에 국한되는 지역 공의회와는 구분된다. 에큐메니칼은 그리스어 오이쿠메네(οἰκουμένη)에서 유래한 말로 '사람들이 사는 온 세상'을 뜻한다. 당시 사람들은 로마 제국을 사람이 사는 온 세상으로 보았고, 로마 제국 각지에서 온 사람들이 공의회에 모였기 때문에 에큐메니칼 공의회로 부른 것이다. 아울러 공의회의 결정들이 전체 교회에 받아들여지고 권위를 인정받았기 때문에 보편 공의회라고 한다.

이 일곱 차례의 공의회는 로마 제국(그리고 뒤이어 비잔틴 제국) 황제가 소집하여 콘스탄티노플(지금의 이스탄불)과 인근 도시에서 열렸다. 공의회 참석자 대부분은 동방교회 출신이었는데, 이를 소집 장소 때문이라고 보는 학자들도 있다. 250~300명이 참석한 것으로 알려진 제1차 니케아 공의회는 동방교회 참석자들이 주를 이루었고, 북아프리카 교회에서 몇십 명과 서방교회에서 몇 명이 참석했다. 제1차 콘스탄티노플 공의회는 동방교회에서만 참석했고, 에페소스 공의회에는 단 두 명의 교황 사절만 참석했을 뿐 동방교회와 북아프리카 교회 참석자들이 대부분이었다. 칼케돈 공의회는 교황 사절 두 명과 아프리카 교회 출신 주교 두 명을 제외하고는 참가자 500~600명이 모두 동방교회에서 왔다. 제2·3차 콘스탄티노플 공의회와 제2차 니케아 공의회도 마찬가지였다. 제3차 콘스탄티노플 공의회와 제2차 니케아 공의회부터는 이슬람이 북아프리카를 점령하는 바람에 북아프리카에서는 참석할 수 없었다. 서방교회는 참석자 수에서도 토론 과정에서도 존재감이 없었다. 토론을 주도한 그룹은 알렉산드리아 교회 중심의 아프리카 교회와 동방교회의 아시아 교회였다.

차례	공의회	소집 장소	소집 황제
1	제1차 니케아 공의회(325)	니케아(현재 이즈니크)	콘스탄티누스 1세 (Constantinus I, 306~337 재위)
2	제1차 콘스탄티노플 공의회(381)	콘스탄티노플 (현재 이스탄불)	테오도시우스 1세 (Theodosius I, 379~395 재위)
3	에페소스 공의회(431)	에페소스(현재 에페스)	테오도시우스 2세 (Theodosius II, 408~450 재위)
4	칼케돈 공의회(451)	칼케돈(현재 카드쾨이)	마르키아누스 (Marcianus, 450~457 재위)
5	제2차 콘스탄티노플 공의회(553)	콘스탄티노플	유스티니아누스 1세 (Justinianus I, 527~565 재위)
6	제3차 콘스탄티노플 공의회 (680~681)	콘스탄티노플	콘스탄티누스 4세 (Constantinus IV, 668~685 재위)
7	제2차 니케아 공의회(787)	니케아	이레네 (Irene, 797~802 재위)

일곱 차례의 공의회 중 첫 번째 공의회인 제1차 니케아 공의회는 다른 공의회에 비해 절대적인 우위를 차지하며, 제1차 니케아 공의회를 포함한 처음 네 차례 공의회는 여러 공의회 중에서 수위성을 가진다. 제1차 니케아 공의회에서는 하나님의 아들인 예수의 신성이 성부의 신성보다 부족하다고 주장한 아리우스주의를 이단으로 단죄하고, 아리우스주의와의 논쟁 과정을 통해 만든 니케아 공의회 신경을 제정했다. 제1차 니케아 공의회는 콘스탄티누스 1세(Constantinus I, 306~337 재위)가 소집하여 니케아(지금의 이즈니크)의 황제 별궁에서 열렸다. 기독교를 합법 종교로 인정하고, 기독교 우호정책을 시행한 콘스탄티누스 1세는 교회 내 갈등과 분란이 정치·경제·군사적 요충지로서의 콘스탄티노플 건설과 제도 개혁의 원활한 추진에 도움이 되지 않는다고 판단하였다. 그는 제국 내 주교들에게 초청장을 보내고, 공의회 참석자들에게 여행경비와 편의를 제공하는 한편, 개회 연설과 회의 진행 과정을 통해 자신의 의도대로 공의회의 결정이 나도록 영향력을 행사했다.

제1차 콘스탄티노플 공의회에서는 제1차 니케아 공의회 신경을 발전시킨 니케아-콘스탄티노플 신경을 제정했다. 이 신경은 로마 가톨릭교회와 정교회, 일부 개신교에서 오늘날까지도 원형 그대로 사용하고 있다. 테오도시우스 1세(Theodosius I, 379~395 재위)가 콘스탄티노플의 성 이레네 성당에서 소집했다.

테오도시우스 2세(Theodosius II, 408~450 재위)가 소집한 에페소스 공의회는 에페소스의 성모 마리아 교회에서 열렸다. 에페소스 공의회는 기독론과 마리아의 칭호에 대한 소위 '네스토리우스 논쟁' 관련 안건을 주된 논제로 다루었다. 에페소스 공의회는 마리아를 '그리스도의 어머니'(크리스토토코스)라고 본 네스토리우스의 주장을 이단으로 단죄하고 파문했다. 에페소스 공의회에서는 공의회의 원칙인 만장일치가 제대로 작동하지 못했다. 네스토리우스의 주장에 동의하는 그룹들의 반대가 만만치 않았기 때문이다. 네스토리우스의 신학적 주장에 동의하는 그룹은 칼케돈 공의회에서 이단으로 단죄되었다.

칼케돈 공의회는 앞서 열린 제1차 니케아 공의회, 제1차 콘스탄티노플 공의회, 에페소스 공의회의 신조를 반복하고 수용함으로써 칼케돈 공의회 신조가 갖는 보편성과 정통성을 확인하였다. 칼케돈 공의회에서 제정된 신조는 이후 열

〈사진 22〉 제1차 콘스탄티노플 공의회가 열린 성 이레네 성당

린 공의회들의 보편성과 정통성을 판단하는 기준이 되었다. 마르키아누스 황제(Marcianus, 450~457 재위)가 소집하여 당시 비티니아(Bithynia)의 수도였던 칼케돈(지금의 카드쾨이)의 에우페미아(Euphemia) 기념 성당에서 개최되었다. 지금은 하이다르파샤 역(Haydarpaşa Train Station)이 서 있다. 마치 바다 위의 궁전처럼 보이는 하이다르파샤 역은 독일 황제 카이저 빌헬름 2세(Wilhelm II, 1888~1918 재위)가 오스만 제국의 술탄 압둘하미드 2세(Abdulhamid II, 1876~1909 재위)에게 선물한 건축물이다. 1909년에 완공된 이 역은 2010년 화재로 일부 소실되어 개축했으며, 2018년 10월부터 노선

〈사진 23〉 에페소스 공의회가 열린 성모마리아 교회 터

운행을 재개했다.

칼케돈 이후 열린 제2차 콘스탄티노플 공의회, 제3차 콘스탄티노플 공의회, 제2차 니케아 공의회는 칼케돈 공의회의 연장선상에서 기존 공의회의 결정들을 재확인했다. 특히 제2차 니케아 공의회는 성상 숭배가 기독론적으로 정당하다고 인정함으로써 비잔틴 기독교의 고유성을 탄생시킨 성상 파괴 논쟁의 공방과 재해석 과정을 일단락 지었다. 제2차 콘스탄티노플 공의회와 제3차 콘스탄티노플 공의회는 각각 유스티니아누스 1세(Justinianus Ⅰ, 527~565 재위)와 콘스탄티누스 4세

〈사진 24〉 칼케돈 공의회가 열린 에우페미아 기념 성당 자리(지금은 하이다르파샤역)

(Constantinus Ⅳ, 668~685 재위)가 소집했으며, 두 공의회 모두 콘스탄티노플의 아야 소피아 성당에서 열렸다. 제2차 니케아 공의회는 황후 이레네(Irene, 797~802 재위)가 소집하여 니케아의 아야 소피아 성당에서 개최되었다.

외형상 일종의 회합이자 집회인 공의회는 이중의 합의라는 원칙이 있었다. 공의회에 참석한 교회 지도자들이 당시 신학적·신앙적 논쟁을 수평적으로 합의했으며, 앞서 개최된 공의회의 가르침과 일치되도록 수직적으로 합의했다는 점에서 그러하다. 초기 기독교 교회 지도자들은 공의회를 통해 당대 신학적·신앙적

〈사진 25〉 제2차 니케아 공의회가 열린 아야 소피아 성당

주제들에 대해 논쟁하고 합의했으며, 교회 밖의 사람들에게 기독교를 알리는 과제를 수행했다. 그 과정에서 초기 기독교 내의 대립하던 다양한 주장과 그룹이 이단으로 파문되어 배척되기도 했다. 이처럼 공의회는 신학적·신앙적 논쟁에 대해 합의를 거쳐 교리를 확정하고 이단을 척결함으로써, 교회의 일치된 모습과 자세를 견지하도록 했다는 평가를 받는다.

반면에 이와 엇갈린 평가도 있다. 노만 P. 탄너(Norman P. Tanner)의 연구에 따르면, 공의회의 의결 방식은 만장일치 또는 절대다수의 동의였다. 그런데 그 동의는 투표를 통한 정확한 계산이 아니라 박수갈채로 결정되었다. 공의회를 구성하는 핵심 구성원은 주교들이었지만, 신부들과 하위직 사제들, 평신도들, 여성들도 참석하여 박수로 의결했다는 것이다. 이렇게 볼 때 세력이 큰 그룹이나 인물이 배후에서 공의회의 결정 과정에 영향력을 행사했을 가능성도 배제할 수 없다. 공의회에서 가장 큰 영향력을 행사한 그룹은 로마 황제였다. 형식적으로는 각 지역 교회의 대표인 주교들이 참석하여 논의하고 합의한 것이지만, 실상은 로마 황제의 정치적 목적과 의도에 따라 공의회가 소집되고 안건의 결론이 결정되는 그야말로 '국가 종교'의 하수인 역할을 수행한 것이다. 더구나 공의회 소집장소가 콘스탄티노플과 인근 도시라는 사실은 황제가 언제라도 군대를 파견할 수 있음을 시사했고, 따라서 황제의 뜻에 부합하는 결정을 내리도록 하는 무언의 압력이 작용했다.

어느 한쪽의 평가만 설득력 있다고 할 수 없지만, 후자의 평가에 따르자면 기독교가 금과옥조처럼 여기는 몇몇 교리와 그로 인한 이단 척결이 실은 당시 국가와 종교의 역학적 산물일 수도 있다는 의심을 낳는다. 로마 제국(이어지는 비잔틴 제국까지)은 기독교를 통치 이데올로기로 삼았기 때문에, 황제들은 개인적 신앙심이나 선호도 그리고 특정인과의 친소관계 등과는 별개로, 기독교의 다양한 주장들이 공방하고 사분오열하는 것은 국가 통치와 운영 그리고 권력 유지에 도움이 안된다고 판단했다. 이에 공의회를 소집하고 자신의 의도대로 결론이 나도록 유도하고 위협했다. 또 주교들도 국가와 교회의 관계에서 주도권이 국가(황제)에 있다는 현실을 인식하고, 그 역학관계를 이용하여 기득권을 유지하고 반대파를 제거했다. 황제들과 주교들은 공의회의 원칙인 합의의 절차를 따랐지만, 각자의 목적을 위해 공의회를 소집하고 참석하여 결정을 내렸다. 그 결정에 따라 패배한 주장과 그룹은 배척되고 배제되었으며, 승리한 주장과 그룹은 독점적인 지위를 차지했다.

미라

세인트 니콜라스 주교의 삶과 산타클로스 교회

산타클로스의 고향이 핀란드가 아니라 실은 터키라는 것을 아는가? 터키 뎀레 (Demre)가 산타클로스의 본고장이며, 그 지역 교회의 주교였던 세인트 니콜라스(St. Nicholas)가 원형이다.

세인트 니콜라스는 3세기 후반 4세기 초 리키아(Lycia)의 항구도시 파타라(Patara) 에서 태어나 미라(Myra, 지금의 뎀레)의 주교로 활동했다. 디오클레티아누스 황제 (Gaius Aurelius Valerius Diocletianus, 284~305 재위)의 기독교 박해로 투옥되기도 했으며, 니케 아 공의회(325)에 참석했다. 그는 어린이, 선원, 여행자, 가난한 사람들의 수호성 인이며, 그리스 정교회와 러시아 정교회에서 매우 중요한 성인으로 알려져 있다. 그래서일까? 세인트 니콜라스 기념 교회 바깥마당에는 어린이들에게 둘러싸인 세인트 니콜라스 동상이 있으며, 선원들의 수호성인임을 보여 주는 닻 부조가 교 회 건물 내부에 걸려 있다. 19세기 중반에 러시아가 미라의 교회 유적지를 매입 하고 수도원을 세운 것도 러시아 차르의 수호성인인 세인트 니콜라스를 기념하 기 위해서였다.

세인트 니콜라스에 관한 몇 가지 일화 중 산타클로스 이야기의 원형으로 볼 수

〈사진 26〉 세인트 니콜라스 기념 교회 내부(ⓒ계명대학교)

있는 이야기가 있다. 어느 마을에 몹시 가난한 부모가 결혼 적령기인 세 딸의 결혼 비용을 마련하기 위해 집을 팔려 한다는 소문이 돌았다. 소문을 들은 세인트 니콜라스는 밤에 몰래 그 집 지붕 위에 올라가 굴뚝 속으로 금화를 던졌는데, 던져진 금화가 화덕에 널어둔 딸들의 양말 속으로 들어갔다고 한다. 세인트 니콜라스는 그다음 날 밤에도 금화를 던졌고, 이틀 동안 양말 속에 가득 찬 금화는 두 딸의 결혼 비용으로 충분했다고 한다. 딸들의 아버지는 도움을 준 사람이 누구인지 알고 싶고 감사하는 마음으로 사흘째 밤에 숨어 지키다가 굴뚝으로 금화를 넣고 있는 세인트 니콜라스를 발견했다. 한밤중에 산타클로스가 굴뚝으로 들어와서 양말

〈사진 27〉 세인트 니콜라스 기념 교회 안 벽화

속에 선물을 넣어 놓고 간다는 이야기가 바로 여기서 유래했음을 알 수 있다.

세인트 니콜라스는 사후 성인의 반열에 올랐으며, 그리스와 러시아의 수호성인이 되었다. 세인트 니콜라스 기념 교회에 세워진 그의 동상과 석관 앞에서 존경의 마음을 담아 기도하는 러시아 여행객들을 많이 볼 수 있다. 그는 러시아의 수호성인일 뿐 아니라 유럽 여러 나라의 대중적인 성인이며, 독일 프라이부르크, 이탈리아 바리와 나폴리, 그리고 시칠리아에서는 특별한 성인으로 전해진다. 세인트 니콜라스가 사망한 12월 6일은 세인트 니콜라스 축제일로 매년 기념되고 있다.

성인(Saint)이란 자기 자신을 그리스도와 연합하고 일치시키는 능력이 탁월한 사람을 가리킨다. 성인은 은총을 통해 사람들로 하여금 성인을 따르게 하고, 성인의 삶에 참여하도록 이끄는 존재이다. 신약성서에 따르면 세례받은 모든 사람은 성도로서 성인이라 불렸는데, 그들은 하나님의 백성이며, 그리스도의 구원 사역을 통해 하나님과 연결되고 하나가 되었기 때문이다. 이러한 대전제에도 불구하고 초대 교회 시기에는 특정 개인을 성인이라고 인식하는 경우가 있었으며, 그 영향으로 1세기 말부터 순교자에게만 성인이라는 호칭을 부여했다. 이러한 경향은 기독교가 공인되기 전까지 유지되었다.

성인을 공경하는 몇 가지 의식이 있다. 첫째, 매장의식이다. 기독교가 박해당하던 시기에 순교자로서의 성인은 카타콤이라는 무덤에 매장되었으며, 매년 순교자가 죽은 날을 기념일로 정하여 무덤에서 의식을 행했다. 세인트 니콜라스는 순교자로서의 성인은 아니지만 그가 죽은 12월 6일이 세인트 니콜라스 축제일로 매년 기념되는 것은 이러한 맥락에서다. 둘째, 유골 숭배이다. 기독교 공인 이후 콘스탄티노플을 중심으로 하는 동방교회에는 순교자가 없었다. 이 때문에 순교한 성인의 유골 전부 또는 일부를 각 지역의 교회로 가져가거나 알려지지 않은 새로운 성인들의 유골을 발굴하여 숭배하는 의식이 생겼다. 뎀레에 매장된 세인트 니콜라스의 유골을 이탈리아 상인이 몰래 빼내어 이탈리아의 바리(Bari)로 옮긴 것은 이러한 의식에 해당한다. 셋째, 성인들의 무덤을 방문하는 순례 여행도 성인 공경의식 중 하나이다. 비록 지금은 뎀레에 유골이 없지만 세인트 니콜라스가 처음 매장된 뎀레의 세인트 니콜라스 기념 교회를 방문하는 기독교인들은 순례 여행이라는 성인 공경의식을 행하는 것으로 볼 수 있다.

세인트 니콜라스 기념 교회 안뜰에 서 있는 세인트 니콜라스 동상의 왼쪽 발은 겉칠이 벗겨지고 발가락 사이가 구분이 안 될 정도로 닳아 있다. 동상의 발에 손을 얹고 기도하면 소원이 이루어진다는 속설 때문이다. 기독교인이든 비기독교인이든 각자의 소원과 마음을 담아 얼마나 많은 사람이 그 발을 만졌을까? 필자가 참여했던 탐사단의 단원들도 그냥 지나치지 못했다. 단원 가운데 독실한 가톨릭 신자인 한 단원은 세인트 니콜라스에 대한 존경심을 담아 자연스럽게 발을 만졌다. 특정한 종교는 없지만 여러 종교에 개방적인 한 단원도 호기심과 소원을

〈사진 28〉 세인트 니콜라스

담아 동상의 발에 손을 대었다. 멀찍이서 남의 일처럼 바라보던 필자는 단원들의 권유에 떠밀려 동상 옆에 서기는 했으나 발을 만지기는커녕 어정쩡한 자세로 카메라에 찍혔다.

일찍이 가톨릭교회와 정교회에서는 성인 공경이 자연스러웠다. 성상 파괴 운동(Iconoclasm)과 그로 인한 찬반 논쟁을 거치면서 흠숭(worship, 예배)과 공경(veneration)의 차이를 분명히 구분했기 때문이다. 성상 파괴 운동은 730년 비잔틴 제국의 황제인 레오 3세(Leo Ⅲ, 717~741 재위)가 내린 성상 숭배금지령으로 촉발되었다. 이후 성상 숭배 옹호자들과 성상 숭배 반대자들 사이의 치열한 공방과 격렬한 논쟁이 이어진 결과, 787년 제2차 니케아 공의회에서 성상 숭배가 기독론적으로 정당하다고 공포되었다. 반면에 개신교에서는 성인 공경이 낯설다. 개신교는 성상 파괴 논쟁이 정리된 한참 뒤에 종교개혁 운동을 거치면서 등장한 데다가, 성서적 근거가 없다는 이유로 성인 공경의식에 대해 우호적이지 않았던 종교개혁자들의 영향 때문이다.

성인은 하나님 안에서 그리스도인과 함께 하나님을 예배하면서 성도의 교제를 나누는 존재이기에, 성인을 기리고 공경하는 것은 문제 되지 않는다. 성인은 그리스도인이 본받아야 할 모델이다. 비록 필자가 성인 공경의식에 익숙하지 않은 개신교 신자이기는 하지만 성인에 대한 신학적 이해가 있었기 때문에, 가톨릭교회와 정교회의 성인 공경의식을 이해하고 존중한다고 생각했다. 하지만 가톨릭교회와 정교회의 성인 공경문화를 책이나 지인들의 이야기를 통해 간접적으로만 접하다가 막상 그 광경을 목격하고서는 당황하지 않을 수 없었다. 일종의 문화 충격이었다. 세인트 니콜라스 동상 앞에서 필자의 지적 오만과 허영이 여지없이 드러나 버렸다.

트라브존

절벽에 피어난 신앙의 꽃 쉬멜라 수도원

트라브존은 고대부터 주요 상업항구였으며, 비잔틴 시대에는 이라크, 이란, 인도 등으로 가는 무역로의 출발점이었다. 트라브존은 기원전 756년 그리스의 무역 식민지로 건설되었으며, 폰투스 왕국의 왕 미트리다테스 6세에 의해 폰투스 왕국에 병합되었다가, 기원전 1세기 폰투스 왕국이 로마의 속주가 되면서 로마의 지배하에 놓이게 되었다. 4차 십자군 원정으로 비잔틴 제국이 분열되었을 때, 콤네노스 왕조의 알렉시오스 1세(Alexios Ⅰ, 1204~1222 재위)가 트라브존을 수도로 삼아 트레비존드 제국(Trebizond, 1204~1461)을 세웠다. 트라브존은 콘스탄티노플이 1453년 오스만 제국에게 함락된 이후까지도 버텼으나 1461년 오스만 제국의 메흐메드 2세(Mehmet Ⅱ, 1444~1446, 1451~1481 재위)에게 항복했다. 로마와 비잔틴 시대에도 무역의 주요 중심지로 발전한 트라브존은 베네치아 그리고 제노바와 확고한 경제적 유대관계에 있었다.

수세기에 걸쳐 헬레니즘화되고 기독교화되었던 트라브존은 17세기 말 대부분 이슬람화되기 시작했다. 당시 대부분의 시민이 여전히 그리스어를 사용한 것으로 보아, 이주가 아니라 개종에 의한 이슬람화였음을 알 수 있다. 최하층인 가난한 농부들이 비무슬림에게 부과되는 세금을 피하려고 개종하는 일이 종종 발생

〈사진 29〉 경외감을 불러일으키는 쉬멜라 수도원

했다. 그러나 그리스 정교회에 충실한 그룹이 존재했으며, 쉬멜라 수도원을 비롯한 바젤론 수도원과 성 조지 수도원에는 1923년까지 수백 명의 수도사가 있었다.

쉬멜라 수도원은 트라브존시에서 남쪽으로 40km 남짓 떨어진 마츠카(Maçka)의 흑해 지역에 있다. 처음 세워질 당시 이름은 성모 마리아 수도원이었다가 트레비존드 제국 때부터 쉬멜라 수도원으로 불렸다. 쉬멜라 수도원은 그리스식 이름이다. '쉬멜라(Sumela)'는 '어둡다' 또는 '검다'라는 뜻의 그리스어 '멜라스(melas)'에서 나온 말이다. 쉬멜라 수도원의 이름에 대해 몇 가지 유래가 전한다. 수도원이 위치한 산골짜기의 어두운 색조에서 유래했다는 설과, 쉬멜라 수도원의 성모 마리아 성화의 검은색에서 유래했다는 설이다. 이 때문에 수도원이 있는 산도 '검은산'을 의미하는 '오로스 멜라(Oros Mela)'-터키어로는 카라 다으(Kara Dağ)-로 알려져 있다.

쉬멜라 수도원은 로마 황제 테오도시우스 1세(Theodosius I, 375~395 재위) 때 그리스 출신의 두 수도사가 세웠다고 전해진다. 처음에는 동굴 속 작은 수도원으로 시작했으며, 지금과 같은 메인 스카이라인을 형성하는 건물 일부가 지어진 것은 트레비존드 제국 때인 1360년이다. 1360년은 수도원의 공식 개원 연도로서 트레비존드 제국의 알렉시오스 3세(Alexios III, 1338~1390 재위)의 재위 기간이다. 1682년에는 그리스 교육기관인 프론티스테리온(Phrontisterion of Trapezous)을 수용하였으며, 1700년대에는 프레스코화와 몇몇 건물을 대대적으로 보수하였다. 이 시기에 동굴 동쪽 벽 외곽에 작은 예배실도 생겼다. 19세기에는 아나톨리아 전역의 그리스 정교회 공동체의 열광적인 분위기 속에서 재건축과 웅장한 장식작업이 이루어졌다. 이로써 쉬멜라 수도원은 바위 교회, 부속 예배실, 부엌, 학생실, 게스트하우스, 도서관, 신성한 샘, 수도관 등으로 구성된 수도원 복합단지가 되었다. 이는 트라브존이 속한 마츠카 지역의 18세기 말 상황의 연장선상이라고 평가된다. 당시 마츠카 지역에는 50개 이상의 기독교 학교와 500개의 작은 교회와 예배실이 있을 정도였다. 가히 그리스 지식인들의 화려한 거주지였다고 하겠다. 러시아의 트라브존 침공 기간(1914~1916)에도 일부 건물이 증축되어 지금과 같은 모습을 갖추게 되었다.

1923년 그리스-터키 인구 교환 협정으로 약 2만 5,000명의 폰투스 그리스인

〈사진 30〉 쉬멜라 수도원 가는 길

〈사진 31〉 쉬멜라 수도원의 바위 교회
〈사진 32〉 쉬멜라 수도원의 프레스코

이 그리스로 추방됨에 따라 쉬멜라 수도원은 폐쇄되어 수십 년 동안 방치되었다. 기독교인들은 추방당하면서 막대한 재산들을 남겨두었다. 터키의 케말 정부는 그 재산들이 "버려졌다"고 간주하여, 물건들과 가축들을 공매하고 집들은 발칸이나 그리스에서 피난 온 무슬림에게 주었으며, 기독교인 상점, 학교, 교회도 몰수하였다.

방치된 쉬멜라 수도원이 재개된 것은, 트라브존의 산타 마리아 가톨릭교회 신부에게 전해진 쉬멜라 수도원의 열쇠가 국립산림관리국의 지역 책임자에게 넘겨진 1961년 이후였다. 쉬멜라 수도원에 대한 국립산림관리국의 관리·감독은 느슨했다. 아무런 조사도 하지 않은 채, 모든 방문객에게 수도원 전체를 개방했다. 그 결과 10년 동안 수도원은 약탈당하고 손상되었다. 1972년에 수도원 관리가 문화관광부로 이전되면서 박물관으로 전환되었다. 1986년에 입장료가 처음으로 책정되었으며, 수차례에 걸쳐 보수공사가 진행되었다. 2013년에는 유네스코 문화유산 리스트에 등재시키기 위한 노력의 일환으로 41만 터키리라를 들여서 종합적인 보수 작업을 진행했다.

쉬멜라 수도원을 가기 위해서는 숲속의 가파른 길을 거쳐 길고 좁은 계단을 올라야 한다. 건물 정문을 통과한 후에는 안뜰로 연결된 계단을 따라 내려가면 한쪽 구석에 동굴 교회가 보인다. 쉬멜라 수도원에서 가장 오래된 건물인 이 교회는 안뜰에 돌출되어 있으며, 교회 내부와 외벽에 프레스코화가 그려져 있다. 프레스코화는 여러 층위로 형성되어 있어서 겉으로 보이는 프레스코화 아래에 또 다른 프레스코화가 있다. 쉬멜라 수도원은 위치와 규모에서 보는 이들을 압도하여 경외심을 불러일으킨다. 비록 주목할 만한 예술적 또는 건축적 특징이 없다는 평가를 받지만, 쉬멜라 수도원은 오랜 세월에 걸쳐 아나톨리아 그리스 정교회의 신앙과 역사가 켜켜이 쌓인 상징적인 장소이다. 그랬기에 그리스로 추방된 폰투스 그리스인들이 그리스에 새로운 수도원을 설립한 후 쉬멜라 수도원의 성모 마리아 성화를 연상케 하는 현대적 성화를 배치함으로써 자신들의 오랜 기억과 전통을 재현하고자 했던 것이 아닐까?

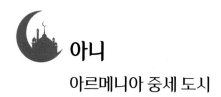

아니
아르메니아 중세 도시

아니(Ani)는 터키 북동쪽의 외진 고원지대에 위치하며, 협곡을 사이에 두고 아르메니아와 국경을 맞대고 있다. 아니는 수 세기에 걸쳐 형성된 기독교와 이슬람 중세 도시의 모습을 간직하고 있다. 아니의 최전성기로 평가되는 10세기와 11세기에는 지금의 아르메니아와 터키 동부를 지배했던 바그라티드(Bagratids) 왕국의 수도였으며, 실크로드의 거점도시로서 수혜를 누렸다. 아니는 중요한 교역로에 위치하지는 않았지만 도시 규모, 군사력, 경제력 등을 이용해 교역로의 허브 역할을 했다. 비잔틴 제국, 페르시아 제국, 아랍, 그리고 남아시아와 중앙아시아의 작은 나라들이 주요 교역 상대였다. 비잔틴, 셀주크, 조지아 등의 통치하에서도 실크로드 대상들에게 중요한 교차로였다. 아니는 13세기 몽골 제국의 침략과 1319년 발생한 대지진으로 쇠락하기 시작하여, 1579년에 오스만 제국의 영토가 되었다. 17세기 중반까지는 성 안에 작은 마을 하나가 남아 있었으나, 1735년 마지막 수도사들이 수도원을 떠남으로써 아니 유적은 완전히 버려졌다.

아니 유적이 알려지기 시작한 것은 19세기 초반 유럽 여행자들의 방문과 출판을 통해서였다. 아니 유적의 초기 발굴은 오스만-러시아 전쟁(1877~1878)에서 승리한 러시아 제국이 주도하였다. 러시아 왕립학회의 후원과 니콜라스 야코블레

〈사진 33〉 아니 유적지

비치 마르(Nicholas Yakovlevich Marr)의 지휘 아래 두 차례(1892~1893, 1904~1917)에 걸쳐 발굴이 이루어졌다. 발굴 기간 중인 1907년 이즈미르의 총대주교 마테오스 2세(Matt'eos II)가 아르메니아 정교회의 총주교로 선출되자마자 방문하면서, 아니는 이웃 마을의 아르메니아 공동체가 축제 삼아 다녀가는 곳이 되었다. 이로써 아니가 고고학적 유적지로서 대중에게 알려지게 되었다.

그러나 마르의 발굴은 제1차 세계대전과 러시아 혁명으로 중단되었다. 1940년대 이후부터는 터키 학자들에 의해 재개되었다. 이스마일 클즈 쾨크텐(İsmail Kılıç Kökten, 1904~1974) 교수 팀의 성 안팎 발굴을 시작으로, 1990년대에는 에블 마누체르 모스크(Ebu'l Manuçehr Mosque), 슴바트 2세의 성벽, 셀주크 궁전 발굴이 집중적으로 이루어졌으며, 2018년에는 대성당과 모스크 발굴이 완결되었다. 아니 유적은 2012년 유네스코 세계문화유산 후보로 지명되어 2016년 유네스코 세계문화유산에 등재되었다.

아니는 아르메니아의 문화, 예술, 건축, 도시 계획 등의 탁월함을 보여 주며, 아니 학파(Ani school)로 일컬어질 정도로 아르메니아 종교 건축을 대표하는 도시이다. 아니의 군사 시설, 종교 사원, 행정 건물 등은 7~13세기 거의 모든 건축 유형을 보여 주는 광대한 파노라마와도 같다. 4~8세기의 아르메니아 교회들은 유례를 찾을 수 없을 정도로 거의 모두 평면 형태로 건축되었다. 도시 성벽은 기념비적 성격과 함께 디자인과 견고함을 고루 갖춘 아르메니아 중세 건축의 모범이다. 대부분의 건축물이 아르메니아 정교회 건물이다. 이는 아니 유적이 방치되었던 시기에 아르메니아 공동체가 아니를 중요한 순례지로 삼았던 이유이다.

아니 건축은 세 번의 황금기를 거치면서 아르메니아식 평면 유형 건축과 튀르크식 도시 건축 그리고 조지아의 종교 예술 등이 어우러져 다양하고 풍요롭다는 평가를 받는다. 아니의 첫 번째 황금기는 바그라티드 왕국의 가긱 1세(Gagik Ⅰ, 989~1020 재위) 때이다. 가긱 1세는 선대 왕들이 쌓은 토대 위에서 황금기를 이끌었다. 아쇼트 3세(Ashot III, 953~977 재위)는 아니를 바그라티드 왕국의 수도로 삼았다. 비잔틴과 아랍의 전쟁으로 드빈과 낙치반을 연결하는 실크로드의 교역로가 막히자 아니와 카르스와 아르젠을 경유하는 교역로를 형성하여 아니를 교역의 중심지로 만들었다. 슴바트 2세(Smbat II, 977~988 재위)는 도시 북쪽을 이중 성벽으로 둘

〈사진 34〉 아니 성벽

러싸는 공사를 진행했다. 규칙적으로 재단된 노란색과 회색, 붉은색 벽돌로 성벽
을 쌓았으며, 외벽은 내벽보다 낮게 만들었다. 약 50m 폭의 해자가 외벽 앞에 있
으며, 외벽에는 메인 관문인 사자의 문(Lion Gate)을 포함하여 일곱 개의 문이 있다.
아니는 실크로드 교역의 중심지 역할로 얻은 경제력과 성벽 덕분에 '성안의 작은
마을'이 성벽 바깥까지 확대되어 '열린 도시'로 발전하였다. 귀족들과 행정관료들
은 외벽 안쪽과 성안에 거주했지만, 상인들과 장인들과 낮은 계급은 성벽 바깥에
살면서 상점을 소유했다. 이는 폐쇄적인 '성(citadel)'에서 개방적인 '도시'로 전환하

〈사진 35〉 아니 대성당

는 아르메니아의 도시화 과정을 잘 보여 준다.

　가긱 1세 때인 992년에 아니는 아르메니아 정교회 총주교좌가 되었으며, 단기간에 많은 교회가 건축되었다. 이로 인해 '1,001개 교회의 도시'라는 말이 생겨났다. 아니 대성당(Ani Cathedral), 가긱 교회(Gagik Church), 성 아라케롯 교회(Surp Arak'elots Church), 성 아메나프키치 교회(Surp Amenap'rkitch Church), 아부감렌츠 교회(Abughamrents Church), 티그란 호넨츠 교회(Tigran Honents Church), 성모 수도원(Surp Hripsime) 등이 이 시기에 건축되었다. 이 시기 모든 건축물의 벽은 규칙적으로 절단된 붉은색, 노란색, 검정색(회색) 등의 응회암 벽돌로 쌓았는데, 알록달록한 모습이 인상적이다.

〈사진 36〉 가긱 교회

　아니의 두 번째 황금기는 쿠르드 무슬림인 샤다디드 왕조(Shaddadids)의 마누치르 왕(Manuchihr ibn Shavur, 1072~1118 재위)이 통치하던 시기이다. 이 시기에는 파괴된 성벽과 건물이 보수되었고, 궁전, 모스크, 카라반사라이, 수로 등이 건설되어 교역 활동을 재개할 수 있는 기반이 마련되었다. 아나톨리아 최초의 튀르크식 모스크인 마누체르 모스크(Manuçehr Mosque)와 무암메란 모스크(Muammeran Mosque) 등이 대표적 건축물이다. 이 모스크들은 중앙아시아 튀르크식 건축 전통이 아나톨리아에서 전환되어 구현된 초기 작품이다. 네 개의 이완과 네 개의 칸막이 탈의실을 갖춘 목욕탕, 육각형의 높은 미나렛을 통해 문화의 전환을 확인할 수 있다.

〈사진 37〉 성 아라케롯 교회
〈사진 38〉 성 아메나프키치 교회
〈사진 39〉 아부감렌츠 교회
〈사진 40〉 마누체르 모스크

〈사진 41〉 터키와 아르메니아 사이의 아르파차이강을 가로지르는 다리

〈사진 42〉 티그란 호넨츠 교회와 프레스코

아니의 마지막 황금기는 조지아 므카그르젤리(Mkhargrdzeli) 왕조의 자카리아와 이반(Zakaria and Ivane)이 통치하던 때(1200~1239)로 이 시기에는 조지아 문화의 영향을 받았다. 성 스테판 교회(St. Stephen Church) 건축, 티그란 호넨츠 교회와 성모 수도원·수녀원의 프레스코화 등에 그 영향이 반영되어 있다.

이러한 종교적 건축물 외에도, 아르파차이(Arpaçay)강을 가로지르는 다리가 드빈 문(Dvin Gate) 앞에 있으며, 이 다리에서 마누체르 모스크와 무암메란 모스크를 지나 사자의 문까지 이어지는 상가(商街)가 형성되어 있다. 이러한 유적은 실크로드의 주요 교역 허브 역할을 담당한 아니의 경제생활을 보여 준다.

제3장

그리스-로마
문명의
흔적을
뒤지다

배은숙

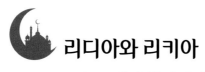

리디아와 리키아
금은 주화의 발상지와 사자로 치장한 도시

동일 함량 주화의 필요성

기원전 6세기 리디아(Lydia)의 크로이소스 왕(Croesos, 기원전 560?~546? 재위)은 솔론(Solon, 기원전 630?~560?)이 사르디스(Sardis)를 방문했을 때 많은 재물을 보여 주면서 가장 행복한 사람이 누구냐고 물었다. 크로이소스는 당연히 자신을 말할 줄 알았는데, 솔론은 국가나 부모를 위해 죽은 다른 사람을 꼽았다. 그러면서 가장 행복한 사람은 "사는 동안 누리다가 편안하게 죽는 사람"이라고 했다. 크로이소스는 현재의 행복을 무시하고 끝을 보라는 솔론의 말에 승복할 수 없었다. 그에게 행복한 순간은 많은 영토를 복속하면서 엄청난 부를 축적한 현재였다.

부유한 리디아는 기원전 13세기 히타이트 제국이 붕괴하고, 기원전 8세기 프리기아(Prygia)가 쇠퇴한 후 아나톨리아의 패권을 장악했다. 리디아 왕국의 최전성기는 크로이소스의 치세였다. 35세에 즉위한 크로이소스는 에페소스를 포함하여 아나톨리아에 있는 국가 대부분을 공격하여 복속시켰다. 리디아의 수도인 사르디스는 번영의 절정에 있었고, 솔론을 포함한 많은 학자의 주요 방문처였다.

리디아의 강성 배경에는 귀금속이 있었다. 역사가 헤로도토스(Herodotos, 기원전 484?~425?)는 리디아는 트몰로스(Tmolos)산에서 내려오는 사금 말고는 귀중한 것이 없다고 했다. 또 사르디스 서쪽에 흐르는 팍톨로스(Pactolos)강에서 생산되는 귀금속은 사르디스를 부유하게 했다. 팍톨로스와 사르디스는 부와 사치의 대명사가 되었다. 역사가인 오비디우스(Publius Ovidius, 기원전 43~서기 18?)에 따르면, 만지면 모든 것이 황금으로 변하는 미다스 왕이 손을 씻은 곳이 팍톨로스강이었다고 한다. 팍톨로스 강변에 금이 풍부한 이유를 나름대로 해명한 것이다.

귀금속 매장량이 많다고 해도 이를 실용화시키지 못하면 의미가 없다. 헤로도토스는 크로이소스가 여러 국가에 봉헌한 공물을 열거하면서 "금화와 은화를 최초로 주조하여 사용한 사람이 리디아인이고, 이들은 최초의 소매상인이기도 하다"고 했다. 이를 근거로 크로이소스는 금화와 은화를 주조한 최초의 인물로 해석된다.

트몰로스 광산과 팍톨로스강에서 나는 금속은 금과 은의 천연 합금인 호박금(琥珀金)이었다. 크로이소스 이전, 즉 기원전 7세기경 리디아에서 사용된 최초의 호박금 주화는 타원형 덩어리였다. 크기에 따라 무게가 일정해 화폐처럼 사용했다. 문제는 호박금에 함유된 금과 은의 양이 일정치 않다는 것이다. 가령 팍톨로스 제련 공장에서 출토된 귀걸이는 금 63.3%, 은 31.9%, 구리 2.87%를 함유한 합금이며, 함께 출토된 펜던트는 금 89.2%, 은 8.9%, 구리 1.9%였다. 호박금에 함유된 금은을 측정할 수 없었기 때문에 금액 산정이 쉽지 않았다. 이는 일정한 금액으로 유통할 수 없다는 한계가 있음을 의미한다.

금은 함유량이 균등한 주화의 필요성은 지불 수단으로 사용할 때 발생한다. 지불 수단으로서의 목적은 첫째, 상업적인 거래이다. 아리스토텔레스(Aristoteles, 기원전 384~322)는 초기의 주화가 상업적인 거래를 촉진하기 위해 도입되었다고 했다. 사르디스는 상업이 발달할 수 있는 지형이었다. 헤로도토스에 따르면, 팍톨로스강은 트몰로스산에서 사금을 운반하는 수로로 이용되었다고 한다. 팍톨로스강은 사르디스의 중앙 시장과 헤르무스강으로 이어져 바다로 흘러간다. 이런 지형은 트몰로스산에서 나온 사금이 수로를 따라 사르디스 중앙 시장에 모였다가 다시 에게해로 나가는 구조이다. 사르디스는 에게해에서 내륙으로 90km 떨어져 있다. 수로는 육로보다 훨씬 더 빠르므로 사르디스까지 90km라고 해도 충분히 이용할 수 있는 거리였다.

둘째는 군사적인 용도이다. 크로이소스는 프테리아 전투에서 페르시아의 키루스 2세(Cyrus II, 기원전 559~530 재위)와 승부를 보지 못하자 사르디스로 철수했다. 그는 이듬해 이집트·바빌론·스파르타 원군을 모아 재대결할 생각으로 전쟁에 동원했던 용병들을 해산했다. 크로이소스의 용병 해산은 리디아가 키루스 2세에게 멸망하는 과정에서 나왔다. 여기서 주목할 것은 용병 해산을 위해서는 대가를 지급해야 한다는 것이다. 용병들에게 봉급을 지급하기 위해서는 금은 함유량이 일정한 주화가 있어야 했다.

하지만 기존에 사용했던 호박금 주화는 일정한 금액을 산정해야 하는 상업적 거래와 용병들의 봉급 지불 수단으로 부적합했다. 학자들은 금화와 은화 발행 이유로 군사적인 용도를 더 강조한다. 용병에게 지급하는 봉급이 국가의 운명과 직결되기 때문이다. 자연히 지불 수단인 주화는 국가가 관할하고자 했을 것이다. 1960년 팍톨로스 강변 유적지에서 금과 은을 추출하는 제련 공장이 발굴되었다. 제련 공장의 위치와 $625m^2$에 달하는 규모로 볼 때 매년 수만 개의 주화를 생산할 여력이 있었던 것으로 추정한다. 제련 공장이 사르디스 성벽 바깥에 있어서 개인 소유라는 주장이 있었지만, 국가 소유라는 주장이 더 설득력을 얻는다. 크로이소스가 델포이에 많은 양의 정제된 금을 봉헌한 것이 증거이다. 또 제련소를 사르디스 성 밖에 둔 이유에 대해 호박금을 녹일 때 필요한 목재와 제련에 필요한 물, 화재의 위험성 등을 고려할 때 성안에 두기 어려웠을 것으로 보았다.

기원전 6세기 중엽 주조되기 시작한 금화와 은화는 아나톨리아반도를 넘어 그리스 본토까지 전파되었다. 그리스 본토에서는 아르고스(Argos)의 왕 페이돈(Pheidon, 기원전 710?~670? 재위)이 아이기나(Aegina)에서 최초로 주화를 도입했다는 전승이 있다. 페이돈이 기존의 쇠막대 화폐 대신 주화를 아르고스의 헤라 신전에 봉헌했다고 한다. 그리스로 퍼진 주화가 리디아 주화와 다른 점은 재질에 있다. 그리스에서는 리디아처럼 호박금에서 금과 은을 추출하지 않고 곧바로 은화를 주조했다. 그 이유는 그리스 본토에는 호박금이 매장된 곳보다 은이 매장된 지역이 더 많았기 때문이다.

사자를 동반한 키벨레 여신과 아르테미스 여신

단순한 쇠막대가 아니라 주화가 발행되면서 국가의 상징에 관한 종교적·정치적 해석이 가능해졌다. 왜냐면 주화의 도안이 바로 국가를 나타내는 상징물로 채워지기 때문이다. 그리스 주화는 신상, 전설적 영웅, 기념물, 글씨 등 다양했지만 리디아의 도안은 황소와 사자가 주류를 이룬다. 황소는 농사와 관련이 있고, 사자는 강인함으로 인해 신성시되었다. 힘과 지혜를 상징하는 사자는 정치적 의미에서 리디아 왕가를 상징했다. 사자는 종교적 의미에서 대모신이나 풍요의 여신으로 최고인 키벨레(Cybele) 여신과 연관된다. 키벨레 여신은 항상 사자를 동반하기 때문이다. 키벨레는 프리기아어로 어머니라는 뜻인 쿠빌레이아(Kubileya), 리디아어의 쿠바바(Kuvava/Kufava)에서 유래한 것으로서 기원전 7세기 그리스로, 기원전 3세기 로마로 퍼졌다. 로마는 한니발(Hannibal Barca, 기원전 247~181?)과의 힘겨운 전쟁에서 키벨레 여신을 모셔오면 승리한다는 신탁에 따라 페르가몬의 아탈로스 1세(Attalos I, 기원전 241~197 재위)에게 키벨레 여신을 상징하는 검은 석상을 받았다. 로마는 기원전 191년 키벨레 신전을 건축했고, 매년 4월 4일부터 10일까지 축제를 개최했다.

기원전 560년경 팍톨로스강 북쪽에 세워진 키벨레 신전은 기원전 499년 이오니아 반란 때 불탔다. 당시 부유한 사르디스는 이오니아 반란군에게도 매력적이었다. 그들은 에페소스에 배를 정박한 후 내륙으로 행군했다. 트몰로스산을 넘어 사르디스로 들어가자 아무도 저항하지 않았다. 아크로폴리스(Acropolis)를 제외한 사르디스 전역을 점령한 이오니아군은 본격적으로 도시를 약탈하려 했다. 한 병사가 집에 불을 지르자 불길은 삽시간에 도시 전체로 번져버렸다. 당시 사르디스의 집들은 대부분 갈대로 지어졌고, 벽돌로 지은 집도 지붕은 갈대였다. 이로써 사르디스는 완전히 폐허가 되었다. 이때 불탔던 키벨레 신전은 1960년대 후반 팍톨로스 강변에서 커다란 제단이 발견되면서 실체가 드러났다. 제단 기초에는 '쿠바브(KUVAV)'라는 글자가 보이고, 제단 서북쪽에 뒤쪽 절반이 불탄 사자상들이 발견되어 이것이 키벨레 여신에게 봉헌한 제단임이 확인되었다.

리디아에서 키벨레와 쌍벽을 이루는 여신은 달의 여신인 아르테미스(Artemis)

〈사진 1〉 아르테미스 신전 유적

다. 기원전 400년경 대리석에 새겨진 〈두 여신의 부조〉는 성소의 벽감에 아르테
미스 여신과 키벨레 여신이 나란히 서 있다. 아르테미스 여신은 암사슴을, 키벨
레 여신은 사자를 안고 있다. 아크로폴리스 서쪽 경사면에 아르테미스 신전이 건
축된 시기를 알 수 있는 두 가지 기록이 있다. 하나는 신전 서북쪽 내벽에 안티고
노스 1세(Antigonos I Monophthalmus, 기원전 306~301 재위)가 신전 건축을 위해 므네시마코
스(Mnesimachos)에게 수여한 토지 담보대출 기록이다. 또 다른 것은 기원전 253년
안티오코스 2세(Antiochos II Theos, 기원전 261~246 재위)가 디디마(Didyma)에 세운 기념비

에 5개 성소를 배치한다는 기록이다. 5개 성소는 디디마의 아폴로, 에페소스의 아르테미스, 일리움의 아테나, 사모트라키의 아테나, 그리고 사르디스의 아르테미스 등이다. 이를 볼 때 아르테미스 신전 건축 시기는 기원전 4세기 말~3세기 중반으로 보인다. 이 신전의 앞뒤 8개·측면 20개 기둥, 로마 시대 만들어진 주랑 현관, 성소 등은 리디아 왕들의 고분과 어우러져 "가장 단순한 형태로 지어진 가장 큰 건축물"이라는 평가를 받는다.

17년 페르가몬과 에페소스를 포함하여 아나톨리아 12개 지역이 지진 피해를 봤다. 사르디스의 재난이 가장 커서 로마는 재난 기부금을 거두어 주고, 세금도 5년간 면제해 주었다. 이 재난으로 아르테미스 신전은 무너졌으나 123년 하드리아누스 황제(Hadrianus, 117~138 재위)의 프리기아·리디아 방문을 계기로 재건되었다. 현재 동쪽 끝에 이오니아식 기둥이 두 개 세워져 있고, 여섯 개의 현관 기둥 중 다섯 개만 보존되어 있다. 서쪽과 측면 기둥은 기초만 남아 있다.

리키아에서도 신성시한 사자

사자를 신성시하는 풍습은 리디아나 인근 리키아(Lycia)에서 보듯이 아나톨리아 지역 전반에 퍼져 있었다. 리디아처럼 독립적인 왕국으로 존재하다가 페르시아에 멸망한 리키아는 수도인 크산토스(Xanthos)에 많은 유적을 남겼다. 크산토스 아크로폴리스 동쪽에 있는 약 3m 높이의 사자 기둥(lion pillar)은 기원전 550~500년에 제작되었다. 사자 기둥의 앞면에는 사자의 굴곡미가, 남자가 사자를 잡는 옆면에는 단순미가 돋보인다.

크산토스는 사자를 중시하는 아나톨리아의 풍습과 함께 페르시아와 그리스의 이미지를 모두 보여 준다. 페르시아와 그리스의 영향을 받은 건축물은 반인반조가 새겨진 높이 8.87m의 하르피 무덤(Harpy Tomb), 기원전 6~4세기 리키아 통치자들의 무덤을 장식한 네레이드(Nereid) 기념물, 기원전 5세기 아테네로부터 독립하기 위해 싸운 케레이(Kerei) 왕의 업적을 리키아어와 그리스어로 새긴 오벨리스크 등이 꼽힌다. 특히 네레이드 기념물에는 기원전 540년 페르시아에 멸망한 아르

〈사진 2〉 하르피 무덤

〈사진 3〉 하르피 무덤의 부조

〈사진 4〉 네레이드 기념물

〈사진 5〉 크산토스의 오벨리스크

비나스(Arbinas) 왕의 페르시아풍 면모와 그리스 방패를 들고 있는 프리즈 전사의 혼용미가 잘 나타나 있다.

리디아라는 국가는 사라졌지만, 광산과 상공업으로 얻은 부는 사르디스에 그대로 녹아 있었다. 황소와 사자를 모티브로 한 금은 주화는 지금까지도 남아 리디아의 부를 과시한다. 사자를 타고 다니는 키벨레 여신은 로마까지 전해져 절체절명의 순간 로마의 구원자로 등장한다. 키벨레 여신과 쌍벽을 이루는 아르테미스 여신은 에페소스와 함께 불가사의한 신전 건축으로 이어졌다. 리키아 크산토스의 무덤은 사자를 신성시하는 아나톨리아의 관습을 이어가면서도 지배국가인 페르시아와 그리스의 영향을 모두 담고 있다. 이처럼 리디아와 리키아는 아나톨리아의 도시이면서도 문화 전파자의 역할을 톡톡히 하여 동서양의 다양한 문화를 대변하고 있다.

# 에페소스
신앙과 유흥으로 부를 소비하는 항구도시

항구도시로서의 에페소스

2019년 유네스코가 발표한 에페소스의 문화유산 보호 정책은 에페소스 유적지 인근에 집약농법에 근거한 비료, 살충제, 제초제 등의 남발을 막는 것과 유적지로 통하는 입구를 여러 개 신설하여 증가하는 관광객을 분산시키는 것이다. 이와 함께 향후 추진할 과제로 고대 에페소스 복원을 꼽았다. 에페소스의 원래 모습은 그리스의 기록을 보아야 한다. 기원전 8~7세기 인물로 추정되는 서사시인인 크레오필로스(Creophylos)는 기원전 11세기 말 안드로클로스(Androclos)가 에페소스를 세웠다고 기록했다.

안드로클로스는 오랫동안 도시를 세울 적당한 장소를 찾았지만 찾을 수 없었다. 그는 아폴로 신에게 신탁을 구하여 "물고기가 보여 주고, 야생 멧돼지가 데려다주는 장소에 정착하라"는 신탁을 받았다. 신탁은 안드로클로스가 해변으로 소풍을 나갔던 화창한 날에 이루어졌다. 그곳에서 휴식하던 어부 중 한 명이 장작더미에 물고기를 올렸다. 물고기 한 마리가 장작에서 튀어 갈대숲으로 떨어졌고, 불타는 갈대숲에서 멧돼지 한 마리가 튀어나와 산속으로 달아났다. 안드로클로스는 멧돼지를 추적하여 죽이고, 그곳에 도시를 건설했다. 어부들이 식사를 준비하던 곳은 히펠라이오스(Hypelaios)라는 신성한 항구가 있는 곳이었다.

이 기록은 에페소스가 에게해에서 6km 떨어져 있지만, 원래는 항구도시였음을 말해 준다. 에페소스가 항구도시였다는 것은 헤로도토스의 기록에서도 확인할 수 있다. 그는 사르디스에서 수사까지는 1만 4,040스타디온(2,808km)인데, 이 계산에는 해안가인 에페소스에서 사르디스까지 540스타디온(108km)이 포함되어 있다고 했다.

항구도시인 에페소스는 주변국에 매력적이었다. 셀레우코스 왕국의 안티오코스 3세(Antiochos III, 기원전 222~187 재위)는 에페소스를 점령하기 위해 로마와 전쟁을 했다. 그는 에페소스가 육지와 바다 모두에서 아나톨리아의 도시들을 지켜볼 수 있고, 유럽의 공격으로부터 아나톨리아를 방어할 수 있는 요충지로 보고 장악하려 했다. 에페소스는 지리적인 이점을 가진 데다 기원전 2세기를 거치면서 안전성까지 갖추게 되었다. 남쪽의 불불산(Bülbül Dag)과 북쪽의 파나이르산(Panayir Dag)에 방어용 성벽이 세워져 항구의 안전성이 확보되었다. 또 배들이 정박할 수 있는 정박지가 만들어졌는데, 길이가 2,500m에 달해 대규모 선박이 출입할 수 있었다. 당시 에페소스보다 작은 키지코스(Cyzicos)에 200척의 선박이 있었다고 하니 에페소스에는 그보다 더 많은 배가 정박했음을 짐작할 수 있다.

에페소스는 상품 판매로 거두는 세금, 항구를 이용한 대가로 받는 통행세 등을 경제의 밑거름으로 삼았다. 그래서 지리학자 스트라보(Strabo, 기원전 64?~서기 24)는 "타우로스(Tauros)산맥 북서쪽에서 가장 큰 도시는 에페소스이고, 그 부의 대부분은 항구에서 나왔다"고 했다. 페르가몬에 속해 있었던 에페소스는 기원전 133년 로마에 귀속된 후 로마의 아시아 속주 수도가 되었다. 로마 시대에 에페소스는 동부 지중해에서 가장 큰 무역 중심지가 될 정도로 번성했다.

종교 중심지로서의 에페소스

항구도시이면서 상공업이 발달했다는 것은 사람들의 왕래가 빈번하다는 것이고, 이 때문에 에페소스는 종교적·경제적 중심지로 부상했다. 종교 중심지로서의 에페소스는 아르테미스 여신 숭배를 대표하는 도시다. 에페소스의 아르테미스 신전은 기원전 7세기경 건립되었고, 리디아가 침입한 후인 기원전 550년경에 재건립되었다. 또 기원전 356년 화재로 소실되었다가 기원전 323년 재건되었다. 410년 고트족의 공격으로 파괴될 때까지 세계 7대 불가사의의 하나였고, 아나톨리아와 그리스의 대표적인 아르테미스 신전이었다. 아르테미스 여신의 탄생지에 세워졌다는 이 신전의 길이는 129.5m, 넓이는 68.6m로 아테네의 파르테논 신전(69.5m×30.9m)보다 두 배 더 컸다. 높이 18.3m, 지름 1.2m인 기둥이 네 면에 2열씩 총 127개 있었고, 정면에 그리스 신화가 조각되었다고 한다. 신전 앞을 장식한 아르테미스 여신상은 많은 가슴을 가진 다산의 여신 모습이었다.

아르테미스 신전은 신성한 여신의 보호 속에 박해받는 자의 피난처였다. 이집트 아르시노에 4세(Arsinoë IV, 기원전 68?~41)는 로마의 카이사르(Julius Caesar, 기원전 100~44)를 등에 업은 클레오파트라 7세(Cleopatra VII, 기원전 69~30)와의 경쟁에서 패했으나 카이사르의 선처로 아르테미스 신전에서 살았다. 아르시노에 4세의 도발을 경계했던 클레오파트라 7세는 안토니우스(Marcus Antonius, 기원전 83~30)를 유혹해 신전 계단에서 그녀를 살해했다. 비록 클레오파트라에 의해 아르테미스 신전이 지닌 성역의 의미는 무너졌지만 그 뜻은 이어졌다.

아르테미스 신전의 또 다른 역할은 금고였다. 성역이자 피난처 역할은 돈을 예탁하는 금고의 역할로 확대되었다. 신전에 돈을 예탁하는 것은 델로스 동맹 같은 역할을 했다. 델로스 동맹이란 페르시아의 재침입에 대비하여 아테네를 중심으로 한 동맹국들이 델로스의 아폴로 신전에 동맹 기금을 보관하여 붙여진 이름이다. 이처럼 에페소스에서 아르테미스는 신앙과 경제의 중심축이었다. 이 때문에 아르테미스 여신을 거부하는 움직임에 대해 에페소스인이 반발하는 것은 당연했다. 특히 사도 바울(St. Paul, 5?~67?)이 극장에서 그리스도에 관해 설교할 때 은세공업자들은 "에페소스의 위대한 아르테미스 여신"이라고 하면서 야유했다. 아나

〈사진 6〉 에페소스의 아르테미스 신전 유적과 아르테미스 여신상

《사진 7》 아프로디시아스의 황제 숭배 신전과 아프로디테 신전 입구(©계명대학교)

〈사진 8〉 아프로디테 신전 유적(ⓒ계명대학교)

〈사진 9〉 도미티아누스 신전(ⓒ계명대학교)

〈사진 10〉 하드리아누스 신전(ⓒ계명대학교)

톨리아와 그리스 등지에서 많은 순례자가 에페소스를 방문했고, 그들을 대상으로 장신구나 희생물을 파는 상인들은 기존 종교의 근간과 경제적 수입처를 흔드는 새로운 종교에 거부감을 나타낼 수밖에 없었다.

종교 중심지로서 에페소스는 황제 숭배에도 일조했다. 에페소스는 페르가몬, 스미르나와 함께 황제 숭배의 중심지였다. 로마의 아시아 속주에서 중심 도시의 지위를 확보하기 위해 페르가몬과 경쟁했던 에페소스는 도미티아누스 신전을 봉헌했다. 새로운 왕조를 확립하려는 도미티아누스(Domitianus, 81~96 재위)와 황제 숭배의 중심지로 인정받고 싶은 에페소스의 이해관계가 맞아떨어진 것이다. 에페소스는 도미티아누스 황제에게 '황제 숭배 신전 관리자(Neocorus)'라는 칭호를 받은 최초의 도시가 되었다. 이로써 에페소스는 아시아에서 최초의 황제 숭배를 시작했던 페르가몬을 앞서게 되었다.

도미티아누스 신전은 3층으로 된 단상 위에 세워진 것으로서 전면에 8개, 측면에 13개 기둥이 있고, 갑옷, 창, 칼, 전리품, 포로 등이 부조로 새겨져 있다. 도미티아누스 황제가 사망한 후 원로원이 도미티아누스 황제에게 기억말살형을 선포함에 따라 신전에서 그의 이름이 지워졌고, 그의 아버지인 베스파시아누스 황제(Vespasiaus, 69~79 재위)의 이름이 새겨졌다. 하드리아누스 신전도 지역 유지가 128년 에페소스를 방문한 하드리아누스 황제(Hadrianus, 117~138 재위)에게 헌정한 건축물이다. 네 개의 코린트식 기둥 위에는 도시 창시자인 안드로클로스, 디오니소스, 아폴로, 아테나, 테오도시우스 황제 등이 새겨져 있다.

에페소스와 쌍벽을 이루는 도시는 133km 떨어진 아프로디시아스였다. 에페소스가 자체에서 생산한 대리석으로 건설된 것처럼, 이 도시 또한 대리석 채석장이 가까이 있어 이를 이용했다. 아프로디테를 숭배하는 아프로디시아스는 로마의 건국 신인 베누스(Venus) 신과 동격이고, 로마로부터 면세 특권을 얻을 만큼 충성스럽고 부유했다. 기원전 30년경 봉헌된 아프로디테 신전은 이오니아식 기둥이 전면에 8열, 측면에 13열 세워져 있었다. 하지만 신전은 500년경 대성당을 건축하기 위해 개조되어 원래의 모습을 잃어버렸다.

경제 중심지로서의 에페소스

항구를 기반으로 한 상공업의 발달은 에페소스를 경제 중심지로 만들었다. 에페소스는 그 부를 건축물을 짓는 데 사용했다. 에페소스의 경제를 알 수 있는 증거는 쿠레테스 거리(Via Curetes) 동쪽에 있는 에페소스 극장이다. 3개 부분, 66열로 총 2만 5,000명을 수용할 수 있는 극장은 기원전 3세기에 건립되었다. 오스트리아 박물관에 있는 에페소스 극장의 장식 부조에 검투사들이 새겨진 것을 볼 때 극장에서 연극과 함께 검투 경기가 벌어졌음을 알 수 있다. 2001년에는 검투사들의 무덤에서 67명의 검투사와 검투사의 부인으로 추정되는 여성 한 명이 발굴되었다. 발굴된 남성들은 45~55세인 한 명을 제외하면 모두 20~30대였고, 평균 키는 168cm였다. 67명 중 11명의 두개골에 상처가 보이는데, 대부분은 싸우거나 훈련 중 입은 상처로 보인다. 10명의 두개골에서는 정수리 쪽에 입은 상처로 사망했을 것으로 보이는 심각한 타박상 흔적이 있다. 이 밖에 상처가 아주 잘 아문 두개골도 발굴돼 의료 혜택을 누린 것으로 추정한다.

극장에서 벌어진 연극이나 검투 경기는 인근에 있는 승리의 여신인 니케(nike) 부조와 관련 있다. 여신은 오른손에 종려나무 가지를, 왼손에 월계관을 쥐고 있다. 종려나무는 10m 이상 자라는 속성 때문에 아나톨리아와 그리스에서 승리·평화·영생을 상징하고, 월계관은 아폴로 신을 의미하는 것으로 명예를 상징한다. 종려나무 가지와 월계관은 경기에서 승리한 자에게 주어지는 영광이자 명예였다.

켈수스(Celsus) 도서관도 부의 사용처였다. 황제나 정치가가 세운 공공 도서관과 달리 켈수스 도서관은 민간인이 세운 최초의 공공 도서관이었다. 이 도서관은 115년 로마의 총독인 켈수스(Julius Celsus Polemaenus, 45~120)를 기리기 위해 그의 아들이 세웠다. 262년 화재로 파괴되었고, 10세기에 지진으로 쓰러진 후 폐허가 되었다. 도서관은 동향이었고, 서쪽으로는 창문이나 문이 없었다. 이는 서쪽에서 불어오는 습한 바닷바람으로부터 책을 보호하기 위한 것이었다. 3층으로 된 도서관 입구로 올라가면 아홉 개의 계단이 있었고, 계단 옆에는 청동으로 된 켈수스의 기마상이 있었다. 입구의 동상들 아래에 있는 받침대에는 켈수스의 업적들이 적혀 있다. 서른 개의 서가에는 총 1만 2,000개 이상의 두루마리가 있었는데, 2층과

〈사진 11〉 니케 부조(ⓒ계명대학교)

〈사진 12〉 켈수스 도서관(ⓒ계명대학교)

〈사진13〉 원형극장(ⓒ계명대학교)

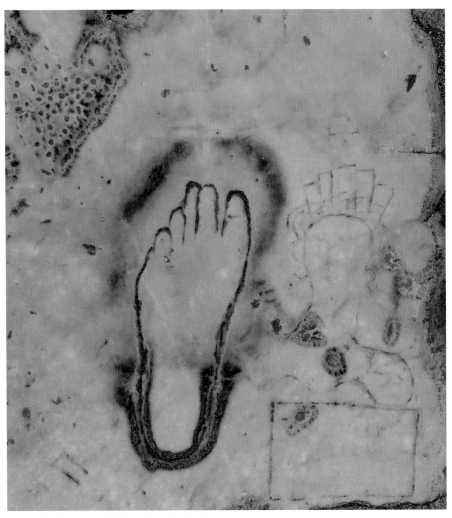

〈사진 14〉 심장, 발바닥, 티케 여신(ⓒ계명대학교)

3층인 서가에서 어떻게 두루마리를 찾을 수 있었는지는 알 수 없다.

부의 사용처가 극장이나 도서관처럼 점잖은 곳만 있었던 것은 아니었다. 쿠레테스 거리를 따라 에페소스 극장에서 켈수스 도서관으로 가는 길바닥에는 심장, 발바닥, 행운과 운명의 여신인 티케(Tyche)가 그려져 있다. 이 그림이 왼쪽에 있는 아고라 부근의 매춘업소 광고인지는 의견이 분분하다. 인근에 목욕탕, 도시에서

〈사진 15〉 아프로디시아스의 경기장((ⓒ계명대학교)

가장 큰 남성 화장실, 선술집(taberna) 등이 있다. 폼페이처럼 여인숙(caupona)일 가능성이 제기되었으나 난로나 조리 공간이 없어서 가능성은 적다. 오히려 메소포타미아에서 선술집과 그에 부속된 이발소가 매춘업소로 사용된 것으로 보아 매춘업소 광고일 가능성에 무게가 더 실린다. 그래서 발바닥은 그 크기를 넘어서는 성인만 고객으로 받는다는 의미로 해석된다. 에페소스에서는 매춘도 부의 주요한 사용처였다.

에페소스 같은 대리석 도시인 아프로디시아스도 대리석 수출로 얻은 부를 소비하는 방식은 유사했다. 부는 곧바로 도시의 화려한 건축물에 묻어났다. 북쪽에서부터 경기장(Stadium), 성문, 아프로디테 신전, 조각가의 작업장, 평의회 의사당

(Bouleuterion), 아고라, 황제 숭배 신전(Sebasteion), 극장, 하드리아누스 목욕탕 등이 도시의 부를 잘 보여 준다. 특히 1세기에 지어진 경기장은 3만 명을 수용할 정도로 아나톨리아에서 가장 컸다.

에페소스의 맹점

에페소스에 부를 안겨준 항구는 지리적으로 두 가지 맹점이 있었다. 하나는 퇴적이다. 로마군이 에페소스 항구에 있는 안티오코스 함대를 공격할 때 어떤 로마 군인이 버티는 적을 격파할 방안을 제시했다. 그는 항구 입구가 모래톱이 가득하고, 길고 좁아 항구에 무거운 짐을 실은 배 몇 척을 가라앉히면 항구가 완전히 막힐 것이라고 했다. 여기에 에페소스인들이 각종 쓰레기를 항구에 버리는 습관까지 더해져서 항구 소실은 더 심각해졌다. 항구에 퇴적물이나 쓰레기가 쌓이면 항구의 기능이 상실되므로 이를 해결하려는 조치가 취해졌다. 하드리아누스 황제는 카이스테르(Cayster)강으로 우회하거나 제방을 쌓아 퇴적물이 항구에 쌓이지 않도록 했다. 이러한 조치는 큰 효과를 보지 못했다. 또 하나는 지진이다. 262년 아나톨리아 남서부를 강타한 지진과 쓰나미는 에페소스의 존립을 위협했다. 이때 밀려든 바닷물이 항구를 침식해 버렸다.

에페소스 항구는 2세기에 사라지기 시작해 5세기에는 거의 남아 있지 않았다. 2세기에 다미아누스(Titus Flavius Damianus)는 에페소스로 상품을 수송하기 위해 정박지를 만들어야 했다. 5세기에는 항구 바깥에 닻을 내린 후 작은 배에 짐을 옮겨 실어 내항으로 들어와야 할 정도로 퇴적물이 많았다. 항구의 쇠퇴는 에페소스 경제의 쇠퇴로 이어졌고, 이는 에페소스가 쇠퇴하는 결과를 가져왔다. 7~8세기 에페소스의 인구는 급격히 줄어들었고, 항구는 사라졌다. 당시 도시 방어를 위해 건립한 성벽은 과거 2~3세기 건립한 성벽보다 훨씬 안쪽에 있었다. 도시의 규모가 그만큼 줄어든 것이었다. 에페소스 항구는 에페소스의 성쇠와 궤를 같이했다. 터키 당국이 에페소스 항구와 도시의 원래 규모로 복원하려는 이유가 바로 여기에 있다. 항구 복원은 에페소스의 역사적 · 경제적 가치 상승으로 이어진다고 본 것이다.

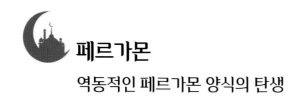

페르가몬

역동적인 페르가몬 양식의 탄생

페르가몬 건축의 시대 구분

베를린의 페르가몬박물관은 2023년 전면 개방을 목표로 보수 중이다. 이 박물관과 터키의 문화재 반환 분쟁에서 주요 논제가 된 것은 대제단, 즉 페르가몬 제단이다. 1864년 독일의 기술자 카를 후만(Karl Humann)은 페르가몬 아크로폴리스의 지리를 조사한 후 1878년 터키 정부의 승인하에 발굴했다. 이후 페르가몬 제단은 1886년 오스만 제국의 술탄 압둘하미드 2세(Abdülhamit II, 1876~1909 재위)의 허락하에 베를린으로 운송되었다. 그러다가 1948년 소련의 레닌그라드로 옮겨졌다가 1958년 동베를린으로 반환되었다.

페르가몬 발굴 당시 주민들은 고대 도시의 잔해들을 재사용하여 건물을 짓고 있었기 때문에 독일은 자신들 덕택에 제단 파괴를 면할 수 있었다고 했다. 2020년 이즈미르 시장인 소이르(Tunç Soyer)는 후만이 불법적으로 발굴했기 때문에 베를린 페르가몬박물관에서 전시되고 있는 모든 유물이 반환 대상이라고 했다. 이에 대해 페르가몬박물관을 관리하는 프러시아문화유산재단(Prussian Cultural Heritage Foundation)은 "1878년 이후 모든 발굴은 합법적으로 진행되었고, 이를 증명할 문서들이 독일과 터키에 공개되었다"고 주장했다. 독일과 터키가 반환 논쟁을 벌이는 것은 페르가몬 제단이 페르가몬 최전성기에 만들어져 문화사적 가치가 높기 때문이다.

페르가몬 건축은 총 네 단계로 나눌 수 있다. 첫째 단계는 도시 성립기로서 기원전 7~4세기 초 헬레니즘 초기까지이다. 기원전 4세기 후반 승리를 가져다주는 아테나 여신(Athena Nikephoros) 신전, 풍요의 신 데메테르(Demeter) 신전, 치료의 신 아스클레피오스(Asclepios)의 성소인 아스클레피온, 성벽 등이 세워졌다. 아스클레피오스 성소는 성벽에서 남서쪽으로 2km 떨어진 곳에 있다. 아스클레피오스 신은 아르키아스(Archias)라는 페르가몬 남자가 사냥에서 입은 상처를 아스클레피오스의 원래 성소였던 에피다우로스(Epidauros)에서 치료한 후 페르가몬에 소개했다고 한다.

둘째 단계는 요새화의 시기로서 기원전 3세기 아탈로스 왕조 창시자인 필레타이로스(Philetaeros, 기원전 282~263 재위) 때였다. 알렉산드로스 대왕의 후계자들 전쟁에서 트라키아 왕 리시마코스(Lysimachos, 기원전 306~281), 시리아의 왕 셀레우코스 1세(Seleucos I Nicator, 기원전 305~281 재위)가 경쟁하면서 차례로 사망하자 환관인 필레타이로스는 페르가몬을 독립적으로 통치할 수 있었다. 그는 성벽을 재건하여 방어 시설을 강화하고, 도로와 배수로를 정비해 계획도시로서의 면모를 갖추었다. 목욕탕이 만들어지고, 대리석을 이용해 아스클레피오스 신전을 재건한 것도 이때였다.

셋째 단계는 요새화 확장기로서 아탈로스 왕조의 최전성기인 에우메네스 2세(Eumenes Ⅱ, 기원전 197~159 재위) 치세이다. 그는 로마의 원조 덕택에 셀레우코스의 안티오코스 3세를 물리치고, 그 영토의 상당 부분을 복속시켰다. 이런 번영을 기반으로 에우메네스 2세는 아크로폴리스 전체에 성벽을 강화하고, 남서쪽에 성문을 추가했다. 또 페르가몬 제단, 체육관, 디오니시오스 신전, 반원형극장, 도서관 등도 건설했다.

넷째 단계는 도시 확장기로서 로마 황제 트라야누스(Trajanus, 98~117 재위)와 하드리아누스 통치기이다. 에우메네스 2세가 죽자 페르가몬의 왕위는 아탈로스 2세(Attalos Ⅱ, 기원전 159~138 재위)와 3세(Attalos Ⅲ, 기원전 138~133 재위)에게 이어졌다. 후손이 없었던 아탈로스 3세가 페르가몬 왕국을 로마에 유증함으로써 페르가몬은 독립 국가가 아니라 로마의 아시아 속주로 전락했다. 로마 지배기에 친애하는 제우스

(Zeus Philios) 신전, 트라야누스와 하드리아누스 황제에게 봉헌한 트라야누스 신전 (Trajaneum) 등이 건립되었다. 로마의 우위는 로마 황제를 신격화의 대상으로 삼는 동시에 황제 축제의 근원이었다. 당시 페르가몬은 황제에게 봉헌하는 신전과 축제의 중심지로 유명했다. 또 이 시기 도시는 기존의 아크로폴리스를 중심으로 확장되어 아스클레피온 부속 건물, 체육관, 이집트 신전인 붉은 신전 등이 세워졌다.

페르가몬 건축의 예술적 특징

네 단계의 페르가몬 건축 과정에서 페르가몬의 독특한 예술 양식이 드러나는 것은 셋째 단계이다. 이 시기를 대표하는 페르가몬 제단은 말발굽 모양으로 넓이는 35.64m, 폭은 33.4m에 달한다. 축조된 토대의 연대는 기원전 160년대 중반~148년에 기공한 것으로 추정되고, 에우메네스 2세가 사망할 때까지 완공되지 않았다. 갈라티아(Galatia)에 승리한 것을 기념하여 만들어진 이 제단에는 "아탈로스 왕과 아폴로니스 여왕의 아들인 에우메네스 왕이 제우스와 아테나 니케포로스에게" 봉헌했다고 쓰여 있다.

페르가몬 제단, 대제단, 제우스 제단 등으로 불리는 이 제단의 문화적 가치는 총 길이 113m, 높이 2.30m에 달하는 외벽 조각에 있다. 조각 내용은 올림픽 신들이 가이아(Gaia)와 우라노스(Uranos)의 자녀인 거인들과의 전투에서 승리하는 것이다. 외벽에는 34명의 여신, 20명의 남신, 59명의 거인, 28마리의 동물이 조각되어 있다. 제단 부조에서 주목해야 할 것은 거인들의 표정이다. 동쪽 벽면의 '알퀴오네오스(Alcyoneos)와 싸우는 아테나'에서 아테나 여신은 양팔을 벌려 왼손은 방패를 들고 있고, 오른손은 알퀴오네오스의 풍성한 머리카락을 움켜쥐고 있다. 오른손으로 아테나의 손을 떼 내려고 하는 알퀴오네오스의 표정은 깊은 근심에 싸여 있다. 그의 이마는 쭈글쭈글하고, 입은 탄원을 하듯 벌려져 있어 분노와 절망하는 모습이 잘 드러나 있다.

제단 부조 내용인 신과 거인의 싸움을 문명과 야만의 대결, 정복자와 피지배자로 해석하기도 한다. 페르가몬 제단의 가치는 그런 상징적인 해석보다 독창성에

〈사진 16〉 아크로폴리스(ⓒ계명대학교)

〈사진 17〉 알퀴오네오스와 싸우는 아테나

〈사진 18〉 알퀴오네오스

〈사진 19〉 죽어가는 갈라티아인
〈사진 20〉 자살하는 갈라티아인 부부

있다. 학자들은 그 독창성을 페르가몬 양식, 페르가몬 바로크, 페르가몬 학파 등 다양하게 부른다. 조화·평화·비율을 강조하는 그리스와 달리 페르가몬 양식은 흥분·역동성·강인함을 표현했다.

아탈로스 1세가 갈라티아에 승리한 것을 기념하기 위해 만든 기념비에 조각된 〈죽어가는 갈라티아인〉, 〈자살하는 갈라티아인 부부〉는 페르가몬 양식의 대표작이다. 현재 두 작품의 사본은 모두 이탈리아에 있다. 〈죽어가는 갈라티아인〉은 상체를 틀어서 상처 난 왼쪽 다리의 고통을 표현했다. 이마는 주름지고, 눈썹은 불룩하며, 목에 맨 밧줄은 패배한 전사의 모습을 실감나게 한다. 〈자살하는 갈라티아인 부부〉는 전투에서 패한 후 노예가 되지 않기 위해 아내를 죽이고, 자살하는 갈라티아 족장의 모습이다. 인상적인 것은 왼손으로 죽어가는 아내를 받치면서 오른손으로 자신의 가슴에 칼을 집어넣는 갈라티아 족장의 비장한 표정이다. 이처럼 페르가몬 양식의 첫 번째 특징은 역동성과 사실성으로 머리카락, 몸의 굴곡, 흐르는 피, 피부 주름 모양과 움직임 등을 자연스럽고 사실적으로 표현하는 것이다.

에우메네스 2세 시기 페르가몬 건축의 두 번째 특징은 분리이다. 아크로폴리스의 성벽은 통치자와 시민의 분리를 상징한다. 왕의 영역이자 신성한 영역인 아크로폴리스에서 서쪽 아래의 민간 영역을 내려다볼 수 있고, 민간 영역에서 신성한 영역을 올려다보도록 구분되었다. 아크로폴리스에서 남쪽의 상부 아고라를 지나면 대제전, 아테나 신전, 도서관, 제일 북쪽의 트라야누스 신전 등이 중심에 있다. 서쪽에는 반원형극장과 디오니시오스 신전이 자리하고 있다.

아테나 신전과 트라야누스 신전 사이에 있는 도서관도 신성한 왕의 영역이다. 경쟁 상대인 알렉산드리아 도서관도 왕실 복합 건물이며, 알렉산드로스 대왕과 이집트 왕의 고분으로 둘러싸여 있다. 왕의 시체를 보존하는 것과 책을 보존하는 것을 동일시했기 때문이다. 헬레니즘 시대 도서관은 건립하는 왕의 권력, 부, 명성 등을 상징했다. 다만 로마의 안토니우스가 클레오파트라에게 페르가몬 도서관의 양피지 장서들을 선물함으로써 두 도서관의 경쟁은 알렉산드리아의 승리로 돌아갔다.

페르가몬 건축 양식의 세 번째 특징은 지형과 경관을 활용한 비대칭과 입체성이다. 아크로폴리스가 높이 335m의 가파르고 협소한 공간에 지어졌기 때문에 아테네의 아크로폴리스처럼 규격화된 건물은 지을 수 없었다. 그래서 건물들은 좁은 입지에 비대칭적이고, 집합적이며, 입체적으로 배치되었다. 열주와 지붕이 있는 스토아(stoa)를 길고 높게 만들어 경사면의 좁은 면적을 활용했다. 또 높고 가파른 공간에 극장을 마련하기 위해 상당히 큰 스토아를 만든 것도 특이하다.

실용성을 강조한 로마 시기의 페르가몬

로마 지배기의 페르가몬은 평원의 민간인 영역이 확대되는 동시에 실용적인 공간으로 바뀌었다. 특히 아스클레피온은 숲, 온천, 신성한 장소, 극장 등이 가까이 있는 복합적인 건강센터로 변모했다. 환자는 몸을 씻는 정화의식을 거친 후 신성한 장소인 아바톤(Abaton)에 들어가 수면이나 각성 상태로 신을 알현한다. 아스클레피오스는 꿈속에서 신상, 뱀, 개 등 다양한 형상으로 나타나서 환부를 치료해 준다. 환자는 깨어난 후 목욕, 신체 단련, 약물 등으로 치료하고, 극장에서의 연극 감상으로 심리 치료도 겸한다. 완치 과정은 아스클레피오스 신의 도움이 있기에 가능한 일이었다. 완치된 환자들이 신에게 봉헌하는 제물은 페르가몬 아스클레피온의 부에 이바지했다. 로마 시대 때 페르가몬 아스클레피온의 명성은 더욱 높아졌다.

페르가몬의 아스클레피온은 의사 양성소이기도 했다. 2세기 가장 유명한 의사인 갈레누스(Aelius Galenus, 129~210?)는 아우렐리우스 황제(Marcus Aurelius, 161~180 재위)의 개인 주치의가 되기 전 고향인 페르가몬에서 검투사의 의사로 근무했다. 그의 의학적 지식이 늘어난 것은 검투사 양성소에서 겪은 경험 덕이었다. 이후 그는 게르마니아 지역에서 전쟁하는 로마 군단의 의사로 일했고, 뛰어난 의술이 황제의 눈에 띈 것도 이때였다. 그는 검투사 양성소에서 검투사들의 삶을 지켜보면서 운동선수나 검투사가 좋은 직업은 아니라는 것을 절감했다. 이유는 죽음이 난무하는 경기를 해야 하는 정신적인 스트레스, 혹독한 육체적 훈련과 불균형한 식사 체계 때문이었다.

〈사진 21〉 반원형극장. 오른쪽 소나무가 있는 곳이 제우스 제단이 있었던 장소(ⓒ계명대학교)

"검투사와 운동선수라는 직업을 가지고 있는 한 그들의 신체는 위험스러운 상태에 놓인다. 그들이 그 직업을 그만두면 더 위험한 상태에 빠진다. 꺼져 있는 그들의 눈은 이미 충혈되었고, 과거에 상처를 받았던 이빨은 빠진다. 근육과 힘줄은 자주 끊어지고, 관절은 과로를 견딜 수 없어 자주 빠진다. 그들은 감각을 잃고, 수족은 탈구되며, 완전히 변형된 모습이 된다."

〈사진 22〉 디오니시오스 신전(ⓒ계명대학교)

갈레누스는 검투사들의 위통과 타박상 치료제로 화산재를 이용한 잿물이 좋다고 했다. 검투사들이 경기가 끝난 후 잿물을 마시는 것도 경기 중 입은 상처가 빨리 치료될 것이라는 믿음에서였다.

페르가몬의 아스클레피온은 로마 황제 숭배의 중심지였다. 티베리우스 황제(Tiberius, 14~37 재위) 때 황제의 신성한 생일에 페르가몬에 모여 황제의 가문을 찬미하는 노래를 부르고, 신에게 바치는 희생제를 열었다. 황소가 희생 제물로 바쳐졌고, 전차 경주, 검투 경기, 야생동물 사냥 경기도 개최되었으며, 비용은 지방 엘

〈사진 23〉 아스클레피온(ⓒ계명대학교)

리트나 관료들이 제공했다.

　황제 숭배의 중심지이자 치유의 성지였던 페르가몬은 헬레니즘 시기 페르가몬 양식이라는 독특한 예술 영역을 탄생시켰다. 하지만 그 유산은 이슬람과 서구의 약탈을 겪으면서 폐허가 되거나 사라졌다. 19세기 프로이센에게 페르가몬 제단은 알렉산드로스 대왕 이후 아나톨리아반도를 장악했던 페르가몬의 영광을 재현하는 상징적인 수단이었다. 역동성과 사실성을 강조하는 페르가몬 양식은 성장하는 프로이센에게 강인한 인상을 남겼다. 유물은 유적지에 있을 때 그 생명력을 유지한다. 유적지와 유물이 결합하여 페르가몬 양식의 진수를 볼 날을 고대한다.

밀레투스
풍요가 주는 철학의 여유와 존립의 위협

인간 존재에 대한 철학

로마의 철학자 세네카(Lucius Annaeus Seneca, 기원전 4?~65)에 따르면 부가 반드시 행복을 주지는 않는다. 부에 대한 갈망은 불행을 가져온다. 현재 가지고 있는 것에 충분히 만족해야 한다. 그는 가난하다고 훌륭한 삶을 살 수 없는 것이 아니라고 했다. 부가 행복과 동의어가 아니듯이 부국이 강대국의 동의어는 아니다. 국가의 풍요는 행복도 주지만 불행도 준다. 풍요한 나라 밀레투스는 풍요로움이 주는 선과 악을 모두 경험했다.

부국인 리디아가 끊임없이 가지고 싶어 했던 나라가 바로 밀레투스였다. 밀레투스가 리디아보다 작지만, 앞서 부국이 되어 동부 지중해 지역을 장악했기 때문이다. 밀레투스는 마이안데르(Maeander)강을 따라 올라가면 아나톨리아 내륙으로, 또 킬리키아를 거쳐 유프라테스강까지 갈 수 있었다. 한마디로 중동 지역으로 가는 대상 무역의 출발지였다. 밀레투스의 지리적 장점은 해상 무역에 편리하다는 것이다. 항구가 네 개나 있고, 해안을 따라 많은 섬이 있어 정박 시설이 필요 없었고 서풍을 막아 배들을 보호해 주었다. 밀레투스가 동부 지중해 해상 무역의 중심지로 부상한 것은 자연스러운 일이었다.

물론 교통의 요충지라고 해서 모두 상공업이 발달하지는 않는다. 밀레투스의 경우는 교통과 함께 자체 생산품이 많다는 것이 이점이었다. 곡물, 포도주, 올리브유, 무화과, 양모, 염료, 그리온(Grion)산 목재 등이 주요 교역품이었다. 리디아의 알리아테스(Alyattes, 기원전 618?~561? 재위)는 곡물과 과수 수확기에 밀레투스를 공격했다. 이유는 제해권을 장악한 밀레투스가 바다로 도망칠 수 있으므로 도시를 포위·공격하는 것은 의미가 없다고 판단했기 때문이다. 그래서 재배한 곡물과 과수를 망쳐놓아 전투력을 꺾으려 했다. 이처럼 밀레투스는 지리적·경제적 이점을 바탕으로 기원전 7세기 흑해에서 지중해 남단까지 약 90개의 식민지를 거느릴 정도로 강국이었다.

밀레투스의 부와 힘은 그리스 철학의 요람이라는 명성을 가져다주었다. 아리스토텔레스는 시간과 여가가 "무지에서 벗어나려고 시도하게 한다"고 말했다. 상공업으로 인한 경제적 부는 밀레투스인에게 시간과 여가를 주었다. 축적된 부로 인한 여유는 밀레투스인을 현실적으로 만들었고, 이는 기존의 사변적·신화적인 철학에서 인간 세계에 관한 관심으로 이어졌다. 비현실적인 신화 같은 존재를 해명하기보다 현재를 살아가는 인간을 설명하고자 했다. 또 다양한 국가와의 교역은 새로운 문화와의 접촉을 통한 지식 추구의 자극제가 되었다. 밀레투스인은 이질적인 관습, 종교, 체제 등과 교류하면서 서로 다름을 인식했다. 상대주의 혼란에 빠진 것이다. 그러면서 그들은 다르지 않은 것, 지속적인 것, 변하지 않는 것에 대한 의문을 가지게 되었고, 이는 인간 세계의 근원에 대한 해답을 추구하게 했다.

밀레투스 출신의 철학자는 탈레스(Thales, 기원전 626?~545?), 아낙시만드로스(Anaximandros, 기원전 610?~546?), 아낙시메네스(Anaximenes, 기원전 586?~526?)가 대표적이다. 탈레스는 "물이 모든 것의 근원(arche)"이라고 했다. 이유는 하늘(공기), 땅(흙), 바다(물)가 세상의 지배적인 요소인데, 물이 증발하면 공기처럼 위로 상승해 하늘에 이르고, 얼면 무거워서 흙처럼 단단해지기 때문이다. 아낙시만드로스는 온기와 냉기, 습기와 건기, 젊음과 늙음 같은 대립 쌍이 삶에 존재하고, 그런 대립의 근원을 무한자(apeiron)라고 보았다. 근원은 특정한 물질이나 성질로 규정할 수 없는 것, 한정할 수 없는 속성이라는 것이다. 아낙시메네스는 빛, 공기, 따뜻함과 같은 하

〈사진 24〉 밀레투스의 철학자들. 순서대로 탈레스, 아낙시만드로스, 아낙시메네스

늘의 요소로 삶을 분석할 수 있다고 보아 공기가 근원이라고 했다. 공기는 그 자체로는 변하지 않으면서 농도와 운동성으로 다양한 세계를 낳는 요소라고 했다.

밀레투스 출신의 철학자들은 태초의 세상 원리를 설명하면서 가이아나 우라노스 같은 신들과 연관 지어 분석하지 않고 물, 무한자, 공기를 거론했다. 초자연적인 신에 관한 관심을 자연 세계의 인간으로 끌어내린 것이 밀레투스학파가 인류에 남긴 큰 발자취이다.

주변 국가의 공격

국가의 부와 힘은 풍요와 여가를 가져오는 동시에 타자의 탐욕과 시기를 자극한다. 부유한 밀레투스는 리디아의 메르므나다이(Mermnadae) 왕들에게 매혹적인 국가였기에 끊임없이 공격받았다. 특히 알리아테스는 매년 밀레투스를 공격했고, 곡물과 과수를 불태웠다. 그러자 밀레투스인은 도성 안의 곡식을 모두 시장에 모아놓고 과시하며 먹었다. 이를 본 알리아테스는 밀레투스에 곡식이 부족하지 않다고 판단하며 평화 조약을 체결했다.

밀레투스의 독립은 페르시아의 키루스와 다리우스 1세(Darius I, 기원전 522~486 재위)의 지배를 받으면서 끝났다. 다리우스 1세 때 독립전쟁을 벌였지만 실패한 후 철저히 파괴되었다. 극작가인 프리니코스(Prynichos)는 밀레투스의 파멸을 《밀레투스의 함락》이라는 비극에 담았다. 연극을 본 관객들이 모두 울음을 터트릴 정도로 밀레투스의 운명을 생생하게 담았다. 공연 후 아테네는 페르시아와 전쟁하는 자신들의 재앙을 상기시켰다는 명목으로 벌금을 물리고, 공연을 금지했다. 밀레투스의 운명은 가혹했다. 마케도니아의 알렉산드로스 대왕이 정복 전쟁을 성공적으로 이어갈 때는 페르시아 편에 서서 그에게 반대하다가 다시 파괴되었다.

밀레투스는 알렉산드로스 대왕이 사망한 후 셀레우코스 왕국의 영토가 되었다. 총 여섯 차례의 시리아 전쟁을 거치면서 밀레투스는 셀레우코스 왕국, 이집트, 다시 셀레우코스 소유로 주인이 번갈아 바뀌었다. 셀레우코스 왕국의 안티오코스 3세는 아나톨리아를 넘어 그리스까지 세력을 확대하고자 했다. 그는 이를 제지하려는 로마와 전쟁했지만 패배했다. 그 결과 기원전 188년 맺은 아파메아(Apamea) 조약으로 그의 영토는 타우로스산맥 북부로 한정되었다. 밀레투스를 포함한 아나톨리아 대부분은 로마에 우호적이었던 페르가몬에게 넘어갔다. 기원전 133년 아탈로스 3세가 페르가몬 왕국 전체를 로마에 유증하면서 밀레투스도 자연스럽게 로마의 아시아 속주에 편입되었다. 밀레투스는 비잔틴 제국과 오스만 제국의 지배 시기 항구로서 기능했지만, 삼림 벌채, 과도한 방목, 토양 침식 등을 겪으면서 폐허가 되었다.

도시의 부가 남긴 건축물

밀레투스의 풍요는 타국의 침입으로 존립이 흔들렸지만, 풍요로웠던 과거를 기억할 수 있는 기념물을 남겼다. 기원전 494년 페르시아에 파괴된 후 히포다모스(Hippodamos, 기원전 498~408)가 고향인 밀레투스를 재건했다. 아리스토텔레스가 "최초의 도시 계획가"라고 부른 히포다모스는 중앙에 넓은 아고라를 배치하고 양쪽에 반듯한 사각형의 건물을 배치했다. 이 형태는 그리스인에게 "가장 완벽하게 계획된 도시"로 평가받았다. 로도스(Rhodos), 투리이(Thurii), 할리카르나소스(Halicarnassos) 등 여러 도시가 밀레투스를 모방했다. 하지만 고고학 발굴에서 아고라 북쪽이 이미 기원전 6세기 초반에 건립된 것으로 밝혀져 히포다모스가 기원전 5세기에 일시에 도시를 재건했다는 이야기는 사실이 아닐 가능성이 있다.

밀레투스에는 중앙의 대로인 '신성한 길'을 중심으로 사각형으로 규격화된 건물들이 배열되었다. 북쪽에 항구에서 도시로 들어오는 문이 있고, 우측에 아폴로 델피니오스(Apollo Delphinios)에 봉헌된 건물이 있다. 남쪽에는 로마 시기 카피토(Gnaeus Vergilius Capito)가 만든 목욕탕과 헬레니즘 시기 에우데무스(Eudemus)가 설립한 체육관도 있다. 목욕탕과 체육관 앞은 지붕과 35개의 기둥으로 이어진 스토아로 연결되었다. 이들 건물 건너편 북쪽에 시장이 있고, 서쪽으로 극장이 있다. 북쪽 시장의 남쪽에 평화의사당, 아고라, 님프 온천장(Nymphaeum) 등이 있다. 남쪽에는 남쪽 시장과 시장 출입문이 있다. 2세기 하드리아누스 황제 때 만들어진 이 시장 출입문은 1903년 독일이 발굴하여 현재 페르가몬박물관에 복원하여 전시되었다.

밀레투스 재건에 중요한 역할을 한 인물은 카피토이다. 클라우디우스 황제(Claudius, 41~54 재위)의 황제 숭배 제의의 사제, 황실 재정관, 아시아 속주 총독, 이집트 총독으로 고속 승진한 인물이다. 그는 47년 동부 지중해를 강타한 지진의 피해를 본 밀레투스를 재건하는 작업에 착수했다. 그가 황제에게 봉헌한 목욕탕은 이오니아식 현관과 가게들이 있고, 온탕과 냉탕, 수영장 등을 갖추었다.

카피토는 기존의 3,000석 규모의 극장을 보강하여 1만 5,000석으로 확장했다. 이때 무대를 대리석 판으로 덮어 검투 경기를 벌일 수 있게 했다. 서부 유럽에 원형경기장이 252개 있지만 동부 지역에는 20개밖에 없으며, 서부 유럽보다 훨씬

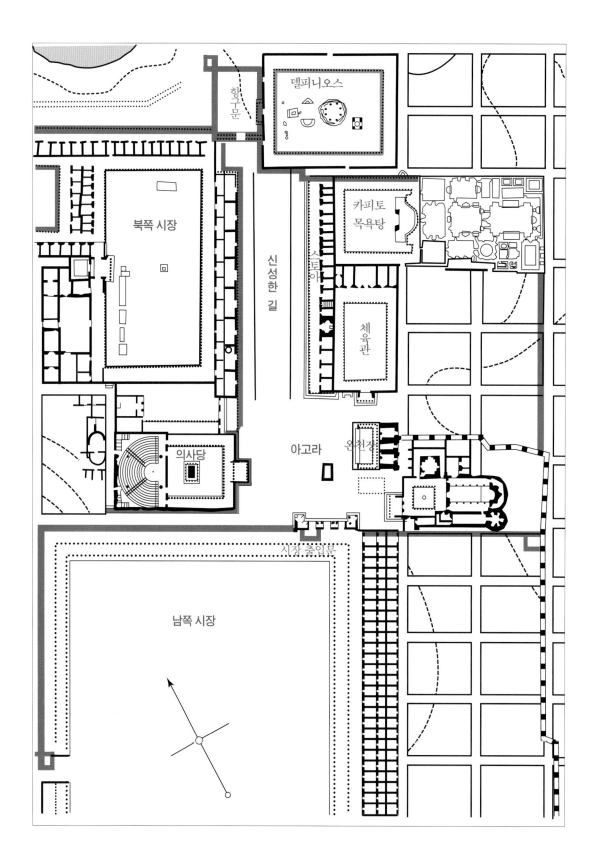

델피니오스

북쪽 시장

항구문

신성한 길

카피토 목욕탕

스토아

체육관

의사당

아고라

온천장

시장 출입문

남쪽 시장

〈사진 25〉 밀레투스 평면도

〈사진 26〉시장 출입문
〈사진 27〉파우스티나 목욕탕

작았다. 서부 지역에서는 주요 도시들을 통합하는 목적으로 원형경기장이 신설되었지만, 동부 지역에서는 기존의 극장이나 운동장을 개조해서 검투 경기장으로 사용했다. 동부 지역에서는 검투 경기장 단독 건물이 아니라 극장, 운동장, 경기장 등 복합적으로 사용하다 보니 경기장의 수가 적었다.

카피토 극장은 관중석 1층을 제거하고 칸막이를 만들어 관중을 보호했다. 경기장에는 검투사들, 특히 야생동물들이 관중을 덮칠 가능성이 있어서 나무로 된 칸막이를 쳤다. 이 칸막이는 높이가 2.2m에서 높게는 4m에 달해 동물들이 뛰어넘지 못하게 했다. 두려움과 굶주림에 성난 호랑이는 4m보다 더 높이 뛸 수 있었다. 이를 대비하여 그물망도 쳤다. 동물들이 칸막이를 뛰어넘는다고 해도 그물에 가로막혀 관중을 덮치지 못했다.

남쪽 아고라 서쪽에 있는 것은 파우스티나 목욕탕이다. 이 목욕탕은 178년 지진으로 파괴된 밀레투스를 재건하는데 재정적 후원을 한 아우렐리우스 황제의 황후 파우스티나(Annia Galeria Faustina, 130?~176?)에게 헌정되었다. 밀레투스에서 가장 잘 보존된 파우스티나 목욕탕은 목욕 순서에 따른 동선을 고려한 전형적인 로마식 목욕탕이었다. 목욕 순서는 먼저 체육실(palaestra)에서 공놀이, 달리기, 격투 같은 운동으로 땀을 흘린 후 탈의실(apodyterium)에서 땀에 젖은 옷을 갈아입고, 한증막(sudatorium), 열탕(caldarium), 온탕(tepidarium), 냉탕(frigidarium) 순으로 들어간다. 물을 데우는 구조는 목욕탕 바닥을 지면과 떨어지게 지어 화기가 각방으로 전해지도록 했다. 화로 바로 옆은 열탕, 그 옆은 온탕이 배치되어 화로에서 멀어질수록 자연스럽게 온도가 낮아지는 구조를 활용했다.

밀레투스는 이오니아에서 가장 부유한 나라, 동부 지중해의 중심지, 고대 철학의 발상지라는 명성을 얻었다. 에페소스와의 무역 경쟁에서 규모가 큰 에페소스가 아시아 속주의 수도가 되면서 밀레투스의 부는 감소하기 시작했다. 항구 기능은 15세기까지 이어졌지만, 더는 동부 지중해의 중심지가 아니었다. 풍요가 여유로, 여유가 철학으로 이어졌던 고대의 명성은 주변국의 끊임없는 침입에 시달리면서 퇴색해 갔다. 풍요가 주는 선과 악을 제대로 경험한 것이다.

넴루트산

콤마게네 왕국의 동서 융합의 자취

동서양의 지리적 요충지

1836년 역사가 드로이젠(J. G. Droysen, 1808~1884)은 기원전 330년 페르시아 제국 몰락부터 기원전 30년 프톨레마이오스 왕조의 몰락까지를 헬레니즘(Hellenismus) 시기라고 규정했다. 이 말은 페르시아가 지배하던 영토에 그리스어가 유입된다는 의미에서 그리스어화로 이해되었다. 그리스어란 알렉산드로스의 아버지인 필리포스 2세(Philippos II, 359~336 재위)가 아티카(Attica) 방언을 공식 언어로 사용했으므로 아테네 언어를 말한다. 드로이젠은 언어만을 이야기한 것도, 확산만을 이야기한 것도 아니다. 그가 헬레니즘이라는 개념 속에 포함한 것은 아테네 언어를 포함한 그리스어와 문화, 인종의 혼합이었다.

헬레니즘 시대 동서 융합의 대표적 사례는 콤마게네 왕국(Commagene, 기원전 162~서기 72)이다. 동서 융합의 첫 번째 증거는 지리적 위치이다. 유프라테스강 동안과 타우로스산맥 북부에 자리한 콤마게네는 지리적으로 동서양 교류의 요충지에 있었다. 서쪽으로는 셀레우코스와 이를 장악한 로마, 동쪽으로는 아르메니아, 파르티아와 접해 있다. 콤마게네와 아르메니아는 로마와 경쟁국인 파르티아의 전

〈사진 28〉 콤마게네 유적지

쟁에서 완충 역할을 했다. 수로와 육로로 메소포타미아, 페르시아, 인도까지 접촉할 수 있었고, 남쪽으로는 시리아, 서쪽으로는 킬리키아, 지중해, 북쪽으로는 카파도키아, 흑해까지 갈 수 있었다. 지리적 이점에 관해 로마 지리학자인 스트라보는 "콤마게네는 작지만, 천연자원이 풍부하여 로마가 그 부와 전략적 위치를 탐냈다"고 말했다.

지리적 요충지에 있지만, 약소국이었던 콤마게네는 강대국들의 틈바구니에서 생존하기 위해 몸부림을 쳤다. 기원전 866년 아시리아 문서에 조공을 바친 국가로 쿠무우(Kummuhu)가 나온다. 이 왕국은 콤마게네가 수도로 삼았던 사모사타(Samosata)를 지칭하는 것이고, 이 이름에서 콤마게네라는 명칭이 파생했다. 사모사타 출신의 풍자시인 루키아누스(Lucianus)가 콤마게네인의 옷을 "아시리아 양식의 옷"이라고 한 것도 이 때문이다. 기원전 708년 콤마게네는 아시리아, 기원전 607년에는 바빌로니아, 기원전 539년에는 페르시아의 지배를 받았다. 콤마게네는 기원전 4세기 알렉산드로스 대왕에게 정복되었고, 기원전 312년에는 셀레우코스의 영토가 되었다. 기원전 163년 총독인 프톨레마이오스(Ptolemaeos, 기원전 163~130 재위)가 독립을 선언했다. 이후 미트리다테스 1세(Mithridates I Callinicus, 기원전 109~70 재위) 때 셀레우코스 왕가와의 정략결혼으로 생존했다.

최전성기를 이끈 안티오코스 1세 테오스(Antiochos I Theos, 기원전 70~31? 재위)는 로마와 파르티아 사이에서 교묘한 외교력으로 실리를 추구했다. 그는 로마와 폰투스(Pontus)가 싸운 제3차 미트리다테스 전쟁(기원전 73~63)에서 로마와 동맹을 맺었다. 그는 넴루트산 비문에 자신을 '로마인의 친구(philoromaios)'로 기록했다. 로마에 우호적인 덕에 안티오코스는 유프라테스강 진입로에 있는 제우그마(Zeugma)를 받았다. 기원전 49~48년 폼페이우스(Gnaeus Pompeius Magnus, 기원전 106~48)와 카이사르의 내전에서 폼페이우스에게 궁수 200명을 파견해 주었다. 내전에서 카이사르가 승리하자 안티오코스는 파르티아 편으로 돌아섰다. 기원전 38년 그는 로마와 파르티아의 전투에서 패배하여 도망친 파르티아 병사들의 피난처 역할을 했다. 이를 응징하기 위해 로마의 벤티디우스(Publius Ventidius Bassus)와 안토니우스가 수도를 포위하자 안티오코스는 돈으로 무마했다. 로마의 기록에는 그가 기원전 38년, 혹은 31년에 파르티아의 왕 프라테스 4세(Phraates IV, 기원전 37~2 재위)에게 살해되었다고 한다.

17년 안티오코스 3세(Antiochos III, 기원전 12~17 재위)가 사망하자 로마는 콤마게네를 시리아 속주로 병합했다. 38년 칼리굴라 황제(Caligula, 37~41 재위)는 안티오코스 3세의 아들을 안티오코스 4세(Antiochos IV, 38~72 재위)로 복위시켰다. 하지만 2년 후다시 로마의 속주로 병합했고, 칼리굴라 황제가 암살된 후 안티오코스 4세는 콤마게네 왕으로 복위했다. 독립 왕국과 로마 속주의 지위를 반복하던 콤마게네 왕국은 파르티아와 협력하여 로마에 대적하려다 72년 최종적으로 로마의 속주가되면서 역사에서 사라졌다. 콤마게네는 지리적으로 동서양의 길목에 있어서 양자를 연결하는 역사를 살았다.

동서양의 융합

동서 융합의 두 번째 증거는 인종 융합이다. 안티오코스 1세 테오스의 아버지인 미트리다테스 1세는 페르시아의 다리우스 혈통이다. 아르타크세르크세스 2세(Artaxerxes II, 기원전 404~358 재위)의 딸인 로도구네(Rhodogune)와 속주 총독인 아로안데스(Aroandes)가 결혼했고, 그 9대 손이 미트리다테스 1세였다. 아로안데스가 그리스 사료에 오론테스(Orontes)로 기록되어 오론테스 왕조라고 부른다. 어머니인라오디케(Laodice VII Thea)는 셀레우코스 왕가 출신이다. 라오디케의 어머니는 이집트와 셀레우코스의 동맹으로 정략결혼한 클레오파트라(Cleopatra Tryphaina)였다. 따라서 안티오코스 1세 테오스는 서양의 마케도니아 혈통, 동양의 이집트와 페르시아 혈통이 섞인 인종 융합의 인물이다.

세 번째 증거는 문화 융합이다. 비교적 짧은 기간 존립했던 콤마게네 왕국이지만, 넴루트산 유적은 그들을 기억하게 만든다. 넴루트산에 있는 안티오코스 1세의 고분과 제단은 동서양의 문화 요소를 복합적으로 보여 준다. 로마의 지리학자스트라보는 콤마게네에 대해 언급했지만, 그 고분에 대해서는 기록하지 않았다. 자연히 이 고분은 세상에 알려지지 않았고, 1881년 독일 기술자인 카를 제스터(Karl Sester)가 넴루트산을 관통하는 도로를 설계하면서 이를 발견했다. 1882년 독일팀 탐사, 1883년 독일팀과 터키팀의 탐사로 유적의 실체가 세상에 공개되었다.

〈사진 29〉 안티오코스 1세의 고분과 제단, 거대한 석상들

해발 2,206m인 넴루트산에 조성된 안티오코스 1세의 고분은 높이 50m, 너비 145m, 30~35도 경사를 이루고 있다. 북쪽에는 계단식 제단이 있는데, 윗부분이 없는 것으로 미루어 완성되지 않은 것으로 보인다. 동쪽 기단과 서쪽 기단은 신상을 두는 형태로 비슷하다. 동쪽 기단 위에는 8~10m의 거대한 석상이 배치되었는데, 왼쪽부터 사자, 독수리, 안티오코스 1세, 콤마게네의 신인 행운의 여신, 제우스, 아폴로, 헤라클레스, 독수리, 사자 순이다. 사자는 지상의 권력을, 독수리는 신의 뜻을 전달하는 하늘의 권력을 상징한다. 중앙의 제우스는 다른 신에 비해 크기가 크고, 약간 앞에 위치했다. 서쪽에는 안티오코스 1세와 신들의 두상, 독수리 머리가 흩어져 있다. 서쪽 기단에는 안티오코스 1세가 각각 미트라, 제우스, 헤라클레스와 악수(Dexiosis)하는 모습이 새겨진 석판이 있다. 그 옆에는 사자 천문도 부조와 머리 없는 독수리와 사자상이 있다.

사자 천문도 부조는 사자의 몸과 그 주변에 19개의 별을 새긴 것이다. 원래 안티오코스 1세의 고분은 콤마게네가 로마의 동맹이 된 것을 기념하여 기원전 62년 12월 23일 안티오코스 1세의 생일에 만들었다고 보았다. 그 이유는 서쪽 기단에서 발견된 비문에서 생일이 언급되었기 때문이다.

> "신들과 영웅들을 위하여 내가 임명하는 제사장은, 신성한 이미지의 보살핌과 적절한 장식에 헌신하는 이 기념비를 항상 지켜봐야 한다. …내가 신들과 나 자신의 월간 및 연례 축제로 만든 생일에 사제는 일 년 내내 페르시아 의상을 입고, 신성한 조상들에게 봉헌한 신성한 명예로 나와 조상들의 금관을 지켜야 한다. …나는 페르시아, 마케도니아, 콤마게네의 모든 조상 신이 사제에게 모든 자비를 계속 베풀 것을 기원한다."

사자 천문도 부조는 안티오코스 1세가 고분을 건립한 시기를 추정할 수 있기에 학자들의 흥분을 자아냈다. 사자의 목에 걸린 낫은 달을 상징한다. 사자 위에 세 개의 큰 별이 보이는데, 왼쪽부터 화성, 수성, 목성으로 해석된다. 이들 19개 별의 위치를 파악한 결과, 7월 23일 안티오코스의 즉위 기념일이었다. 그래서 기원전 62년 7월 23일로 굳어지는 듯했으나 최근에는 고분이 미완성된 점을 근거로 그보다 훨씬 늦은 시기, 즉 폼페이우스에게 원군을 보내 준 기원전 49년 7월 23일이라는 설도 제기된다.

안티오코스 1세의 고분은 동서양의 문화를 모두 담고 있다. 우선 종교적인 측면을 보면, 거대한 고분을 만드는 관습은 아나톨리아와 페르시아에서 흔한 일이었다. 헤로도토스에 따르면, 이집트와 바빌론을 제외하고 세상에서 가장 큰 구조물이 리디아에 있는데, 그것이 바로 크로이소스의 아버지인 알리아테스의 고분이라고 한다. 큰 돌을 깔아 토대를 만들고 고분 자체는 흙을 쌓아 올렸다. 같은 형태의 고분이 안티오코스 1세의 고분이다.

이렇게 보면 지극히 동양적인 고분이지만 고분에 세워진 신상은 동서양의 신이다. 그리스와 콤마게네의 신 중 제우스와 오로마스데스(Oromasdes), 아폴로와 미트라(Mithra), 헤라클레스와 아르타그네스(Artagnes)는 같다. 로마의 미트라스(Mithras), 콤마게네의 미트라, 쿠샨 왕국(Kushan)의 미이로(Miiro)가 같은 신의 다른 명칭이라는 사실은 페르시아의 종교적 유산이 동서양으로 전파되었음을 의미한다.

안티오코스 1세는 그리스 신과 페르시아인을 융합하여 새로운 종교를 확립하고자 넴루트산을 새로운 신앙의 중심지로 삼으려 했다. 그가 자신을 신인 '테오스(Theos)'로, 자신의 어머니인 라오디케를 여신인 '테아(Thea)'로 지칭하는 것도 그 때문이다. 자신을 신의 반열에 놓았음을 상징하는 것이 안티오코스 1세와 미트라·제우스·헤라클레스가 악수하는 석판 부조이다. 페르시아 문화에서 악수는 신과의 우의를 뜻한다. 콤마게네에서 악수는 왕의 권력이 신으로부터 전달되었음을, 왕이 신과 동맹임을 의미했다. 로마에서 악수는 동의, 동맹, 친밀 등을 표현할 때 사용하는데, 이는 동양에서 전파된 의미이다. 따라서 악수하는 부조는 안티오코스 1세의 신성과 동서양의 문화 융합을 동시에 보여 주는 상징이다.

신상의 모습에서도 동서양의 특징을 모두 볼 수 있다. 남성 신은 신발, 바지, 긴팔 튜닉, 망토로 치장하는 페르시아 양식으로 조각되었다. 아폴로는 석류 나뭇가지 묶음을 왼손에 들고 있는데, 이는 조로아스터교에서 정화의식에 사용하는 것이다. 아폴로의 두상은 그리스 기술자들이 만든 덕에 올림피아(Olympia) 제우스 신전에 있는 아폴로와 유사하다. 동쪽 기단의 안티오코스 1세는 긴 바지를 입고, 어깨에 망토를 걸치고, 고깔 형태인 프리기아 모자를 쓰고 있다. 프리기아에서 유

〈사진 30〉 헤라클레스와 악수하는 안티오코스

〈사진 31〉 사자 천문도 부조와 머리 없는 독수리와 사자상, 서쪽 기단의 부조

래한 페르시아 양식의 모자는 모든 남성 신들이 쓰고 있다. 행운의 여신이 입고 있는 일상복인 키톤(chiton)과 몸을 감싸는 겉옷인 히마티온(himation)은 그리스 양식이다. 여신의 머리 모양은 뒤로 빗질했고, 양귀비와 과일로 장식된 화환을 써 다산을 상징한다. 서쪽에 있는 제우스와 헤라클레스의 두상은 눈살을 찌푸리고, 이마에 주름이 생기고 수염이 있다. 이는 조화를 중시하는 그리스와 다른 양식으로 페르가몬의 영향을 받았다. 사자 천문도에 나타난 크게 벌린 입과 기하학적인 문양의 갈기, 초승달은 히타이트에서 유래했다.

안티오코스 1세는 그리스와 페르시아 문화를 융합하여 새로운 문화를 창출하고자 했다. 그런 시도를 한 자신은 신의 반열에 있다고 생각했다. 하지만 그가 넴루트산에 응축해 놓은 융합된 문화는 왕국이 로마에 복속되면서 빠르게 사라져 갔다. 페르시아 문화는 로마의 문화 속에 옅어져 갔다. 그러나 1~4세기 미트라교가 로마에서 확산한 것, 2세기 돌리케(Doliche)에서 숭배한 돌리크누스(Dolichnus)가 콤마게네의 신으로서 확산한 것은 동양과 서양의 융합된 문화를 창출하고자 한 안티오코스 1세의 염원이 작게나마 성취된 듯하다.

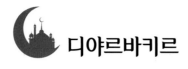

디야르바키르
동서양 강대국들의 전쟁터가 된 아미다

아미다의 장점

전쟁의 역사는 인류의 역사와 궤를 같이한다. 인류는 생존하면서 전쟁을 벌이지 않은 때가 없었다. 자멸할 줄 알면서도 전쟁을 하는 이유를 알기 위해 다양한 분석이 이루어졌다. 전쟁의 원인을 알아내 그 원인을 없애면 전쟁이 일어나지 않을 것이라는 희망에서였다. 먼저 생각할 수 있는 원인은 인간의 본성론으로, 이는 인간에게 공격 본능이 있다는 것이다. 다른 이론은 인간의 본성이라는 선천적인 원인이 아닌 후천적인 상황론이다. 국가의 이익을 극대화하거나 국가들 간의 세력 균형을 유지하기 위한 수단이 전쟁이라는 것이다. 후천적 상황에 따른 대표적인 국가는 로마와 사산조 페르시아다. 두 국가가 국가의 운명을 걸고 뺏고 빼앗기기를 반복한 곳이 바로 아미다(Amida)이다.

기원전 3천 년경 미타니(Mitanni)의 후리아(Hurrian) 왕국이 세운 아미다는 아시리아, 페르시아, 셀레우코스, 파르티아, 아르메니아 등에 차례로 점령되었다. 기원전 69년에는 티그라노케르타(Tigranocerta) 전투에서 로마가 아르메니아에 승리하며 로마령이 되었다가 359년에는 사산조 페르시아령, 363년에는 로마령, 502~503년에는 사산조 페르시아령이 되었다. 504년에는 비잔틴 제국령, 602년에는 사산

〈사진 32〉 디야르바키르 성벽 외관

조 페르시아령, 628년에는 비잔틴 제국령, 639년 이슬람령이 되었다. 10~11세기에는 쿠르드족이 점령했고, 1085년에는 셀주크, 1241~1259년에는 룸(Rum)의 술탄국이 지배했다. 이후 몽골의 지배를 받다가 1394년에는 티무르 제국, 1515년에는 오스만 제국의 영토로 되었다.

영토의 주인이 바뀌면서 이름도 바뀌었는데, 원래 아시리아 문서에는 아미드(Amid)로 표기되었다. 아르메니아 치하에서는 티그라네스 왕의 이름을 따서 티그라노케르타로 불렸고, 로마는 점령 후 기원전 66년 아미다로 바꾸었다. 아랍족이 점령하면서 바크르(Bakr) 부족의 땅이라는 의미로 디야르바크르(DiyarBakr)로 바뀌었다. 1937년 터키 대통령 아타튀르크(Mustafa Kemal Atatürk, 1881~1938)는 도시의 특색을 찾아 구리가 많이 생산되는 땅이라는 의미에서 디야르바키르(Diyarbakir)로 이름을 변경했다.

한 도시의 주인이 이렇게 많이 바뀌기도 쉽지 않다. 이는 아미다가 장점이 많다는 의미이기도 하다. 첫 번째 장점은 전략적 요충지라는 것이다. 아나톨리아의

동남부 티그리스강 상류 서안에 있는 아미다는 동서남북으로 팽창하는 거점이다. 동서로는 지중해와 카스피해를 연결하는 중간에 있어서 동서양을 연결할 수 있다. 남북으로는 아나톨리아를 장악하고 메소포타미아로 내려올 때, 반대로 메소포타미아의 국가가 서부로 팽창할 때 거치는 도시다.

두 번째 장점은 경제적 풍요이다. 도시에 사는 사람과 도시를 공격하려는 사람이 우선 필요한 것은 식량과 물이다. 고대에는 보급선 체제가 없었기 때문에 침략군은 보통 3일분의 식량을 가지고 출발하고, 나머지는 현지에서 조달한다. 현지에 식량이 있는 6~10월에 주로 전쟁하는 것도 이 때문이었다. 또 같은 이유로 이동하거나 전장을 정할 때 물과 식량이 풍부한 지역을 택하는 것이다. 그런 점에서 볼 때 아미다는 전장으로도, 전장으로 이동할 때 거치는 거점으로도 손색이 없었다. 티그리스강은 도시에 충분한 물을 공급해 주었고, 주변의 충적토는 식물이 자라는 데 적합한 자양분이 되었다.

아미다는 지키려는 자에게도 매력적인 만큼 빼앗으려는 자에게도 매력적이었

〈사진 33〉 디야르바키르 요새와 헤브셀 정원

〈사진 34〉 디야르바키르 성벽과 성벽에 새겨진 동물 모양의 부조

다. 동쪽 문은 강을 바라보는 성문으로, 인근 헤브셀(Hevsel) 정원으로 오는 적의 움직임을 감시할 수 있다. 헤브셀 정원은 늪, 습지 퇴적물, 호수, 갈대밭 등으로 구성돼 생태 자원이 풍부하다. 에덴동산에서 쫓겨난 아담과 이브가 제일 먼저 도착한 장소가 헤브셀 정원이라고 할 정도로 비옥했다. 현재 헤브셀 정원에는 멜론, 포도, 살구와 같은 과수나무, 뽕나무, 포플러나무, 무화과, 장미, 바질, 양배추, 시금치 등이 가득하다. 헤브셀에서 생산되는 식량이 넉넉하기 때문에 아미다를 둘러싼 공방전이 많을 수밖에 없었다.

세 번째 장점은 요새로 만들기 좋은 지형이다. 4~5세기의 역사가인 베게티우스(Publius Flavius Vegetius)는 물이나 식량을 자급하거나 공급받기 쉬운 곳 또는 높은 곳을 축성하기에 좋은 곳으로 지적하였다. 높은 곳은 배수와 통풍이 잘 되고, 적군의 투창이나 화살 공격을 피할 수 있다. 밖으로 나아갈 때는 내리막길이어서 빠르게 돌격할 수 있는 장점이 있다. 이 원칙에 적합한 곳이 아미다였다. 아미다는 카라카산까지 이어지는 해발 60~100m의 현무암 고지에 있다. 높은 곳에 있어서 방어에 용이하고, 적군의 출현을 쉽게 파악할 수 있었다.

요충지이면서도 식량과 물이 풍부한 아미다를 차지한 로마는 이 도시를 요새로 만들었다. 콘스탄티우스 2세(Constantius II, 337~361 재위)는 즉위 직후 검은 현무암으로 성벽을 건축해 '검은 요새'라 불렀다. 사산조 페르시아와의 전쟁으로 파괴된 성벽은 370년대 발렌스 황제(Flavius Valens, 364~378)가 재건축했다. 505년과 636년 전투 이후 파괴된 일부 성벽이 재건축되었다. 오늘날 아미다 성벽의 높이는 8~12m, 두께는 3~5m이고, 주요 출입문은 네 개 있다. 북쪽 출입문은 다그 문(Dag Gate), 남쪽은 마르딘 문(Mardin Gate), 서쪽은 우르파 문(Urfa Gate), 동쪽은 예니 문(Yeni Gate)으로 불린다.

성벽에는 망루 역할을 하는 탑이 82개 있다. 그중 둥근 형태의 탑은 직사각형의 성탑을 가진 콘스탄티노폴리스와 비교할 때 그보다 후기, 즉 발렌스 시기에 축조된 것으로 추정된다. 11세기에는 남동쪽의 성벽을 보강했는데, 염소 외에는 접근하기 어렵다고 하여 '염소 요새'로 불렸다. 성벽 남쪽에 있는 누르 부르쿠(Nur Burcu) 성탑은 1089년 지어졌는데, 기병이 강했던 튀르크 전사를 상징하는 말을 부조로 새겼다. 예니 카르데스 부르쿠(Yedi Kardes Burcu), 울루 베덴(Ulu Beden) 성탑은

이 지역을 장악한 아르투키드 왕조(Artuquids)가 13세기 초에 지은 것이다. 성벽 외부는 쌍두 독수리, 두 마리의 스핑크스, 두 마리의 황소로 장식했는데, 이는 이 왕조와 셀주크족이 권력을 공유했음을 상징한다. 15세기 대포가 발명되면서 대포의 공격을 견디기 위해 성벽 사이사이에 기둥을 박아넣었다. 동쪽 성탑은 디클레(Dicle)강을 바라보고 있어서 강에서 침입하는 적을 경계하기가 쉬웠다. 이처럼 성탑은 시기별로 달리 제작되었고, 알려진 82개 탑 중 65개는 도시 외곽을 둘러싸고 있고, 18개는 성벽 내부의 주거지를 보호하고 있다.

아미다를 둘러싼 공방전

로마와 사산조 페르시아가 359년과 502~503년에 벌인 아미다 전투에는 양국의 군사력과 기술력이 총동원됐다. 사산조 페르시아의 샤푸르 2세(Shapur Ⅱ, 309~379)는 나르세(Narseh, 293~302)가 로마에 빼앗긴 메소포타미아 속주를 되찾고 싶었다. 그는 359년 아미다를 5중으로 포위하고 기병대를 보내 전투를 시작했다. 기마궁수가 쏜 화살 구름과 중장기병의 공격으로 로마군은 큰 타격을 받았다. 구더기가 들끓는 시체는 전염병을 일으켜 더 많은 사상자를 낳았다. 발병 10일째 되는 날 비가 내리면서 전염병은 진정되었다. 샤푸르 2세는 공격하는 동안 공성전을 준비하여 성벽 높이인 8~12m까지 토루를 쌓고, 그 위에 투석기들을 장착했다. 투석병과 궁수들은 잠시도 쉬지 않고 돌과 화살을 쏟아부었다. 양측의 공방이 계속되었지만, 좀처럼 승패가 나지 않아 3일간 휴전에 들어갔다.

3일 후 페르시아군은 파성퇴, 투석기, 공성탑을 동원했으나 함락의 기운은 없었다. 이튿날 새벽, 샤푸르 2세는 공성탑이 불탔으니 최대한 성벽 가까이 토루를 쌓아 접근하라고 지시했다. 로마군은 이에 대항해 성벽을 더 높게 쌓았다. 양측의 공사는 경쟁적으로 이어졌다. 페르시아군이 로마군의 높이에 맞추면 로마군은 성벽을 더 높게 쌓았다. 양측이 같은 전술로, 비슷한 힘으로 싸우다 보니 좀처럼 승패가 나지 않았다. 팽팽한 접전이 벌어지는 사이 로마가 쌓은 흙벽이 무너지는 일이 발생했다. 무너진 흙은 성벽 바깥쪽으로 흘러내려 성 안팎을 넘나들 수 있게 되었다. 샤푸르 2세는 기회를 놓치지 않고 전 병력을 무너진 지점에 집중시켰다. 성벽에 올라선 페르시아군은 백병전을 벌이며 조금씩 진입하기 시작했다. 쓰러진 시체들은 켜켜이 쌓이며 더 넓은 통행로를 만들었다. 페르시아군은 그 길로 돌진하며 2만 5,000명을 포로로 잡았다.

페르시아군은 아미다를 장악하자마자 곧바로 로마에 빼앗겼고, 다시 빼앗으려는 전투를 502~503년 시도했다. 비잔틴 제국의 아나스타시우스 황제(Anastasius I Dicorus, 491~518 재위)는 아르메니아의 침입을 저지하기 위해 페르시아의 카바드 1세(Kavad I, 488~531 재위)에게 재정 지원을 해 주었다. 반대 세력과의 전쟁으로 제위를 지키느라 재정적으로 힘들었던 카바드 1세가 다시 돈을 요구하자 아나스타시우스 황제는 거절했다. 그러자 카바드 1세는 앙심을 품고 아미다를 공격했다.

502년 10월 5일 카바드군이 아미다에 도착하자 아미다인은 성벽을 더 높이 쌓았다. 페르시아군이 파성퇴 공격으로 성벽을 파괴하자 아미다인은 페르시아에 타격을 줄 목적으로 땅굴을 팠다. 그러자 카바드 1세는 보병 500명을 보내 토루를 쌓았다. 아미다인은 이에 대항하며 나무에 불을 붙여 땅굴에 집어넣으며 공방을 벌였다. 6시간의 격전 끝에 페르시아의 토루는 붕괴하고 말았다. 카바드군이 후퇴하자 아미다인은 그들을 조롱했다. 카바드 1세는 다시 토루 건설을 명령했다. 아미다인도 이에 맞서 돌과 화살로 공격했다. 전쟁이 지속될수록 양측은 점차 지쳐갔다. 카바드 1세는 조롱의 대가를 지급한다면 철수하겠다고 했으나 아미다인은 거절했다. 그 순간 카바드 1세에게 그리스도의 환영이 나타나 아미다를 장악할 것이라는 계시를 주었다. 이에 고무된 카바드 1세는 다시 공성전을 시도했다.

503년 1월 초 페르시아군은 티그리스강으로 이어지는 아미다 서쪽 성벽의 작은 수로로 침입했다. 마침 이곳을 지키던 사제들은 폭풍우가 치던 이날 밤 수비를 하지 않고 잠이 들었다. 일부 기록에서는 사제들이 너무 많이 먹고 마셔서 곯아떨어졌다고 한다. 페르시아군이 탑으로 올라가 도시 진입에 성공했음을 알렸다. 아미다인은 페르시아군이 떠드는 소리를 들었고, 상황을 파악하기 위해 횃불을 들고 조사했다. 이 횃불이 페르시아군의 주의를 끌며 공격 목표가 되었다. 하지만 진입한 페르시아 병력이 소수여서 전체 성을 장악하기 어려웠다. 해가 뜨자 카바드 1세는 보병들에게 사다리로 성벽에 오를 것을 지시했다. 성벽에 오르는 페르시아군이 아미다인의 화살과 돌 공격으로 후퇴하자 카바드 1세는 그들을 검으로 처형하면서 계속 돌진할 것을 명령했다. 결국 503년 1월 12일 페르시아군은 성벽을 넘었고, 성문이 열렸다. 99일 동안의 공격에 무릎을 꿇은 아미다는 3일 동안 약탈당하며 8만 명이 살해되었다. 이듬해 아나스타시우스는 카바드 1세에게 금을 주고 아미다를 되찾았다.

강대국들의 전쟁터였던 아미다의 역사는 아직도 끝나지 않았다. 1997년 구소련과 중동을 감시하기 위한 미국-터키 공군기지가 폐쇄되고, 2002년 터키는 쿠르드 노동당(Partiya Karkeran Kurdistan)과의 적대 행위가 중단되었음을 선포했다. 그러자 1930년대 3만 명이었던 디야르바키르의 주민은 160만 명으로 증가했다. 하지만 2006년, 2015년, 2016년 터키군과 쿠르드 노동당 간의 폭력 행위는 반복되었다. 터키는 디야르바키르가 행정적 대도시여서, 쿠르드 노동당은 독립할 때 수도로 삼으려는 곳이어서 한 치도 양보하지 않았다.

그렇게 전쟁터가 되는 동안 디야르바키르의 수많은 유적은 파괴되었다. 성벽을 복원하여 고고학 공원으로 삼고, 헤브셀 정원의 늪, 갈대밭, 섬 등을 보존하여 생태농장을 조성하려는 터키의 계획은 쿠르드와의 문제가 해결된다면 더욱 탄력을 받을 것이다. 터키와 쿠르드의 문제는 전쟁의 궁극적인 목표가 평화임을 상기하면서 원만하게 해결되기를 고대한다.

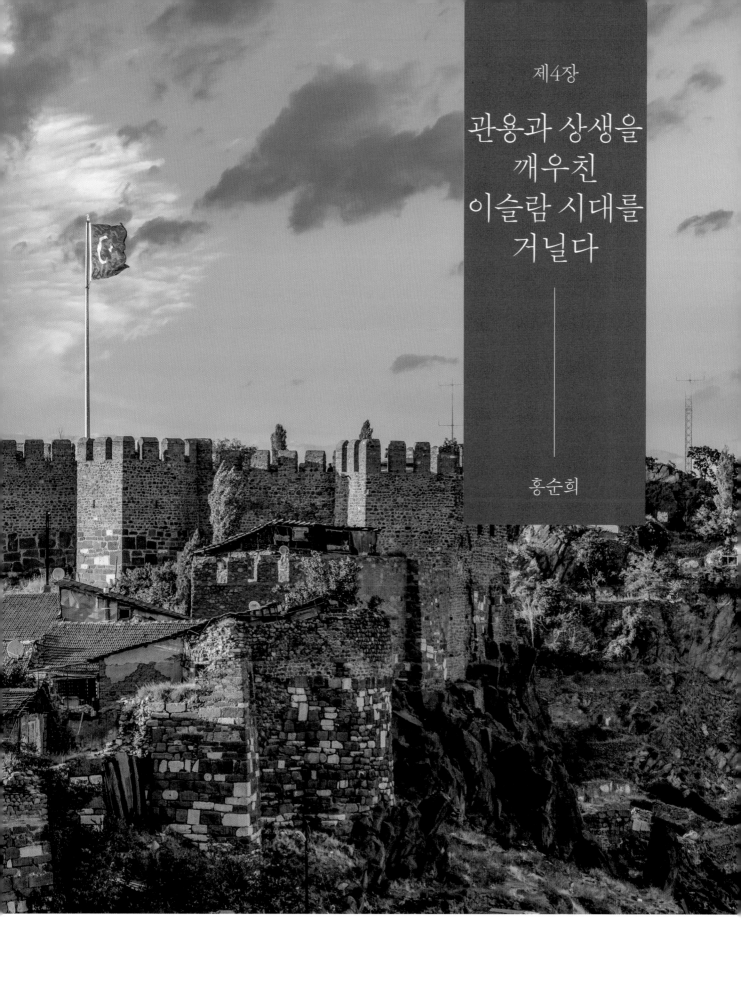

제4장

관용과 상생을
깨우친
이슬람 시대를
거닐다

홍순희

# 콘야

셀주크의 수도: 메블라나 잘랄레딘 루미의 도시

셀주크 튀르크의 수도 콘야

콘야는 터키에서 가장 큰 주(州)인 콘야주의 주도(主都)이며, 인구수 기준으로는 7번째 큰 도시이다. 콘야는 터키에서 지정학적·종교적으로 매우 중요한, 일종의 특권적 지위를 가진다. 그래서 교통편이나 거리상의 여러 가지 제약 때문에 관광지로 별 매력이 없지만 매년 400만 명 이상의 관광객이 콘야를 찾는다. 다시 말하면 이스탄불이나 앙카라, 이즈미르 등에서 콘야로 가려면 항공기를 이용해야 할 정도로 멀고, 카파도키아, 파묵칼레, 에페소 등에 비해 자연경관이 빼어나거나 유적지와 유물이 특별히 많지도 않으며, 휴양할 수 있는 바닷가에 접해 있는 곳도 아니다. 그럼에도 콘야를 찾는 관광객이 이스탄불의 아야 소피아를 찾는 수보다 더 많은 것은 콘야의 '특권적 지위' 때문이다. 이와 관련해 콘야시장은 콘야에서는 사막과 바다를 제외한 모든 것을 누릴 수 있다고 자부하며, 콘야를 가장 터키다운 도시라고 소개한다.

콘야는 아나톨리아반도와 운명을 같이 했다. 리디아와 그리스, 로마 등 외세의 침략을 받기도 했고, 그들의 지배에 놓이기도 했다. 로마가 아나톨리아반도를 지배하던 서기 25년경에는 이코니움이라고 불렸다. 비잔틴 제국이 아나톨리아반도에서 비잔틴 문명을 꽃피우던 11세기 말부터 아나톨리아반도에서는 지각 변동이 일어난다. 1071년 아르메니아의 만지케르트(Manzikert) 근교에서 셀주크 제국과 비잔틴 제국이 전투를 벌여 셀주크 제국이 승리함으로써 콘야를 비롯한 아나톨리아 대부분의 지역이 지금의 터키 국경 안으로 들어왔다. 이때 아나톨리아반도를 장악한 셀주크는 룸 셀주크 왕조이다. 1076년, 셀주크 제국의 술탄 술레이만(1178~1236)이 콘야를 제국의 수도로 삼았다. 1097년에는 룸 셀주크의 두 번째 군주 킬리지 아르슬란 1세(1092~1107)가 콘야를 다시 제국의 수도로 삼았다. 그때부터 콘야는 1277년까지 아나톨리아 셀주크 제국의 수도로서 그 명성을 구가했다.

룸 셀주크 왕조는 이젯딘 케이카부스와 알라엣딘 케이쿠바드 형제 치세에서 정치적·경제적으로 발달했고, 군사적으로 영토가 확장되었다. 흑해와 지중해 진출을 통해 국제 무역에서 큰 이익을 얻었고, 핵심 교역로를 장악해 유라시아의 거점을 통제했다. 문화·예술에서도 수피즘과 수피 문학이 꽃을 피우는데, 수피 철학자와 사상가, 문학가, 예술가, 학자 등이 콘야로 모여든 것도 바로 이 시기였다. 콘야에 수피즘을 본격적으로 이식시킨 루미의 아버지 바하우딘 왈라드 역시 이 시기에 콘야에 왔다. 하지만 룸 셀주크 왕조의 전성기는 그렇게 길지 않았다. 무능한 군주인 그야스엣딘 케이휘스레브 2세 때 와해하기 시작하여 몽골 제국의 공격으로 크게 타격을 입었고 1442년 오스만 제국의 무라트 2세에게 넘어갔다.

메블라나 잘랄레딘 루미의 도시

루미가 아버지를 따라 콘야에 정착한 것도, 페르시아 출신의 샴스가 루미의 스승으로서 콘야에 모습을 드러낸 것과 그가 갑자기 사라진 것도, 콘야에서 그리 멀지 않은 악사라이 출신의 나자레딘 호자가 중앙아시아 각 도시를 버젓이 활보한 것도, 콘야의 구심력과 원심력이 작동한 결과이다. 콘야는 아나톨리아의 잠재력과 동력 그 자체이며, 이슬람 정신이 오가고 나드는 길목이다. 과학자, 예술가, 문인, 교육자, 철학자, 수피 종교 지도자 등이 대거 몰려듦으로써 콘야가 이슬람

〈사진 1〉 메블라나 잘랄레딘 루미

정신의 집산지가 되었고, 그 덕에 황금시대를 맞을 수 있었다. 콘야에서 밝힌 찬란한 황금빛은 14세기 중반까지 전 세계로 뻗어 나갔다.

메블라나 잘랄레딘 루미(Mevlana Jelaluddin Rumi, 1207~1273)의 출생지는 지금의 아프가니스탄 북부에 있는 발흐이다. 루미 선조의 고향이자 루미가 태어나 성장한 발흐는 한때 루미의 아버지를 비롯하여 수많은 지성인과 종교인을 배출한 지성과 종교의 도시였고, 실크로드 오아시스 육로의 교차로로서 '동서 교류의 중심지'였다. 그러나 13세기 몽골의 침략으로 도시 전체가 파괴되고, 도시민 대부분이 살육되어 폐허가 되었다. 루미의 아버지는 발흐가 몽골의 손아귀에 들어가기 전에 루미를 데리고 떠날 것을 결심하는데, 거의 20년에 걸친 이주 여정이 콘야에서 마무리된다. 루미의 아버지 바하우딘 왈라드는 가는 곳마다 열렬히 환영을 받고 융숭한 대접을 받았다. 당시 셀주크 튀르크의 지배자 알레아딘 카이쿠바트(Aleaddin Kaykubat, 1190~1237)는 루미 가족이 카라만에 머물고 있다는 소식을 듣고 카라만에서 북쪽으로 100km 떨어진 셀주크의 수도 콘야로 초청했다. 당시 술탄의 지도력과 인문학적 소양, 그리고 인간적인 친화력 등으로 많은 학자와 종교 지도자가 콘야에 모여 있었는데, 바하우딘 왈라드도 그 대열에 합류했다. 이로써 루미를 품은 콘야의 역사가 시작되었다.

콘야에서 루미의 흔적을 찾거나 루미의 수피즘을 접하는 것은 어려운 일이 아니다. 메블라나박물관에서 루미와 관련된 각종 자료를 직접 확인할 수 있고, 콘야 시내에서 메블라나로 일컬어지는 회전 춤을 매일 볼 수 있으며, 수피즘의 예배 의식에 동참할 수 있다. 2018년 터키 인문탐사 일정에 콘야가 포함되어 있었지만, 콘야에 24시간도 머무르지 못했기 때문에 루미에게 격식을 갖추고 예를 올릴 수도 없었을 뿐 아니라 루미의 흔적을 따라 걸을 수도 없었다. 결핍은 오히려 갈증을 키웠고, 그 결핍을 채우기 위해서 그의 문학을 매개로 그를 만났다. 루미의 시를 감상하고, 산문을 읽었으며, 그의 언행록을 곱씹었다. 그 과정에서 루미가 만나는 신을 접할 수 있었고, 루미가 전하는 종교적 메시지에 귀를 기울일 수 있었으며, 루미의 수피즘이 사랑의 종교임을 알게 되었다.

콘야의 수피즘과 회전 춤 메블라나

루미에게는 아버지 외에 두 명의 스승이 있었다. 그중에 한 명은 아버지의 제자이면서 루미의 정신적인 지주였던 부르한 알 딘 티르미드(Burhan al Din Tirmidhi, 1165~1244)이고, 다른 한 명은 티르미드 사후에 '바람처럼 왔다가 연기처럼 사라진' 타브리즈 샴스(Shams Tabrizi, 1185~1248)이다. 루미와 떼래야 뗄 수 없는 타브리즈 샴스 역시 루미처럼 콘야로 이주해 온 이방인이었다. 우리가 알고 있는 루미의 모든 것이, 그것이 그의 사상이든, 종교든, 춤이든, 음악이든, 그 근저에는 두 스승의 가르침이 있다. 특히 관객들에게 신비스러움과 현기증을 일으키는 메블라나 의식의 세마춤은 샴스가 루미에게 전수한 루미 고유의 무형적 자산이다. 그런데 여기서 한 가지 짚고 넘어갈 것은 그 무형적 자산을 유형적 자산으로 전환하고 메블라나 교단을 창설한 장본인은 루미가 아니라 루미의 아들 술탄 바하 알 딘 무함마드 왈라드(Baha al-Din Muhammad-i Walad, 1227~1312)라는 사실이다. 메블라나라고 하면 자동적으로 루미를 연상하지만 샴스와 루미, 루미의 아들이라는 트라이앵글 덕분에 콘야가 메블라나의 도시로 거듭날 수 있었고, 루미가 메블라나의 상징이 될 수 있었으며, 오늘날까지도 전 세계인의 발길이 끊이지 않는 수피즘의 본산이 될 수 있었다.

메블라나가 사망한 지 750년이 다 되어 가지만 전 세계인들은 여전히 메블라나를 기억하고 열광한다. 메블라나의 본향에서는 물론 이국만리 떨어진 곳에서도 메블라나의 철학과 사상이 여전히 살아 있다. 같은 맥락에서 루미는 전 세계적으로 두터운 독자층을 확보하고 있다. 수피즘과 수피 시를 이해하고 파악하는 것은 말처럼 쉽지 않다. 그럼에도 루미의 시와 산문이 아나톨리아반도에서는 물론, 동서양의 학자들뿐만 아니라 학생들에게 인기가 높다는 것은 루미의 문학적·사상적·철학적 메시지가 보편적이고 타당하다는 증거이다. 그런데 우리나라에서는 수피즘과 수피 시인 루미를 알고 있는 독자는 별로 없다. 그래서 하루빨리 루미를 우리나라에 소개해야 한다는 책임감을 느낀다.

매년 전 세계에 흩어져 있는 메블레비 교단에 뜻을 둔 사람들이 터키에 모여 '메블라나의 날'을 축하하면서 루미의 철학과 작품을 열정적으로 논한다. 그리고

〈사진 2〉 루미 무덤과 박물관이 있는 메블라나 광장

〈사진 3〉회전 춤 메블라나(ⓒ계명대학교)

메블레비들은 여전히 세마를 춘다. 메블레비의 세마에서는 네이, 즉 애잔한 소리를 내는 피리 모양의 악기가 연주되고, 네이 연주와 함께 회전 춤을 추는 세마젠들이 무대로 나온다. 세마춤에서 네이 소리는 이슬람교에서 지구 최후의 날을 알려 주는 소리를 의미한다. 세마젠들이 등장할 때 입고 있는 검은색 옷은 이 세상의 삶을 나타낸다. 이 검은 옷을 벗으면 텐누레라는 흰옷이 나오는데, 그것은 수의(壽衣)를 의미하며, 머리에 쓰고 있는 씨케는 비석을 상징한다. 세마젠의 오른손은 하늘을, 왼손은 땅을 향하고 있는데, 그 자세는 오른손으로 창조자가 주는 것을 받아서 땅을 향하고 있는 왼손으로 건넨 후 그것을 대중에게 나누어 주는 것을 의미한다. 세마 공연의 모든 행동은 삶과 연관된다. 세마젠은 신에 완전히 복종하고 세상과 세계의 세상, 그리고 진정한 세상으로 옮겨가는 과정을 세마춤으로 표현한다.

루미의 교훈시집 《마스나비》

루미는 30대 후반부터 시를 짓기 시작하여 '페르시아어 코란'이라고 평가받는 불후의 명작 《마스나비(Masnavi)》를 완성했다. 호머의 《일리아드》와 《오디세이아》를 합친 분량과 거의 맞먹고, 단테의 《신곡》에 거의 두 배에 이르는 《마스나비》는 남녀노소, 가진 자와 못 가진 자, 배운 자와 못 배운 자 할 것 없이 이슬람 세계에서의 삶과 사상, 신앙에 지대한 영향을 미쳤다. 《마스나비》는 영어, 러시아어, 아랍어 등 여러 언어로 번역되었는데, 우리나라의 경우 몇 편의 시를 임의로 선택해서 소개하거나 《마스나비》 제2권을 발췌·번역한 시집이 있는 정도이다.

2행시가 2만 5,000개, 총 5만 행으로 이루어진 《마스나비》는 외관상으로는 비유와 우화, 전설 등의 형식으로 이야기를 시에 담은 일종의 서사시이다. 수많은 소재로 다양한 이야기를 하고 있는데, 어떤 문학적인 형식에 담더라도 모든 이야기를 관통하는 핵심 주제는 신의 절대적인 사랑과 그것을 닮은 인간의 사랑, 신과 인간의 합일, 인간의 사랑을 통한 신과의 사랑 실현 등으로 요약할 수 있다. 여기에서 신의 절대적인 사랑이라고 함은 어떠한 해석과 설명으로도 제한되거나

〈사진 4〉 루미의 교훈시집《마스나비》

이해될 수 없는 사랑 자체이다. 신의 사랑을 닮은 인간의 사랑이란 인간의 도덕
과 윤리 등에 의해 재단되거나 평가될 수 없는 사랑 본연이다. 이런 맥락에서 신
의 사랑과 인간의 사랑은 닿아 있고 신과 인간의 합일은 가능하며, 특히 인간의
사랑을 통해 신의 사랑에 도달함으로써 신과 인간의 합일이 이루어진다. '마주눈
과 레일리'의 사랑 이야기도 이런 맥락에서 읽을 수 있다.

"마주눈(Majnun)은 뜨겁게 사랑하는 여인 레일리(Leili)를 만나러 갈 때 한시라
도 빨리 가기 위해 사막의 배인 낙타를 이용했다. 그는 암낙타를 끌고 나서
며 새끼 때문에 시간이 지체될 것을 우려해 새끼를 집에 두었다. 그는 사막
한가운데를 지나면서도 사랑하는 레일리를 만난다는 생각뿐이었다. 그런데
낙타가 그를 데려간 곳은 레일리의 집이 아닌 마주눈의 집이었다. 시간이 지
체될까 봐 새끼를 집에 두고 온 것이 오히려 역효과를 불러일으킨 것이다.
어미 낙타가 본능적으로 이끌리는 곳은 레일리의 집이 아닌 새끼가 있는 마

주눈의 집이었다. 이런 일이 자주 반복되자 마주눈은 낙타를 타지 않고 걸어서 레일리의 집으로 갔다."

악사라이 나자레딘 호자

실크로드 중앙아시아 지역이나 국가를 방문하면 발길 닿는 곳곳에 나귀를 바로 타고 있거나 거꾸로 타고 있는 현자의 동상을 만날 수 있다. 13세기 터키의 실존 인물로 알려진 나자레딘 호자(Nasreddin Hodja, 1208~1284)의 모습을 가만히 들여다보면 얼굴에 해학이 넘치는데, 당시 시대적 상황으로 볼 때 그의 표정은 이율배반적이고 역설적으로 읽힌다.

13세기와 14세기 아나톨리아는 몽골 제국과 티무르 제국의 침략으로 국정이 무너지고 국토가 황폐해졌다. 국가의 기강이 무너지고 백성들의 삶이 피폐해진 상황에서 찾을 수 있는 돌파구는 별로 없다. 힘으로 대적할 수도, 지략으로 물리칠 수도 없다면 정신력으로 버텨야 하는데 그 동력이 되는 것이 나자레딘 호자의 가르침이었다. 나자레딘 호자는 전쟁의 공포를 재치 있는 이야기로 물리쳤다. 그의 말에 귀를 기울이면 전쟁과 죽음이 주는 두려움이 어느새 삶의 지혜로 바뀌는 것을 경험하게 된다.

실크로드 중앙아시아에서 나자레딘 호자의 이름은 지역이나 국가별로 조금씩 다르게 나타난다. 나자레딘 호자라로 부르는 국가는 투르크메니스탄, 페르시아, 타지키스탄, 아제르바이잔, 쿠르드, 알바니아, 보스니아, 중국, 우즈베키스탄, 그리스, 루마니아 등이다. 아랍어를 사용하는 여러 국가와 위구르도 그를 지칭하는 고유명사가 있다. 이런 맥락에서 나자레딘 호자는 실크로드 정신을 대변하는 스승이자 수피이다. 나자레딘 호자는 특유의 해학으로 위기를 기회로 만들고, 슬픔을 기쁨으로 바꾸며, 고통을 감내하며 감사의 기도를 올리는 삶의 지혜를 전수한다. 스승으로서 나자레딘 호자는 풍전등화의 위기에 놓인 인류에게 자신을 구하는 방법을 알려 준다. 수피로서 나자레딘 호자는 불가피한 지상의 존재 조건인 대립적인 이원성을 상생의 조건으로 삼아야 하는 이유와 공생의 수단으로 삼는

〈사진 5〉 시계 방향으로 악사라이, 앙카라, 부하라 나자레딘 호자

법을 비유적으로 설명해 준다. 동서고금을 막론하고 나자레딘 호자의 이야기에 귀를 기울이는 것도 그 때문이다.

나자레딘 호자의 도시 악사라이(Aksaray)는 루미의 도시 콘야와 그리 멀지 않다. 지금은 세계적인 장수마을로 꼽히지만, 옛날에는 스무 살을 넘기는 사람이 거의 없었다고 한다. 그런데 나자레딘 호자의 가르침으로 깨달음을 얻으면 스무 살 전에 죽었다고 해서 단명했다고 말할 수 없고, 깨달음 없이 100년 넘게 살았다고 해서 장수했다고 말할 수 없다. 20과 100이라는 숫자가 주는 차이가 영원히 연기된다는 것을 저절로 알게 된다.

> 나자레딘이 당나귀 등에 포도를 가득 싣고 가는 것을 동네 아이들이 보았다.
> 아이들은 그의 곁으로 달려가 포도를 맛보게 해 달라고 졸랐다.
> 나자레딘은 포도 한 송이를 가지고 아이들에게 한 알씩 나누어 주었다.
> 아이들은 포도 한 알을 먹고 이렇게 물었다.
> "포도가 그렇게 많은데, 좀 더 주시면 안 될까요?"
> 그러자 나자레딘은 웃음 띤 얼굴로 대답하며 유유히 길을 걸었다.
> "한 바구니를 먹든, 한 알을 먹든 포도는 포도 맛이다."

같은 맥락에서 시인 박노해도 시를 썼다.

> 어느 가을 아침 아잔 소리 울릴 때
> 악세히르 마을로 들어가는 묘지 앞에
> 한 나그네가 서 있었다
> 묘비에는 3·5·8… 숫자들이 새겨져 있었다
> 아마도 이 마을에 돌림병이나 큰 재난이 닥쳐
> 어린 아이들이 떼죽음을 당했구나 싶어
> 나그네는 급히 발길을 돌리려 했다
> 그때 마을 모스크에서 기도를 마친 한 노인이
> 천천히 걸어 나오며 말했다

우리 마을에서는 묘비에 나이를 새기지 않는다오

사람이 얼마나 오래 살았느냐가 중요한 게 아니라오

사는 동안 진정으로 의미 있고 사랑을 하고

오늘 내가 정말 살았구나 하는

잊지 못할 삶의 경험이 있을 때마다

사람들은 자기 집 문기둥에 금을 하나씩 긋는다오

그가 이 지상을 떠날 때 문기둥의 금을 세어

이렇게 묘비에 새겨준다오

여기 묘비의 숫자가 참다운 삶의 나이라오

-〈삶의 나이〉

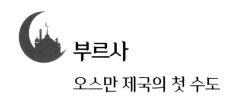

부르사
오스만 제국의 첫 수도

오스만 제국의 첫 수도

13세기 말, 동로마 제국과 셀주크 튀르크의 룸 술탄국이 아나톨리아반도를 차지하고 있을 때 반도 서북부에서 오스만 1세(Osman I, 1299~1323/4 재위)가 부족장으로 등장하며 오스만 제국(The Sublime Ottoman State, 1299~1922)의 시작을 알리고 있었다. 전설에 의하면 룸 술탄국(Sultanate of Rûm, 1077~1308)과 오스만 제국 사이에 술레이만 샤(Suleiman I, 1077~1086 재위)가 존재한다. 그는 본래 이란 서부와 중앙아시아 튀르크 유목민의 부족장이었는데, 몽골 제국의 침입으로 소아시아로 피난해 룸 셀주크의 비호를 받다가 본국으로 돌아가지 못하고 사망하였다. 이후 술레이만 샤의 아들 에르투으룰이 부족민을 이끌고 아나톨리아반도로 와서 동로마 제국과 싸워 이기는 공을 세우고, 룸 술탄국으로부터 쇠위트(Söğüt) 주변을 영지로 받는다. 그리고 에르투으룰의 아들 오스만 1세가 쇠위트에 오스만 베이국을 세웠는데 그것이 훗날 오스만 제국이 된다.

오스만 1세가 군사를 이끌고 룸 술탄국의 혼란을 틈타 독립하자 동로마 제국에게도 위협이 되었다. 오스만 제국은 공식적으로 1299~1922년까지를 일컫는다. 1299년은 오스만 1세가 오스만 베이국을 세운 해이고, 오스만 베이국은 오스만 1세가 사망한 1326년까지 존속했으며, 그때까지 수도는 쇠위트로서 오스만 제국의 첫 수도인 부르사와는 구분된다.

이런 맥락에서 오스만 1세의 아들이자 오스만 제국의 제2대 술탄인 오르한 (Orhan, 1281~1362)에 이르러 오스만 제국의 부르사 시대가 열린다. 술탄 오르한은 서진하기 위해 유럽 동남부에 교두보를 쌓고, 주변 세력을 규합하여 제국의 기초를 다졌다. 더불어 영토와 세력을 확장하기 위해 동로마 제국의 부르사를 점령하고 1326년 제국의 첫 수도로 삼았다. 부르사는 이때부터 1365년까지 거의 40년간 오스만 제국의 행정 중심지였고, 오스만 제국이 역사 속으로 사라진 1922년까지 다른 도시의 기준이자 표준이었다. 터키공화국 시대에도 여전히 핵심 산업도시로서 건재함을 과시하고 있다.

와크프로 조성된 퀼리예 형식의 도시, 부르사

부르사는 오스만 제국 초창기부터 와크프(waqf)를 기반으로 형성된 퀼리예(Külliye, islamic social complex) 형식의 최초 도시이다. 와크프는 모스크를 비롯해 자선 단체의 공공시설을 갖추거나 유지하기 위해 개인이나 집단이 기증하는 토지나 가옥 등의 자산을 기반으로 설립된 재단을 일컫는다. 와크프는 공공시설 구축뿐 아니라 빈곤 퇴치, 여성 인권 회복 등 공공의 이익에 부합하는 모든 일을 한다. 와크프가 재원을 충당하는 방식은 개인이 동산이나 부동산을 기부하는 방식 외에 국가로부터 보조를 받기도 한다. 개인이 기부한 자산에 대해서는 누구도 소유권을 주장할 수 없고, 그 자산은 공익 실현을 위해서만 사용했다.

와크프는 오스만 제국 시기에 본격적으로 구축되었다. 16세기 초에는 와크프가 경제에서 차지하는 비율이 12%나 되었는데, 오스만 제국의 정체성과 이슬람교의 종교적인 가르침 덕분이다. 소유에 대한 개념이 알라에 수렴되기에 피를 나누지 않은 형제들과 재산을 나눌 수 있었고, 국가가 막대한 세수를 포기했기에 국민이 부담 없이 기부할 수 있었으며, 재단의 운영 방식이 투명하고 관리가 철저했기에 부의 이동과 분배가 가능했던 것이다. 결국 오스만 제국 시기에 가난을

〈사진 6〉 울루 자미

물리치고, 빈부격차를 줄이고, 교육·종교·의료시설 등 공공시설들을 대거 마련할 수 있었던 것도 와크프의 순기능 덕분이었다.

퀼리예는 이슬람 사원인 모스크가 있는 복합 단지를 말한다. 복합 단지 내에는 모스크 외에 교육기관인 마드라사, 공중 목욕탕인 하맘, 공동 식당인 이마레트, 묘역 등이 있어서 사회·문화·종교·교육 활동이 퀼리예에서 이루어진다. 이러한 퀼리예가 구심이 되고, 원심력을 발휘하여 형성된 최초의 도시가 부르사이다. 퀼리예를 중심으로 주변에 주택이 들어서고, 각종 환경이 조성되면서 퀼리예는 물론, 복합 단지를 둘러싸고 있는 도시의 규모와 범위도 달라진다. 공공시설로서 부르사의 퀼리예 형성, 퀼리예 중심의 도시 발달, 도시와 시골의 연계 등은 결국 와크프의 결과물로서 오스만 제국의 도시 발전 기준과 모델을 제공했다. 이러한 역사를 인정받아 2014년 '부르사와 주말르크즈크: 오스만 제국의 탄생(Bursa and Cumalıkızık: the Birth of the Ottoman Empireustrial enterprise)'으로 세계문화유산에 등재되었다.

부르사와 주말르크즈크: 오스만 제국의 탄생

'부르사와 주말르크즈크: 오스만 제국의 탄생'은 부르사와 주말르크즈크에 있는 여덟 개의 유적을 포함하는데, 이 유산은 오스만 제국의 첫 수도인 부르사 도심과 외곽이 형성되는 과정 및 도시와 시골의 유기적 체제 구축 과정 등을 잘 보여 준다. 부르사와 주말르크즈크가 세계문화유산으로 등재된 것은 오스만 제국의 술탄들이 성벽으로 둘러싸인 기존의 도시 구조를 혁신적이고 독창적으로 개방하기 위해 심혈을 기울여 부르사를 도시 발전의 기준으로 삼은 결과이다. 말하자면 도심인 부루사와 외곽인 주말르크즈크가 와크프라는 탯줄로 이어져 엄마가 태아에게 영양을 공급하고, 태아는 엄마에게 안정감을 제공하는 것처럼 도시와 시골이 사회와 문화, 경제 발전 등 서로에게 유기적으로 기여했기 때문이다.

술탄들은 와크프의 재원을 활용하여 우선 퀼리예를 조성했다. 퀼리예를 공공복지와 공공서비스 제공 거점으로 삼아 수를 늘리고, 범위를 확대함으로써 부르사의 면모를 갖추었다. 중앙 집중적이고 수직적인 명령 체계는 일사불란하지만

〈사진 7〉 주말르크즈크(ⓒ계명대학교)

획일적이기 때문에 도시 계획에 적용될 경우 탄력적이지 못하다. 하지만 퀼리예를 거점으로 퀼리예의 수만큼 소도시 공동체를 형성하여 대도시 부르사를 만들어나간다면 퀼리예 중심의 공동체는 공동체대로, 퀼리예를 포괄하는 대도시는 대도시대로 살아 움직이면서 상호 유기적으로 작용하게 된다. 부르사가 오스만 제국의 첫 수도로서 비교적 빨리 면모를 갖춘 것도 개방성에 의한 생동감 덕분이었다. 대도시 부르사와 외곽의 주말르크즈크 사이에도 이러한 개방성과 운동성이 그대로 작동한다.

부르사에서 만날 수 있는 다섯 명의 술탄은 오스만 1세의 아들 오르한, 무라트 1세(Murad I, 1326~1389), 바예지드 1세(Bayezid I, c. 1360~1403), 메흐메트 1세(Mehmed I, 1389~1421), 무라트 2세(Murad II, 1404~1451), 즉 오스만 제국의 제2~6대 술탄인데, 이 중에서 부르사를 제국의 첫 수도로 완성한 술탄은 바로 오르한이다. 각 술탄이 거점으로 삼은 다섯 개의 퀼리예가 부르사라는 도시를 구성하고, 도시의 분위기를 만들며, 첫 수도로서 부르사를 특징짓는다. 각각의 퀼리예 내 건축물들과 다섯 개의 퀼리예가 서로 어우러져 부르사 양식이라는 독특한 도시 건축 양식이 탄생하고, 부르사 고유의 도시 체제가 완성되어 다른 도시들과 구별된다.

그랜드 바자르를 따라가다 보면 100개가 넘는 부르사의 모스크 중에서 규모가 가장 큰 울루 자미(Bursa Ulu Camii)에 이른다. 울루 자미는 오스만 제국의 제4대 술탄인 바예지드 1세의 명령으로 건립되었는데, 1396년 착공해서 1399년에 완공되었다. 이스탄불이나 에디르네에 있는 오스만 제국의 전형적인 모스크를 보면 지붕이 대형 돔 형태를 띤다. 반면 울루 자미의 지붕은 대형 돔 대신 스무 개의 작은 돔을 열두 개의 사각기둥이 떠받치고 있다. 이것은 울루 자미가 오스만 제국 초창기에 지어졌지만 여전히 셀주크 튀르크의 건축 양식으로부터 자유롭지 못함을 보여 준다. 울루 자미 모스크 안에 들어가기 위해서는 옷매무시를 가다듬어야 하고, 히잡을 착용해야 하는 등 나름의 예를 갖추어야 하는데, 그것은 외국인 관광객 여성에게도 엄격하게 적용된다. 모스크 안에는 무슬림들이 예배를 보기 전에 손과 발을 씻는 작은 분수가 있고, 기둥과 벽에는 꾸란 내용이 아름다운 캘리그래피로 장식되어 있다. 예실 자미(Yesil Camii; Green Mosque)는 울루 자미와 함께 메흐메트 1세가 건립한 부르사의 양대 모스크이다. '예실'이라는 이름이 말해 주는

〈사진 8〉 울루 자미 내부(ⓒ계명대학교)

〈사진 9〉 예실 자미 외관
〈사진 10〉 메흐메트 1세 묘(ⓒ계명대학교)
〈사진 11〉 예실 자미 내부(상하)(ⓒ계명대학교)

것처럼 예실 자미는 다양한 푸른색을 품고 있다. 터키의 보물로 알려진 이즈니크 타일이 터키색과 지중해 빛깔, 하늘빛과 초록빛을 번갈아 발산하면서 신비로운 향연을 펼친다. 특히 예실 자미에는 메흐메트 1세의 묘가 있어서 참배할 수 있다.

비단 도시 부르사

부르사는 인구수로 볼 때, 이스탄불, 앙카라, 이즈미르에 이어 터키에서 네 번째로 큰 도시이다. 인구수와 경제 활동 내지 경제 성장은 같이 가는 법이다. 그래서 부르사는 현재 터키 경제에서도 산업화를 주도하는 대도시에 속하고, 무엇보다 터키의 자동차 산업의 중심지이다. 또 과거에는 실크로드 무역에서 빼놓을 수 없는 중요한 도시였다. 특히 중국 장안(시안)에서 출발하는 실크로드의 종착지이자 비단 도시로 유명하다. 현재 터키의 수제 비단 대부분이 부르사에서 생산된다고 한다. 과거에는 직접 생산하는 비단은 물론, 중국에서부터 서역과 페르시아 대상들이 낙타에 싣고 오는 각종 견직물이 넘쳐났고, 이를 구매하기 위해 로마나 베네치아 등지에서 상인들이 몰려들었다.

부르사에는 특별히 카라반사라이의 일종인 코자한(KOZAHAN)이 있다. 터키어로 '코자'는 누에고치, '한'은 집을 의미하며, 한때 '흰색 황금'으로 거래된 누에고치의 집을 뜻한다. 따라서 코자한이라는 이름만으로도 500년 전 이곳에서 비단 제품이 활발하게 거래되었음을 알 수 있다. 지금까지도 이 건물에서는 누에고치를 사고파는데, 요즘같이 견직물 사업이 사양길로 접어든 상황에서도 코자한은 그 명맥을 유지하면서 이름값을 톡톡히 하고 있다. 과거 상인들의 숙소와 낙타의 쉼터로 사용했던 2층에는 화려하고 아름다운 비단 제품을 판매하는 상점들이 즐비해 있는데, 2층에 발을 들여놓는 순간 고객들은 빼곡히 늘어선 상점들의 수에 놀라고, 상점마다 자태를 드러내며 일렁거리는 비단의 향연에 넋을 놓으며, 500살이 넘는 코자한의 역사가 수놓은 비단 문양과 품질에 감탄을 연발한다.

부르사의 양잠 농가는 점점 줄어들고 있지만 과거에도, 현재에도 부르사는 비단의, 비단을 위한, 비단에 의한 도시이다. 부르사를 '비단의' 도시라고 하는 것은

〈사진 12〉 실크 바자르

〈사진 13〉 실크를 파는 두 여인(ⓒ계명대학교)

부루사라고 했을 때 자연스럽게 비단을 떠올리기 때문이고, '비단을 위한' 도시라고 하는 것은 터키의 비단 관련 양잠업과 비단 및 비단 제품 생산을 대표하기 때문이며, '비단에 의한' 도시라고 하는 것은 비단이 부르사의 경제 발전과 성장에 상당 부분 기여하기 때문이다. 특히 부르사와 비단은 오스만 제국의 제1대 술탄 오스만 1세와 매개되는데, 이때 비단으로 술탄의 관을 장식한 것은 술탄의 권위와 위엄, 업적과 치세를 비단의 가치로 구체화하고 비단의 아름다움과 고결함으로 칭송하기 위함이며, 다른 한편으로 술탄의 명예와 상징성을 비단 보자기에 담아 영원히 보장하기 위함이다.

부르사와 그림자 인형극 카라괴즈

부르사가 오스만 제국의 첫 수도였던 만큼 건국 초기의 제국과 술탄들의 이야기를 많이 품고 있다. 그 이야기들은 때로 신화가 되고, 전설이 되어 터키 역사와 전통, 사상과 종교를 채색한다. 터키에는 이러한 이야기를 전달하는 특별한 방식이 있는데, 그것이 바로 카라괴즈(Karagöz)라는 그림자 인형극이다. 부르사를 방문하면 도시의 건축 양식이 독특하고, 다섯 명의 술탄이 거점을 정한 퀼리예가 도시 분위기를 형성하며, 초기 술탄들의 무용담이 존재한다는 사실을 알게 되는데, 이 모든 것을 집약적으로 스토리텔링하여 현재화하고 미래를 향해 열어 둔 것이 바로 카라괴즈다.

카라괴즈는 제2대 술탄 오르한의 퀼리예를 건축하고 조성하는 데 기여한 두 명의 일꾼 중 한 명의 이름이다. 다른 한 명은 하지바트(Hacivat)로, 이 두 사람이 전통적인 그림자 인형극의 주인공으로 유명하다. 이 중 카라괴즈의 이름을 따서 터키 그림자 인형극의 고유명사로 사용한다. 신비스러운 배경 화면에서 두 인물이 만들어 가는 그림자 인형극을 보고 있노라면 오스만 제국 초창기의 생활상과 건축 양식은 물론, 아나톨리아반도를 호령하며 유럽까지 진출한 술탄들의 위용을 느낄 수 있다. 터키에서 카라괴즈를 공연하는 곳은 많지만, 특별히 부르사가 강조되는 것은 부르사가 카라괴즈의 알파요 오메가이기 때문이다.

〈사진 14〉 그림자 인형극 주인공(카라괴즈와 하지바트)과 공연

그림자 인형극을 본격적으로 시작하기 전에 극의 상황을 설명하고, 극의 주제를 대변할 인형을 비추는데, 노래와 악기, 시와 신화, 속담과 수수께끼 등이 총동원되는 주 공연이 시작되면 인형은 무대에서 사라진다. 카라괴즈에는 주인공 카라괴즈와 하지바트, 카바레 여가수, 마술사 겸 곡예사를 포함한 수많은 인물이 등장한다. 대부분 희극적인 내용을 언어유희와 발음하기 까다로운 말, 사투리 등을 사용해 극화하기 때문에 외국인이 이해하는 데는 한계가 있다. 하지만 자국민에게 역사의식과 민족적 자긍심을 고취하는 데 인형극만한 것도 없다.

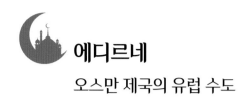

에디르네
오스만 제국의 유럽 수도

오스만 제국의 유라시아 관문, 에디르네

아나톨리아반도 서쪽 끝에 있는 에디르네는 북동쪽으로는 흑해, 남쪽으로는 마르마라해, 남서쪽으로는 에게해에 접해있다. 북쪽으로 불가리아와 국경을 접하고 있어서 예로부터 아나톨리아에서 유럽으로 진출할 때 교두보 역할을 하였고 전략적인 요충지가 되었다. 헬레니즘 시대에는 회화에 뛰어난 트라키아인의 땅이었고, 기원전 2세기에는 로마의 영토였다.

에디르네의 옛 이름인 하드리아노폴리스는 로마 제국의 5현제 중 한 명인 하드리아누스 황제의 이름에서 비롯되었다. 378년 하드리아노폴리스 전투(Battle of Adrianople, 378년 8월 9일)에서 동로마 제국의 황제가 고트족 연합군의 공격으로 사망한 사건은 고대 로마에서 중세 로마로 패러다임이 전환되는 계기가 되었고, 서로마 제국의 멸망을 초래했다. 476년 서로마 제국이 멸망한 후에는 하드리아노폴리스가 제2의 수도로서 기능한 적도 있었다. 동로마 제국의 황제들은 콘스탄티노플을 벗어나 이곳에서 휴식을 취하기도 했고, 제1의 수도에 문제가 발생하면 하드리아노폴리스는 피난처로 사용됐다. 1361년, 하드리아노폴리스가 오스만 제국의 무라트 1세에 의해 정복당한 후 에디르네로 이름이 바뀌면서 오스만 제

〈사진 15〉 에디르네 메시디예 다리

국의 수도가 되었다. 또 동로마 제국의 수도 콘스탄티노플이 오스만 제국의 수도 이스탄불로 전환될 때까지 에디르네가 명실상부한 수도였다.

에디르네가 동로마 제국의 제2의 수도였고, 오스만 제국의 수도였다는 점으로 보아 정치적·경제적·사회적·문화적 중요도를 가늠할 수 있다. 이를 증명하듯이 세계사에서 손꼽히는 대규모 전투가 에디르네에서 십 수차례나 벌어졌다. 그만큼 에디르네는 아나톨리아반도에서 전략적 요충지이자 경제적 중심지, 문화적

용광로였다. 오스만 제국이 콘스탄티노플 공격에 결의를 다진 곳도 바로 에디르네이고, 유럽 진출의 교두보를 쌓은 곳도 바로 이곳이다. 무라트 1세는 상비 포병인 예니체리를 창설했고, 이들을 필두로 14세기 말 코소보 전투에서 세르비아 왕국과 발칸반도 제후 연합군을 물리치는 쾌거를 올렸다. 15세기 에디르네는 오스만 제국의 수도로서 정치·경제·행정·문화의 중심이 되어 번영을 누리다가 콘스탄티노폴리스를 함락하자 이스탄불에게 자리를 넘겨주었다.

메흐메트 2세의 도시, 에디르네

오스만 제국의 제7대 술탄 메흐메트 2세(Mehmed the Conqueror, 1432~1481)는 '정복자'라는 별명을 가지고 있으면서, 로마 제국과 이를 계승한 국가의 군주를 의미하는 카이사르(Caesar, Kaiser)와 이슬람 세계에서 종교적·정치적 실권자에게 붙이는 칼리프(Caliph)라는 칭호를 동시에 사용한 인물이다. 메흐메트 2세는 1432년 3월, 당시 오스만 제국의 수도였던 에디르네에서 술탄 무라트 2세의 셋째 아들로 태어났는데, 어머니는 미천한 신분의 기독교인으로 알려져 있다. 적장자가 아닌 메흐메트 2세가 무라트 2세의 뒤를 이어 술탄이 된 것은 운명적이었다. 다섯 살 때 대를 이어 왕이 될 맏형이 사망하고, 1443년 둘째 형도 사망하여 결국 셋째였던 메흐메트 2세가 무라트 2세의 계승자가 되었다. 이듬해에는 아버지 무라트 2세가 그에게 선위함으로써 제7대 술탄으로 등극했다.

무라트 2세와 메흐메트 2세는 각각 두 번씩 술탄으로 즉위했다. 메흐메트 2세는 두 번째 치세를 시작하면서 아나톨리아 내륙으로 진군해 카라만 제후국을 물리쳤고, 1452년 귀국 길에 보스포루스 해협에 '루멜리히사르(Rumelihisarı, 유럽의 성)'라고 불리는 요새를 구축함으로써 동로마 제국을 목전에서 압박했다. 이후 1453년 5월 29일에는 동로마 제국의 수도 콘스탄티노플을 함락시켰다. 메흐메트 2세는 콘스탄티노플을 손에 넣은 후, 동로마 제국이 로마 제국을 계승했기 때문에 동로마 제국을 정복한 자신이 로마의 계승자라는 논리로 카이사르임을 자처했다. 하지만 그 주장은 근거도 미약하고 설득력도 별로 없다.

1453년 이후 오스만 제국의 수도는 콘스탄티노플로 옮겨졌다. 메흐메트 2세는 '정복왕'이라는 별명에 걸맞게 영토 확장에 열을 올리며 오스만 제국의 위세를 널리 떨쳤다. '정복'은 침략이면서 동시에 개방을 의미한다. 한편으로는 파괴이지만 다른 한편으로는 창조를 담보한다. 이런 맥락에서 '정복왕' 메흐메트 2세의 군주상은 종교적으로 경건하고, 교양이 있었으며, 예술적 소양이 풍부했다. '정복왕' 자신이 무슬림이었지만 타종교에 관용을 베풀고 이문화에 대해 개방적이었기 때문에 로마 문화를 수용하며 로마인들과 교류하였다. 그 덕분에 이스탄불을 문화와 종교, 사상과 학문의 용광로로 만들 수 있었다.

〈사진 16〉 술탄 메흐메트 2세

에스키 자미와 셀리미예 모스크

에스키 자미(Eski Camii; Old Mosque)는 '오래된 사원'이라는 뜻으로 이름에 걸맞게 에디르네의 사원들 중 역사가 가장 오래되었다. 사원 내부에는 '알라는 유일하다', '알라는 위대하다'라는 의미의 아랍어가 캘리그래피로 쓰여져 캘리그래피박물관이라는 별명을 갖고 있다. 오스만 제국 초기에 건립된 에스키 자미는 1403년 착공하여 1414년 완공되었다. 건축 방식은 부르사의 울루 자미처럼 사원의 중앙지붕을 대형 돔으로 덮는 대신 아홉 개의 작은 돔을 연결해 지붕으로 삼고, 지붕을 벽과 기둥으로 지탱하는 셀주크 튀르크 양식을 따랐다.

셀리미예 모스크(Selimiye Mosque)는 이탈리아의 미켈란젤로에 견줄 수 있는 오스만 제국의 건축가인 미마르 시난(Mimar Sinan, 1490~1588)이 제11대 술탄 셀림 2세(Selim II, 1524~1574)의 명령으로 건축했다. 그는 셀리미예 모스크를 지을 때 6여 년 동안 에스키 자미에서 예배를 드렸다. 이때 에스키 자미의 내부가 너무 어두웠던 기억을 떠올리며 셀리미예 모스크에는 창을 여러 개 내었다. 셀리미예 모스크는 시난이 86세가 되던 해에 완공되었으나, 그해 셀림 2세가 서거하여 이듬해인 1575년에 문을 열었다. 모스크 주변에는 각종 필사본이 소장된 도서관, 이즈니크 타일로 섬세하게 장식된 내부 정원, 교육기관인 마드라사가 딸린 외부 정원, 그랜드 바자르 등이 어우러져 셀리미예 특유의 퀼리예가 조성되었다. 에디르네는 셀림 2세 때 형성된 셀리미예 모스크 복합 단지 덕분에 제국의 수도를 콘스탄티노폴리스에게 넘겨주고도 영원한 수도로서 품위를 유지하였다.

모스크를 지은 지 400년하고도 사반세기가 지난 2011년, 셀리미예 모스크와 복합 단지(Selimiye Mosque and its Social Complex)가 터키의 열 번째 유네스코 세계문화유산으로 등재되었다. 셀리미예 모스크는 전형적인 오스만 제국의 건축 양식을 표방했다. 셀주크의 잔재로 볼 수 있는 여러 개의 소규모 돔 대신 대형 돔 한 개로 지붕을 삼았다. 여덟 개의 기둥이 대형 돔을 지탱하고, 사방에는 뾰족한 첨탑 네 개가 우뚝 솟아 있다. 특히 창문 999개를 만들었는데, 그 이유는 1,000이라는 숫자가 알라를 상징하는 완전수이기 때문이다. 또 창문 위치를 서로 엇갈리게 하여 더 많은 빛을 모스크 내부로 끌어들이려 했다. 셀리미예 모스크는 건축공학적 측

〈사진 17〉 셀리미예 모스크

〈사진 18〉 셀리미예 모스크 내부(창문)

면에서 완벽함을 추구할 뿐 아니라 도시공학적 측면에서도 주변의 복합 단지 및 에디르네의 도시 경관과 절묘하게 어우러진다. 또 오스만 제국이 낳은 세계적인 건축가 시난의 천재성이 잘 드러난 걸작으로, 이 모든 것이 유네스코 세계유산 등재 기준에 부합한다.

오스만 제국의 미켈란젤로, 미마르 시난

오스만 제국의 건축 명인 미마르 시난은 1490년 카파도키아 부근의 카이세리에서 태어났다. 미마르 시난은 오스만 제국이 지금의 그리스, 불가리아, 루마니아, 알바니아 등 구유고슬라비아 일대를 장악했던 전성기에 제국의 명성과 위상에 맞는 이슬람식 건축을 도맡았던 거장이다. 시난이 50세가 되던 해인 1538년, 오스만 제국의 제10대 술탄 술레이만 대제가 건축 분야 최고 장인으로 시난을 임명했고, 16세기를 주름 잡은 세 명의 술탄, 즉 술레이만 1세(Suleiman the Magnificent, 1494~1566)와 셀림 2세, 무라트 3세(Murad III, 1566~1603)의 절대적인 신임과 지원을 받으며 총 477개의 건축물을 지었다.

미마르 시난이라고 하면 거대한 돔과 첨탑이 특징인 오스만 제국 고유의 이슬람 건축 양식을 확립한 장본인으로 유명하다. 그의 대표적인 작품은 수도 없이 많지만 최고 걸작을 꼽는다면 단연 에디르네의 셀리미예 모스크일 것이다. 건축가 자신이 "평생을 연습하고 난 후에 장인의 경지에서 실력을 발휘했기 때문에 최고의 작품"이라고 평할 정도로 셀리미예 모스크는 무결점에 가깝다.

셀리미예 모스크와 쌍벽을 이루는 건축물은 이스탄불의 쉴레이마니예 모스크(Süleymaniye Mosque)이다. 이 역시 오스만 제국의 제10대 술탄인 술레이만 1세의 명령으로 시난이 설계를 했다. 1550년에 착공하여 1557년에 완공되었으니 셀리미예 모스크보다 먼저 지어졌다. 쉴레이마니예 모스크에도 대형 돔이 있다. 그러고 돔 하나에 네 개의 첨탑이 있고, 모스크를 중심으로 복합 단지가 조성되어 있다. 마드라사와 의대, 병원, 상업 및 숙박 시설, 하맘 등이 모스크 주변에 산재해 있다. 술레이만 1세와 왕비 룩셀라나(Roxelana, c. 1502~1558)의 영묘가 모스크 북쪽에 자

〈사진 19〉 미마르 시난

〈사진 20〉 쉴레이마니예 모스크
〈사진 21〉 쉴레이마니예 모스크 내부

리 잡고 있으며, 묘지공원 한쪽에는 시난이 잠들어 있다.

셀리미예 모스크에 999개의 창문을 낸 시난은 쉴레이마니예 모스크를 지을 때도 채광을 고려하여 창문을 많이 만들었다. 이슬람 국가의 모스크를 방문하면 스테인드글라스와 빛이 어우러진 향연을 심심찮게 목격할 수 있다. 유리의 색과 색의 경계, 유리의 두께에 따라 빛은 순간적인 움직임이 연출된다. 관광객들은 그 황홀한 순간을 포착하기 위해 카메라 셔터를 연신 누르기도 하고, 아예 몸을 내맡기기도 한다. 햇빛은 모든 피조물에게 골고루, 공평하게 주어진다. 가장 단순하고 평범한 진리이자 가장 보편적인 진실이다. 시난이 모스크에 창문을 낸 이유도 이에 맞닿아 있다. 시난은 모스크와 퀼리예 외에도 실크로드 상인들과 낙타를 위해 에디르네에서 이스탄불까지 90km마다 카라반사라이를 지은 것으로도 유명하다.

에디르네의 크르크프나르 오일 레슬링

크르크프나르 오일 레슬링 축제(Kırkpınar oil wrestling festival)는 터키 전역에서 열리는 전통 놀이마당으로 유네스코 세계유산 목록에 올라가 있다. 온몸에 기름을 바른 레슬러가 크르크프나르 황금 벨트를 차지하기 위해 맞붙어 싸우는 축제인데, 이를 즐기기 위해 각 지역에서 수천 명의 남녀노소가 모여든다. 14세기에 처음 시작되어 2009년 에디르네에서 648번째로 개최되었다. 성 금요일에 축제를 후원하는 크르크프나르 아가가 축제의 시작을 알리고 축제는 2박 3일간 이어진다. 크르크프나르 아가의 권위와 공신력은 국가가 보증하는데, '크르크프나르 아가'라고 적힌 붉은색 번호판이 부착된 차량을 받아 최소한 1년간 사용한다. 축제 때는 악단의 연주와 함께 시가행진이 이루어지는데, 최후의 승리자 페흘리반에게 수여될 황금 벨트가 함께 선보인다. 이어 셀리미예 모스크에서 페흘리반을 위한 기도 의식이 거행된다.

레슬링이 열리는 경기장을 한 번 상상해 보자. 수천 명의 관중은 경기를 기다리면서 함성을 지른다. 체격 좋은 남성들이 오일 레슬링에 참가하기 위해 대기해

〈사진 22〉 크르크프나르 오일 레슬링 축제

있는 모습은 대단하다. 사회자가 선수를 호명하며 타이틀과 보유 기술 등을 소개하면 경기보조자가 양 선수에게 오일을 발라준다. 소가죽으로 만든 튼튼한 바지를 입은 레슬러들이 상대방을 붙잡기 위해 주변을 빙빙 도는 모습만 봐도 관중은 환호한다. 하지만 온몸에 바른 오일 때문에 손도, 몸도 미끄러워 번번이 미끄러지고 만다. 양 선수가 붙잡고 놓치기를 반복하며 한쪽이 제압하고, 다른 한쪽이 쓰러지기를 거듭한다. 그때마다 관중은 흥분의 도가니에 빠진다. 경기장에 울려

퍼지는 악단의 연주는 관중의 흥분을 고조시킨다.

이제 최후의 승자가 결정되면 페흘리반 황금 벨트가 수여되는데, 만약 3연패를 하면 페흘리반이 이 황금 벨트를 소유할 수 있게 된다. 단 한 번이라도 황금 벨트를 차지한 페흘리반은 실력은 물론, 사회적으로도, 상징적으로도 최고의 대접을 받는다. 최고의 실력과 좋은 기술을 지녔다고 해서 최후의 승자가 되는 것은 아니다. 페흘리반이 되려면 모든 경기에 정신과 몸의 균형을 잘 유지해야 하고, 기회를 잘 포착하여 기술을 발휘해야 하는데, 이를 위해서는 피나는 훈련과 수양을 해야 한다. 터키 사회에서 페흘리반이 관용·정직·겸양의 표상이자 전통의 수호자로 인정받는 것도 바로 이 때문이다. 600년 넘게 이어져 내려오는 크르크프나르가 터키 민족을 결집하는 힘은 매우 크다. 축제를 통해 정체성을 다지고, 건전한 사회 분위기를 조성하여 안정감을 느끼며, 참가자에게 즐거움을 제공함으로써 전통문화에 깊은 자긍심을 갖게 한다.

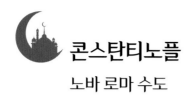

콘스탄티노플
노바 로마 수도

1천 년 역사의 노바 로마 수도, 콘스탄티노플

'위대한 유산 아나톨리아'에서 동로마 제국의 수도로 1천 년 이상의 역사를 쓴 노바 로마(NOVA ROMA), 즉 '새로운 로마' 이야기를 하지 않을 수 없다. 중앙아시아 일대의 튀르크족이 11세기 이후 아나톨리아반도에서 셀주크와 오스만 제국을 세웠으나, 그 이전부터 로마 제국이 아나톨리아를 지배하고 있었다.

1세기경 로마는 소아시아를 정복하며 아나톨리아반도 대부분을 수중에 넣었다. 324년 로마 제국 최초의 기독교 군주로 알려진 콘스탄티누스 대제(Constantine the Great, c. 272~337)는 비잔티움에 콘스탄티노폴리스를 세우고, 330년 로마 제국의 '새로운' 수도로 천명했다. 콘스탄티노폴리스는 로마가 동서로 분리된 395년부터는 동로마 제국의 수도가 되었다. 비잔티움이 '콘스탄티누스의 도시'를 의미하는 콘스탄티노폴리스로 이름이 바뀐 것은 콘스탄티누스 대제 사후의 일이다. 콘스탄티누스 대제는 비잔티움을 점령하며 자연환경, 지리적인 조건, 군사적인 요건, 경제적인 가능성 등을 직접 확인하고 대대적으로 재정비하여 새로운 수도로 삼았다. 이탈리아의 로마와는 별개로 비잔티움을 근거지로 삼은 새로운 로마 시대의 막이 오른 것이다.

테오도시우스 1세(Theodosius the Great, 347~395)는 379~395년까지 로마를 통치했는데, 기독교를 로마 제국의 국교로 공식화한 공로 때문에 대제라는 칭호를 얻었다. 테오도시우스 1세 때 가장 중요한 사건은 일종의 신앙고백서인 니케아 신경(Nicene Creed)을 채택한 일이다. 325년 제1차 니케아 공의회에서 로마 가톨릭교회는 예수의 신성과 성부·성자·성령의 삼위일체를 부정하는 아리우스파를 이단으로 배격하고 파문했는데, 당시의 공식적인 파문 선언이 니케아 신경에 들어있다. 380년 2월 28일, 테오도시우스 1세는 심한 병을 앓고 난 후 니케아 신경 신봉에 관한 칙령을 발표했다. 칙령에 의하면 예수의 신성을 인정하고 삼위일체를 믿는 사람만 가톨릭 신자가 될 수 있었다. 테오도시우스 대제는 한때 이탈리아 로마와 비잔티움을 통합 통치하기도 했다. 하지만 그가 사망한 395년 로마 제국은 동·서로 분열되었고, 그때부터 비잔티움은 동로마 제국의 수도가 되었다.

아나톨리아반도의 동로마 제국

테오도시우스 1세 사후 로마 제국은 동·서로 분열되어 각자의 노선을 걷게 되었다. 서로마 제국은 게르만 용병 오도아케르(Odoacer, 433~493)에 의해 멸망하고, 동로마 제국은 아나톨리아반도에서 비잔티움을 근거지로 로마 제국의 사상과 역사의 맥을 이었다.

5세기 초반 서로마 제국은 서고트족에게 약탈당하고, 동로마 제국은 훈족의 남하로 불안에 떨었다. 이에 동로마 제국의 테오도시우스 2세(Theodosius II, 401~450)는 소위 말하는 '테오도시우스 성벽(Walls of Constantinople)'을 축조하여 외세의 침략에 대비했다. 420년 이후부터 서로마 제국은 쇠퇴의 일로에 접어들고, 동로마 제국은 번성의 길을 내달리게 되었다. 서로마 제국이 멸망의 길로 들어설 때, 동로마에서는 '두 번째 로마'와 '두 번째 수도'라는 의식이 본격적으로 싹트기 시작했다. 서로마 제국의 종말이 동로마 제국의 새로운 시작으로 이어진 셈이다.

동로마 제국의 부흥은 콘스탄티노폴리스로 사람들이 모여들게 했고, 그곳에서 사람들 간의 교류와 물건의 교환이 대대적으로 이루어졌다. 콘스탄티노폴리스는

〈사진 23〉 1453년 콘스탄티노플의 최후

실크로드의 종착지였고, 유라시아의 관문이었다. 동서 각 지역의 대상인들이 모여들었고, 진귀한 물품들이 집결되었으며, 상호 교차 무역이 이루어졌다. 그랜드 바자르(Grand Bazar)가 생기고, 카라반사라이(Karavansarai)가 지어졌으며, 황제의 궁전과 교회도 세워졌다. 특히 유스티니아누스 1세(Justinian the Great, 482~565) 때 동로마 제국이 전성기를 맞이하는데, 그때 서로마 제국의 영토였던 서지중해 일대를 회복하게 되었다. 이때 콘스탄티노폴리스는 그리스 정교를 신봉하는 세계 최대의 도시로서 메트로폴리탄의 면모를 갖추게 되었다. 시민들에게 무료 급식이 이루어졌기 때문에 시민들은 민생고를 해결할 필요가 없었다. 시민들은 힘들게 밥벌이를 하는 대신 전차 경주가 열리는 경마장에서 열광하며 하루를 보냈다.

하지만 유스티니아누스 1세 사후 동로마 제국은 내리막길로 접어들었다. 7세기에는 사산조 페르시아(Sassanian Persia, 226~651)와 이슬람 제국의 팽창으로 영토가 줄어들었고, 경제는 침체되었다. 9세기에 다시 기지개를 켜기 시작하며 중흥기를 맞이하는데, 그 중심에 마케도니아 왕조(Macedonian dynasty, 867~1056)가 있었다. 바실리오스 2세(Basil the Bulgar SlayerI, c. 958~1025) 때는 발칸반도 대부분과 이탈리아 남부, 크레타, 키프로스, 소아시아, 아르메니아까지 영토를 회복했다. 9~11세기에 걸쳐 거의 2세기 동안 '비잔티움 르네상스'를 지속한 동로마 제국은 1071년 만지케르트 전투에서 셀주크 튀르크에게 대패하며 아나톨리아반도 일부를 빼앗겼다. 이로써 튀르크족은 아나톨리아반도를 차지할 발판을 마련하게 된 것이다. 이후 셀주크 제국을 계승한 오스만 제국의 메흐메트 2세가 1453년 콘스탄티노플을 함락하여 동로마 제국은 세계사에서 사라지게 되었다.

아나톨리아반도에 꽃 피운 비잔틴 문명

비잔틴 문명은 공간적으로 비잔티움을, 시간적으로 5~15세기를 배경으로 한다. 로마 제국이 비잔티움으로 수도를 옮기고 동로마 제국이 비잔티움을 수도로 정한 4세기는 비잔틴 문화의 파종기였다. 오스만 제국이 콘스탄티노폴리스를 함락한 15세기 중반 이후 비잔틴 문화는 동방에서 유럽으로 이식되어 이탈리아에서 르네상스가 꽃봉오리를 터트리는 자양분이 되었다.

세계사에서 전 세계를 호령한 대제국은 여럿 있지만 1천 년 이상 유구한 역사와 비잔틴처럼 화려한 문명의 꽃을 피운 제국은 흔치 않다. 물론 비잔틴 제국도 수차례 이민족의 침입을 받기도 하고, 십자군의 공격으로 국운이 위태로운 적도 있었으며, 내분으로 국정이 혼란스러울 때도 있었다. 하지만 1천 년 이상 역사를 쓰면서 문명사적으로 '비잔틴'이라는 고유한 방식과 양식을 만들어 세계만방에 전파했다.

비잔틴 문명은 그리스와 로마·페르시아·이슬람 문명의 복합체였다. 그도 그럴 것이 아나톨리아반도 자체가 세계사에서 족적을 남긴 굵직한 문명들이 때로는 순차적으로 거쳐 가고, 때로는 동시에 만나 각축을 벌였던 역사적인 현장이다. 헬레니즘이 이식되고, 로마와 페르시아, 아랍과 튀르크 제국이 아나톨리아반도의 문명을 한편으로는 황폐시키고 다른 한편으로는 비옥하게 했다. 비잔틴 문명에서도 정복과 개방의 메커니즘이 작동한 것이다. 또 비잔틴 문명은 기독교와 이슬람교의 합

작품이다. 로마 가톨릭, 그리스 정교, 이슬람 등이 만나고 충돌하고 섞이면서 비잔 틴 고유의 문명을 빚어냈다. 특히 콘스탄티노폴리스는 동방정교회의 대표 도시이 고, 콘스탄티노폴리스의 세계총대주교(Ecumenical Patriarch of Constantinople)는 초교파·초 교단·초교회를 주창하는 에큐메니컬 총대주교의 자격을 부여받았다. 현재 이스 탄불의 아야 소피아 성당이 바로 동방정교회 대성당이자, 537~1453년까지는 그 리스 정교회 성당이었으며, 콘스탄티노폴리스 세계총대주교의 본산이었다.

비잔티움을 로마 제2의 수도로 삼은 군주는 콘스탄티누스 1세였고, 동로마 제국의 수도 비잔티움을 오스만 제국에게 내어 준 황제는 콘스탄티누스 11세 (Constantine XI, 1405~1453)였다. 콘스탄티누스 1세는 모든 백성에게 종교의 자유를 허 용함으로써 종교에 대한 포용적 태도를 몸소 보여 주었다. 그리고 콘스탄티누스 11세는 비잔티움을 메흐메트 2세에게 넘기면서 비잔틴 문명이 그리스와 로마 문 명의 본류임을 천명했다.

아나톨리아반도의 역사적·지정학적·경제적·사회적·종교적·예술적·건축 학적·학문적 요소들이 총결집되어 비잔틴 문명의 얼개를 짜고, 유·무형적 내용 을 그 안에 담았기 때문에 비잔틴 문명에 대한 평가는 엇갈린다. 유럽의 관점에 서 보면 잡종이고, 무질서하며, 열등하다. 그래서 '비잔틴'의 의미를 비틀어서 해 석하고, 비잔틴 문명의 번영보다 쇠퇴를, 믿음보다 불신을, 다양함보다 산만함을 부각한다. 유럽과 비유럽을 구분하고, 유럽을 비유럽보다 우월한 것으로 규정하 기 위한 장치이자 전략이다. 그들에게 비잔틴 문명은 비유럽적인 것이기 때문에 열등하고, 지배와 점유의 대상이 된다. 하지만 20세기 후반에 접어들면서 비잔틴 문명에 대한 평가는 어느 정도 객관성을 확보한다. 유럽의 르네상스에 대한 동방 의 기여가 인정됨으로써 덩달아 비잔틴 문명의 진가도 재조명되고 있다.

비잔틴 문명의 결정체, 아야 소피아 성당

아야 소피아(Hagia Sophia) 성당은 비잔틴 제국의 종교적·문화적 결정체이다. 아 야 소피아가 거의 1천 년 가까이 콘스탄티노폴리스 세계 총대주교의 본산이었다

〈사진 24〉 아야 소피아

〈사진 25〉 아야 소피아 내부(시계방향으로 천장, 벽면 모자이크, 창문과 캘리그라피, 옴팔로스)(ⓒ계명대학교)

는 사실은 이미 언급한 바 있다. 이스탄불에서 아야 소피아 성당을 대면하고 내부로 들어가 보면 감탄사가 저절로 나온다. 그리고 성당을 돌아보다 보면 여러가지 감정이 파도타기를 한다. 성당은 지금도 보수 중이다. 인류의 역사가 끝나는 날까지 그 작업은 계속될 것 같다. 성당의 규모와 구성, 내부 시설과 각종 장식, 소장품 등에 넋을 놓고 있다가 정신을 차리면 인간의 힘과 능력에 의구심이 생긴다. 한 마디로 아야 소피아 성당은 인간의 힘과 능력을 능가하는 세기의 건축물이기 때문이다. 아야 소피아 성당이 '지금 여기' 그 모습으로 존재한다는 것

자체가 기적이고 불가사의다. 인간에게 권력과 돈이 있으면 도대체 무엇을 어디까지 할 수 있을까? 인간의 위대함이 어디까지 미칠 수 있을까? 이 정도면 인간이 신의 경지에 이른 것은 아닌가? 아나톨리아반도뿐만 아니라 세계에 산재한 세계문화유산을 체험할 때마다 이러한 질문이 생긴다. 그만큼 인간은 위대하다.

아야 소피아는 360년 2월 15일 건립 후 수차례 소실되거나 붕괴되어 여러 번 복구 또는 재건된 후 지금의 모습에 이르렀다. 415년 10월, 테오도시우스 성벽을 축조한 테오도시우스 2세 때 새로 지은 두 번째 아야 소피아는 532년 1월 대화재로 무너졌고, 그로부터 약 6년 후인 537년 12월 27일 유스티니아누스 황제는 세 번째 아야 소피아 성당의 완성을 알렸다. 하지만 20년도 채 안 되어 두 차례의 지진으로 중앙 돔과 동쪽의 반구 돔에 균열이 생기는 큰 타격을 입었고, 558년 5월 7일에는 중앙 돔이 내려앉으면서 완전히 무너졌다. 황제의 재건 명령에 따라 재설계하고 재료를 보강하여 562년 12월 23일 다시 한번 축성식이 거행되었다. 이후에도 수차례의 대화재와 대지진이 이어졌고, 제4차 십자군의 공격으로 이루 말할 수 없는 심각한 피해를 입었다. 십자군이 콘스탄티노폴리스를 공략하여 라틴 제국을 세웠던 1204~1261년까지 로마 가톨릭교회의 성당으로 탈바꿈했다가 다시 그리스 정교회 성당으로 복귀하기도 했다. 그러다가 오스만 제국이 콘스탄티노플을 점령한 1453년 5월 29일부터는 모스크로 사용되었다.

아야 소피아 성당이 겪은 영광과 오욕의 시간이 파노라마처럼 지나간다. '위대한' 군주의 의지와 명령으로 영광을 누린 적도 많았지만, 자연재해와 인재, 정치적·종교적 이유로 오욕을 당한 적도 그에 못지않다. 레오 3세(Leo the Isaurian, c. 685~741)는 아야 소피아 성당의 역사에 영광과 오욕의 흔적을 동시에 남긴 군주다. 레오 3세 통치기는 이슬람교가 세를 확장하던 시기였다. 아랍의 8만 대군이 콘스탄티노폴리스를 공략했지만 레오 3세는 철저하게 대비하여 결국에는 아랍의 유럽 진출을 차단했다. '훌륭한 황제'의 위대한 면이다. 또한 레오 3세는 726년 성상 파괴 운동을 벌인 장본인이다. 십계명에 근거한 성상 파괴 운동으로 아야 소피아의 모든 성상과 성화, 성물 등이 깡그리 파괴되었다. 참으로 어처구니없는 손실이자 희생이다. 오스만 제국이 몰락한 후 비로소 아야 소피아 성당은 인간의 위대함과 우둔함으로부터 조금이나마 자유로워질 수 있었다.

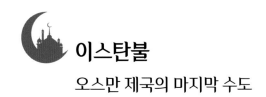

이스탄불
오스만 제국의 마지막 수도

이스탄불은 오스만 제국이 콘스탄티노폴리스를 함락하고 수도로 삼으면서 지금의 이름을 갖게 되었다. 로마 제국이 동·서로 분리되기 전에 이미 콘스탄티누스 대제는 수도를 비잔티움으로 옮겼고, 동·서로 분리된 다음에는 동로마 제국의 수도가 되었으며, 나중에는 콘스탄티노폴리스로 불리게 되었다. 그래서 비잔티움 중심의 로마 제국을 비잔틴 제국이라고 부른다. 오스만 제국은 쇠위트 (1299~1326), 부르사(1326~1365), 에디르네(1365~1453) 시대를 거쳐 동로마 제국의 콘스탄티노폴리스를 새 수도로 삼고 이스탄불이라 이름 붙였다. 이제 동로마 제국 제2의 수도가 오스만 제국의 마지막 수도가 된 것이다. 비록 오스만 제국이 멸망하고 터키 공화국이 들어서면서 앙카라에게 수도를 넘겨주었지만, 이스탄불은 여전히 세계적인 문화 수도로 건재함을 과시하고 있다.

콘스탄티노폴리스는 천혜의 환경으로 철벽을 친 듯한 방어력을 갖추고 있었기에 난공불락이었다. 그래서 비잔틴 제국이 소용돌이를 방불케 하는 세계사 속에서도 1천 년 이상 굳건히 버틸 수 있었던 것이다. 콘스탄티노폴리스가 오스만 제국 메흐메트 2세의 공격에 무너지는 역사적인 사건에 관한 이야기는 많이 전해진다. 그중에서 역발상과 교만함이 하늘과 땅 차이의 결과를 초래한 사실을 뼈

〈사진 26〉 이스탄불과 갈라타탑

〈사진 27〉 술레이만 1세

저리게 알게 되었다. 메흐메트 2세는 배를 산으로 옮기는 역발상을 했고, 콘스탄티누스 11세는 난공불락의 요새에 대해 교만했다. 물론 술탄의 역발상을 현실화하기 위해 커다란 희생이 따랐음을 짐작할 수 있고, 황제의 교만함에도 충분한 근거와 이유가 있었다. 하지만 절대불변과 무한영생은 유한한 인간과 역사의 몫이 아니었다. 그렇게 오스만 제국은 동로마 제국을 침몰시키고 아나톨리아반도의 패권을 차지함으로써 명실상부한 반도의 주인이 되었다. 그리고 이와 때를 같이하여 유럽에서는 중세가 마무리되면서 르네상스가 태동하기 시작했다. 이전까지는 동로마 제국이 이슬람 세력의 서진을 막아냈지만 이제 오스만 제국이 아나톨리아반도를 지켜야 했기 때문에 오스만 제국과 유럽의 충돌은 불가피하게 되었다.

오스만 제국은 제10대 술탄 술레이만 1세의 치세 동안 최전성기를 누렸다. 역사는 13번의 대외 원정을 통해 군사적인 업적을 쌓은 술레이만 1세를 '장엄한 인간', '천둥과 번개 같은 사람', '인간의 도리를 강조하는 술탄' 등으로 기억하고 있다. 술레이만 1세 때 지중해에 접한 대부분의 땅을 차지했던 오스만 제국은 17~18세기까지 건재함을 과시했다. 하지만 물이 고이면 반드시 썩는 법! 유럽의 근대가 가속화되는 동안 오스만 제국의 국력과 군사력은 느슨해지고 있었다. 18세기 말에서 19세기 초, 오스만 제국은 유럽의 도전과 국론 분열로 균열이 생기기 시작했다. 급기야 1908년에는 젊은 장교들이 쿠데타를 일으켜 일당 독재체제를 선포한 후 독일의 편에 서서 제1차 세계대전에 참전하지만 패전하며 중동지역 대부분을 상실했다. 이때 터키 공화국 (the Republic of Turkey)의 국부 무스타파 케말 (Mustafa Kemal Atatürk, 1881~1938)이 등장하여 오스만 제정을 폐지함으로써 제국의 역사는 끝이 나고 말았다.

유럽과 아시아를 품은 이스탄불 역사지구

이스탄불은 보스포루스 해협, 마르마라해, 에게해 등이 만나는 천혜의 지역에 세워진 요새 도시로 1985년 이스탄불 역사지구(Historic Areas of Istanbul)로 유네스코 세계문화유산 목록에 등재되었다. 이스탄불에는 그리스 정교회 성당, 로마 가톨릭교회 성당, 이슬람 모스크 등으로 사용되다가 박물관으로 개장되었던 아야 소피아 성당과 오스만 건축의 결정체라 할 수 있는 쉴레이마니예 모스크 등 비잔틴 제국과 오스만 제국의 독특한 건축들이 많이 있다. 특히 447년에 축조된 테오도시우스 2세의 성벽은 군사적 목적에 부합하는 선도적인 건축물로서 성벽 축조의 전형이 되었으며, 그 밖의 수많은 모스크와 궁전, 교회의 모자이크와 아라베스크 양식의 예술 작품 등은 동서양 미술에 크게 영향을 미쳤다.

터키 역사의 결정적인 시공간을 점으로 삼아 선으로 연결하면 독특한 스카이라인이 생기는데, 그것은 이스탄불 역사지구의 윤곽이 된다. 퀼리예를 연결하는

〈사진 28〉 유럽과 아시아를 잇는 보스포루스 해협

점과 선이 오스만 제국의 도시 분위기를 만든 것은 어제오늘의 일이 아니다. 오
스만 제국 초기의 술탄들은 퀼리예를 중심으로 선을 연결하여 도시 모양을 갖추
었는데, 그 결정체가 이스탄불의 블루 모스크(Blue Mosque)라고 해도 과언이 아니다.
블루 모스크는 아야 소피아 근처에 있는 퀼리예 양식의 모스크로 오스만 제국의 제
14대 술탄 아흐메트 1세(Ahmed the Fortunate, 1590~1617)의 명령에 따라 1609년에 첫 삽
을 떠서 1616년에 완성되었으며, 본래 이름은 술탄 아흐메트 모스크(Sultan Ahmed
Mosque)다. 블루 모스크는 세계에서 가장 아름다운 모스크로 평가받고 있으며 세
계문화유산인 이스탄불 역사지구에서 아야 소피아 성당과 함께 대표적인 2대 명

위대한 유산 아나톨리아

물에 속한다. 블루 모스크는 거대한 중앙 돔 사방을 네 개의 작은 돔이 받치고 있고, 수많은 기둥이 받치는 아치 위에 작은 돔이 동글동글 솟아 있으며, 돔에는 수많은 창문이 있어 자연적으로 빛을 흡수하고 발산한다. 중앙 돔을 비롯한 작은 돔, 미나렛에는 둥근 지붕과 첨탑 구분 없이 황금 장식을 달고 있으며 중앙 돔 장식 맨 꼭대기에는 이슬람 모스크답게 별과 초승달이 있다. 여섯 개의 미나렛과 다섯 개의 문이 있는 것도 블루 모스크의 독특함이다. 2만 1천여 개의 이즈니크 산 파란색 타일이 블루 모스크의 내부를 장식하고 260개의 유리창이 푸른빛을 띠고 있는 블루 모스크 내부에 있게 되면 푸른색이 주는 희망과 신비스러움에 도

〈사진 29〉블루 모스크

〈사진 30〉 내부에서 바라본 블루 모스크(위)

〈사진 31〉 블루 모스크 내부(아래ⓒ계명대학교)

취된다.

　이스탄불 역사지구에는 비잔틴 문명과 오스만 문명의 특징이 모두 있다. 오스만 제국이 비잔틴 제국을 정복한 후에 비잔틴 문명을 완전히 말살하지 않았기 때문에 현재에도 아야 소피아 성당에는 비잔틴 제국의 소중한 유산이 남아 있다. 그리고 이스탄불 역사지구의 건축물과 방어 시설, 모자이크와 프레스코화로 장식된 교회와 궁전, 영묘와 무덤, 모스크와 마드라사, 공중 목욕탕, 일반 주택 등은 이스탄불 역사지구라는 퍼즐을 완성하는 퍼즐 조각으로서 역사의 결정적인 순간순간을 담고 있으면서 복합 단지를 조화롭게 형성하고 있다. 도시가 문화를 품고 있는 것은 특별한 일이 아니다. 다만 도시의 역사와 전통이 어느 정도 유구하고 찬란한지, 도시를 대변하고 대표하는 유산이 얼마나 많고 어떻게 보존되었는지, 유적과 유물이 도시민의 삶과 얼마나 조화를 이루는지, 그리고 그것이 인류의 삶에 어떠한 영향을 미치는지 등등을 고려해 볼 때, 이스탄불은 비잔틴 제국과 오스만 제국의 수도로서, 세계 제1의 문화 도시임이 분명하다.

이스탄불의 골목길을 걷다

> 어린 시절의 이스탄불이 내게 안겨준 강렬한 비애를 제3자가 느끼고자 한다면 오스만 제국의 역사가 이 도시의 풍경과 사람들에게 어떻게 반영되었는지를 알아야 한다.

　이스탄불을 일컬어 '인류 문명이 살아 숨 쉬는 옥외박물관'이라는 역사학자도 있다. 사실은 아나톨리아반도 자체가 생동하는 박물관이다. 박물관은 과거의 것이 박제되어 모인 공간이다. 하지만 박물관 속으로 인간의 발길이 옮겨지는 순간 박물관은 살아서 움직인다. 특히 이스탄불은 아나톨리아반도의 축소판이자 오스만 제국의 복사판이다. 이스탄불 역사지구를 네 구역으로 나누어 탐방하는 것은 시간이 오래 걸리지만 여행객들에게는 익숙하다. 이제 이스탄불 구석구석을 둘러보기 위해 퀼리예 거점의 스카이라인을 벗어나 보자. 아니 스카이라인을 연결

〈사진 32〉 이스탄불의 골목길, 발랏

하는 굵직굵직한 점보다 점과 점 사이를 잇는 미세한 점들을 자세히 들여다보기 위해 이스탄불의 골목으로 시선을 돌려보자.

이스탄불에서 사람들로 붐비는 곳은 유명 관광지와 끝날 듯 이어지는 골목길이다. 이스탄불의 골목길은 화려하게 화장을 하거나 아름답게 치장하지 않았기 때문에 한눈에 들어오지는 않지만, 발길이 닿는 순간 걸음을 멈출 수 없게 된다. 이스탄불 골목길 기행으로 최근 유튜브와 각종 블로그에서 핫플레이스로 떠오른 발랏(Balat)을 소개해 본다.

발랏은 과거 빈민촌이었다고도 하고, 비잔틴 제국 시절에는 유대인들이 살았던 부촌이었다고도 한다. 19세기 말에는 대지진으로 거의 폐허가 되었으며, 그리스와의 전쟁에서 승리한 후에는 터키인들의 삶의 터전이 되었다. 하지만 전쟁의 화마로 깊게 파인 상처는 쉽게 아물지 않았다. 유네스코를 비롯한 여러 단체에서 10여 년 동안 도시 재생 프로젝트를 시행했고, 그 결과 예술가들이 이곳에 정착함으로써 예술가 마을로 변신하였다.

'발랏'은 그리스어로 궁전이라고 하는데, 궁전이 빈민촌으로 전락했다가 다시 예술가들의 '궁전'으로 탈바꿈하여 본래의 이름값을 하게 된 셈이다. 발랏 곳곳에는 터키인들의 삶이 묻어난다. 어떤 골목에는 터키 국기가 휘날리고, 또 어떤 골목에는 널어놓은 빨래가 바람에 펄럭인다. 건물들은 낡고 오래되어 칠이 다 벗겨졌지만, 예술가들의 붓끝이 형형색색의 때때옷을 입히며 세월의 굴곡과 부침을 보듬는다.

유럽 문화 수도, 이스탄불

이스탄불은 2010년 독일의 에센, 헝가리의 페치와 함께 유럽 문화 수도(European Capital of Culture)로 지정되었다. 유럽 문화 수도 사업은 유럽연합 회원국 도시 중 한 개를 매년 선정하여, 그 도시에서 1년 동안 집중적으로 각종 문화행사를 개최할 수 있도록 지원하는 프로젝트이다. 1983년 그리스 문화부 장관이 사업을 제안했고, 1985년 채택되어 아테네가 최초의 유럽 문화 도시로 지정되었다. 1999

〈사진 33〉 유럽 문화 수도 이스탄불

년부터는 유럽 문화 수도로 명칭이 바뀌면서 선정된 도시의 권위를 보장했고, 2000년부터는 한 해 두 도시 이상을 선정할 수 있도록 규정이 바뀌었다. 이스탄불이 유럽 문화 수도로 지정된 것은 사업을 시작한 지 사반세기가 지나서였고, 2011~2033년까지 지정된 유럽 문화 수도에는 터키의 다른 도시가 포함되어 있지 않다. 이러한 사실은 물론 우연일 수 있지만, 그 이유를 터키와 유럽연합의 관계에서 찾을 수 있는 것 또한 사실이다.

터키는 이스탄불 지역이 부분적으로나마 유럽에 속해 있고, 오스만 제국 때 발칸반도 일대를 지배한 적도 있으며, 유럽과 정치·경제적으로 영향을 주고받기 때문에 1987년 4월에 유럽연합 가입 절차를 마쳤다. 1999년 12월에는 후보국의 지위를 인정받았고 2005년 10월부터 본격적으로 가입을 위한 협상에 돌입했다.

하지만 2021년 현재까지 터키는 유럽연합에 정식으로 가입하지 못하고 있다. 그 이유 중에 가장 큰 것은 종교이며, 터키의 과거 및 현대사가 걸림돌이 되었다. 오스만 제국 시대에 전쟁으로 피해를 입었거나 지배를 받았던 헝가리, 루마니아, 불가리아, 크로아티아 등 동유럽과 발칸반도 국가들이 터키의 유럽연합에 반대하고, 정치·외교·군사적으로 그리스와 키프로스도 호의적이지 않다. 더불어 터키가 유럽 경제에 미칠 영향력을 우려하여 프랑스, 독일, 스페인 등도 반대 입장을 표명하고 있다. 이것이 터키의 대유럽 관계이다.

보스포루스 해협을 끼고 유럽과 아시아가 공존하는 땅이 터키이다. 그래서 터키는 유럽이면서 동시에 아시아일 수 있고, 유럽도 아시아도 아닐 수 있다. 터키의 지리적·혈통적·민족적 특성이 터키의 국가 정체성을 혼란스럽게 한다. 이런 맥락에서 터키 출신의 노벨문학상 수상자 오르한 파묵은 자신의 문학적 주제를 개인적·민족적·국가적 정체성의 혼란 및 재정립과 결부시킨다. 하지만 완결되거나 확정되지 않은 정체성은 다양성과 운동성을 담보하고 상생과 공존의 가능성을 열어둔다. 터키 국민 대부분은 무슬림이지만 그렇다고 이슬람교가 터키의 국교는 아니다. 터키에서는 엄연히 종교의 자유가 보장되고, 그리스 정교회, 아르메니아 사도교회, 유대교를 믿는 사람들도 자신들의 종교적 신념을 지킬 수 있다. 오스만 제국의 수도 이스탄불이 터키 공화국의 수도는 아니지만, 여전히 전 세계 여행객들의 발길이 이스탄불로 향하고 있다. 이스탄불의 일상에서 확인할 수 있듯이, 이스탄불은 세계 시민의 도시이자 세계문화의 용광로이며 상생과 공존의 터전이다.

앙카라

터키 공화국의 수도,
새로운 이슬람의 실험과 21세기 터키의 미래

아타튀르크 무스타파 케말의 정치적 고향

오스만 제국은 외세와의 격돌로 국력에 심한 타격을 입었다. 거기에 청년 장교들이 쿠데타를 일으켜 제국의 뿌리가 흔들리는 상황에서 제1차 세계대전에 참전하여 독일 편에서 싸웠는데 이때 아르메니아인·아시리아인·그리스인을 대상으로 대학살을 저질렀다. 제1차 세계대전이 끝난 후 연합군이 지금의 이스탄불과 이즈미르를 점령하면서 터키에서도 민족운동이 촉발되었고, 마침내 터키의 국부로 불리는 케말 아타튀르크 장군의 주도로 독립전쟁이 일어났다. 1922년 11월 1일, 공식적으로 술탄국의 지위가 폐지되었으며, 1299년부터 1922년까지 623년의 역사를 이어온 오스만 제국이 역사의 뒤안길로 사라졌다. 제국의 수도 이스탄불도 앙카라에게 그 지위를 넘겼다. 1923년 7월 24일, 오스만 제국의 정통성을 이어받은 후계 국가로서 신생 터키 공화국이 국제적으로 주권을 인정받았고, 1923년 10월 29일, 새 수도 앙카라에서 건국을 선포했다.

터키 공화국의 초대 대통령으로 무스타파 케말이 선출되었다. '무스타파'는 그의 부모님이 지어 준 이름이고, '케말'은 수학 선생님이 붙여 준 것이라고 한다. 그리고 그 이름 앞에 붙은 '아타튀르크'는 그의 능력과 공로를 높이 평가해서 국

〈사진 34〉 아타튀르크 무스타파 케말 독립기념비

가와 국민이 선물한 이름이다. 그래서 '아타튀르크 무스타파 케말'은 부모님이 사랑하고, 선생님이 아끼며, 터키 국민이 존경하는 명예로운 이름이다.

터키 공화국의 초대 대통령이 된 무스타파 케말에게는 600여 년 동안 쌓인 오스만 제국의 먼지를 털어 내는 일이 급선무였다. 짙게 드리워진 제국의 그늘을 하루빨리 걷어 내기 위해 급진적인 개혁 정책을 수립하는 것이 불가피했다. 우선 1천 년 이상 이어져 내려온 칼리프제를 폐지하고, 이슬람력 대신 그레고리력을 채택했으며, 터키어를 아랍 문자 대신 로마자로 표기했다. 정치·종교적인 혁신뿐만 아니라 사회개혁에도 박차를 가해 일부일처제를 확립하고, 여성에게 교육의 기회와 선거권을 부여함과 동시에 여성들을 이슬람 복장으로부터 해방했다.

이 모든 공로를 인정받아 1934년 터키 의회는 무스타파 케말에게 '국부'를 의미하는 '아타튀르크' 칭호를 부여했다.

터키 공화국의 수도인 앙카라는 이스탄불 다음으로 큰 도시이다. 앙카라의 다른 이름은 앙고라이다. 앙고라는 품질이 좋은 염소나 토끼의 털과 털 제품의 대명사로 그만큼 앙카라에서 생산되는 앙고라 울이 유명했다. 예부터 앙카라는 섬유 산업이 발달했는데, 앙카라 외곽의 노동력이 그 원천으로 앙카라와 앙카라 주변 지역은 상호 '윈-윈' 하는 경제 주체가 되었다. 또한 앙카라는 항공 산업과 방위 산업으로 유명하다. 터키의 지정학적 위치와 특성 때문에 항공 산업과 방위 산업은 국가 산업의 요체이다. 이들 업체의 수출이 날로 늘어나는 추세인데, 이것이 함의하는 바는 매우 크다. 물론 자동차 산업도 빼놓을 수가 없다. 독일 뮌헨에 본사를 두고 유럽 내 산업 장비와 상용차를 제조 및 공급하는 아우크스부르크-뉘른베르크 기계 공장 유럽회사(Maschinenfabrik Augsburg-Nürnberg Societas Europaea=MAN SE)가 앙카라에 지사를 두고 있다. 게다가 터키의 미래를 짊어질 인재 육성에 박차를 가하는 앙카라 대학교, 중동 공과 대학교, 빌켄트 대학교 등도 있다. 앙카라는 터키의 수도로서 정치·경제·외교·국방·교육 등 모든 분야의 구심이 되고 있으며, 아울러 터키의 실험적인 미래를 개척하고 이끌 첨병의 임무를 수행하고 있다.

옛것과 새것의 공존, 울루스와 예니세히르

터키의 수도를 이스탄불이라고 생각하는 사람들이 의외로 많이 있다. 그도 그럴 것이 이스탄불은 약 470년 동안 오스만 제국의 수도였고, 앙카라는 터키 공화국의 수도가 된 지 이제 100년 남짓 되었다. 터키 공화국이 오스만 제국의 후예로서 정통성과 정체성을 유지하고 있는 것은 주지하는 바이지만 수도는 엄연히 앙카라이다. 앙카라를 터키의 수도로 삼은 이유는 여러 가지가 있다. 표면적인 이유는 1919년 무스타파 케말이 앙카라에 독립운동 본부를 두었기 때문인데, 그때부터 앙카라가 공화국의 수도로서 입지를 굳혔다. 지정학적인 이유도 한몫했다. 이스탄불이 오스만 제국의 수도였을 때, 유라시아의 길목에 있었기 때문에 서양

〈사진 35〉 터키 공화국의 수도 앙카라 야경

세력과 충돌이라도 하면 전쟁의 소용돌이에서 비켜날 수가 없었다. 하지만 앙카라는 아나톨리아 내륙 깊숙이 있기 때문에 위기 상황에서 이스탄불의 운명을 답습할 필요가 없다.

앙카라는 '닻'을 의미하는 그리스어 안키라(Ἄγκυρα)에서 생긴 이름이다. 기원전 2천 년경에는 히타이트의 지배를 받았고, 이후 프리기아와 리디아 등의 지배를 받다가 로마가 아나톨리아반도를 지배하면서 갈라티아주의 주도가 되었다. 비잔티움이 로마 제국과 동로마 제국의 수도로서 명성을 날릴 때 앙카라의 위상도 덩달아 격상되었다. 11세기에는 셀주크 튀르크와 오스만 제국의 주요 도시였으며, 한때 티무르 제국(Timurid Empire, 1370~1507)이 차지하기도 했지만 결국에는 오스만 제국이 자랑하는 주요 도시로 자리매김하였다.

아나톨리아 역사의 주요 도시인 앙카라는 고대부터 현대까지 여러 문명이 거쳐 간 도시이다. 여러 문명의 자취와 흔적은 앙카라 중심부인 구시가지 울루스(Ulus)에서 찾을 수 있다. 과거에 울루스는 앙카라에서 가장 번화한 곳이었다. 은행, 상점, 호텔, 오피스, 식당 등이 즐비했고, 성벽과 박물관, 공원 등 근린시설이 잘 갖추어진 곳이었다. 하지만 신시가지 예니세히르(Yenisehir)가 조성되면서 울루스는 뒷전으로 밀려났다. 예니세히르의 신작로와 울루스의 골목은 대조적이지만 앙카라의 어제와 오늘을 보여 준다. 골목길을 따라가다 보면 옛 상점과 공방, 일터와 쉼터, 장터가 펼쳐지는데, 그 속에서 사람들은 삼삼오오 모여 앉아 차를 마시며 이야기를 나눈다. 어렴풋이 수천 년 전의 이야기, 수백 년 전의 이야기가 귓전에 와닿으며, 오늘 아침에 있었던 이야기를 나누며 즐거워하는 모습이 정겹다. 사람들의 소리를 따라 걷다 보면 어느새 골목길 끝자락에 닿는다. 울루스에는 앙카라 성, 아나톨리아 문명박물관, 겐츨릭 공원, 국회의사당이었던 독립전쟁박물관, 율리아누스 기둥, 로마 원형극장, 로마식 목욕탕 등이 있다.

앙카라는 약 1세기에 걸쳐 예니세히르를 재정비하고 현대화와 산업화에 박차를 가하며 공화국의 수도로서 면모를 갖추었다. 과거와 현재가 공존하고, 전통과 새로움이 어우러지며, 미래를 준비하는 도시가 앙카라이다. 다만 대외적으로 예니세히르만 부각되다 보니 울루스의 멋이 가려져 여행객들이 앙카라의 진면목을 잘 보지 못하는 것이 아쉬울 뿐이다.

〈사진 36〉 앙카라에 공존하는 울루스와 예니세히르

〈사진 37〉 겐츨릭 공원

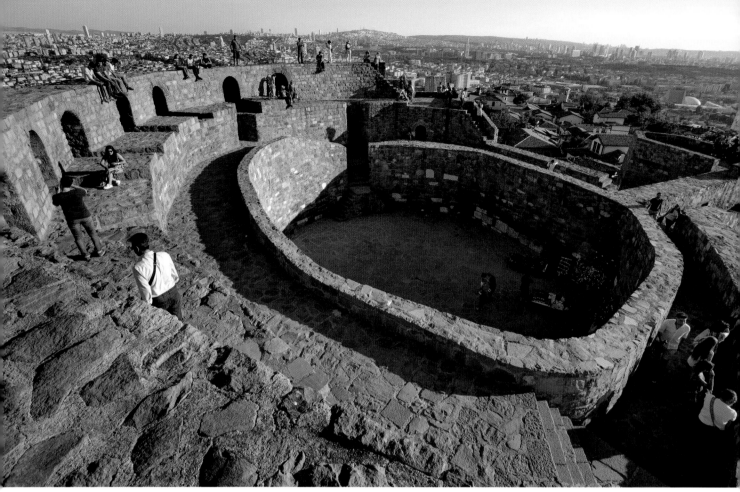

〈사진 38〉 앙카라성(ⓒ계명대학교)

터키 공화국과 아야 소피아

　비잔틴 제국의 보물로서 셀주크·오스만 제국 시기에 특별히 많은 부침이 겪었던 아야 소피아는 터키 공화국 시대에도 그 운명이 별반 달라지지 않았다. 아야 소피아는 이슬람교의 모스크였다가 1922년 오스만 제국의 멸망과 함께 박물관으로 재탄생했다. 무슬림의 예배 공간에 깔렸던 카펫을 걷어 내고 석회 칠한 벽을 벗겨내자 바닥의 옴팔로스와 벽면의 모자이크가 아름다움을 드러냈다. 오스만 제국이 비잔틴 제국의 유산을 원형대로 보존했기에 가능한 일이었다. 보통

　　　　　　　　　　　　　　　　　　　　　　　　위대한 유산 아나톨리아

어느 지역을 정복하면 파괴가 뒤따르는 법이다. 세계사에서 수많은 제국의 제왕들이 그 전철을 밟았다. 하지만 오스만 제국의 술탄들 중에는 예외도 있었다. 그들은 침략을 통해 개방을 유도하고, 파괴 대신 보존을 택했다. 위대한 인간의 위대한 결정이다.

4~5세기에 지어진 아야 소피아는 지진과 화재로 소실된 적도 많았고, 침략자에게 약탈당하거나 파괴기도 했으나 그때마다 보강하며 재건축되어 오늘날의 모습이 되었다. 얼마 전에는 지반이 약해져 건물 벽이 갈라지는 등 위험에 처하자 세계 기념물 기금(WMF, World Monuments Fund)이 아야 소피아를 관찰 대상으로 지정하고, 1997년부터 2002년까지 돔 복구에 재정적인 지원을 했다. 그렇다고 해서 아야 소피아의 보수 공사가 마무리된 것은 아니다. 지금도 아야 소피아의 보수와 보강 작업은 여전히 진행 중이다. 매년 300만 명이 넘는 전 세계 관광객이 이곳을 방문한다고 한다. 아야 소피아의 건재함은 물론, 관광객의 안전을 위해서라도 면밀한 점검과 철저한 안전 관리가 이루어져야 할 것이다.

아야 소피아는 1985년 유네스코 세계문화유산으로 등재되었다. 터키 공화국의 시작과 동시에 박물관으로 개장되면서 종교적인 용도로 사용하는 것이 엄격하게 금지되었다. 하지만 박물관 개장 20년 만에 예외가 생겼다. 이곳에서 일하는 사람들이 박물관 내 지정된 장소에서 기도하는 것이 허용된 것이다. 무슬림은 알라에게, 기독교인은 하나님에게, 또 다른 종교를 믿는 사람들은 그들의 신에게 기도를 드릴 수 있게 되었다. 이것이 계기가 되어 2007년과 2010년, 박물관을 성당과 모스크로 전환하려는 움직임도 있었다. 한 걸음 더 나가 2013년부터 박물관 미나레트를 통해 매일 오후 두 번씩 기도 시간을 알리는 무에진의 외침을 들을 수 있다. 2018년 7월 1일에는 박물관을 모스크로 전환하기 위한 대규모 이슬람 집회가 박물관에서 열렸고, 2019년 7월에는 에르도안 대통령이 박물관을 모스크로 전환하는 행정명령에 서명함으로써 86년 만에 이슬람 금요 기도 예배가 재개되었다.

아나톨리아 정신, 터키 미래의 거름이 되다

아나톨리아반도는 오늘날 터키 영토이지만 아나톨리아의 역사가 곧 터키의 역사는 아니다. 주지하는 바와 같이 세계사에서 한 획을 그은 수많은 제국이 고대부터 20세기 초까지 아나톨리아반도를 지배하고 통치했다. 한때 아나톨리아반도를 통치하거나 거쳐 간 제국으로는 아카드, 아시리아, 히타이트, 페르시아, 그리스, 로마, 아르메니아, 셀주크 튀르크, 오스만 튀르크 등이 있다. 터키 공화국이 수립된 것은 1935년으로, 셀주크 제국과 오스만 제국이 터키 공화국의 역사적인 기반이 되었다고 하더라도 그 역사는 1천 년 남짓이다. 터키에는 여러 민족이 살고 있다. 아나톨리아반도 남동부에는 쿠르드족이, 남부에는 아랍인이 각각 무슬림 집단을 이루고 있으며, 아나톨리아 전역에 아르메니아인, 알바니아인, 유대인, 보스니아인, 조지아인, 그리스인 등이 각자의 종교를 신봉하며 살고 있다. 따라서 터키 공화국의 역사적인 정통성과 민족적인 근원, 문화적인 정체성 등을 획일적으로 규정하는 것은 불가능할 뿐 아니라 불필요하다.

터키의 역사를 가만히 들여다보면 결국 아나톨리아반도에 녹아 있는 실크로드 정신을 추출해 낼 수 있다. 그렇다면 실크로드 정신은 과연 무엇일까? 본질적으로 접근해 보면 실크로드 정신은 '공존'과 '교류'이다. 공존은 대립적인 이원성이 조화롭게 존재하는 것을 말하고, 교류는 비록 대립적인 이원성이 상극을 전제하지만, 결국 상생을 지향하기 위해 서로를 인정하고 이해하며 소통하고 나누는 것을 뜻한다. 지금까지 세계의 지붕을 지탱한 양대 축은 동양과 서양이었다. 말하자면 이 두 축을 중심으로 세계사가 양분되거나 대립했다. 그리고 그 결과 중간 세계로서 동서양을 잇는 실크로드의 역할을 과소평가했고 심지어 그 존재를 망각했는데, 그 이유는 근대의 역사 기록 방식이 그야말로 약육강식의 원리와 적자생존의 법칙을 철저하게 따랐기 때문이다. 찬란했던 실크로드의 역사는 강대국의 이해관계에 따라 이리 치이고 저리 채였으며, 실크로드 정신은 열강들이 실크로드 위를 종횡무진하며 일으킨 먼지에 뒤덮여 그 빛을 잃었다.

역사는 살아 있는 교과서이다. 그리고 역사는 주기적으로 반복된다. 전쟁이든, 전염병이든, 지진이든, 어떤 역사적인 사건이 발생하면 인간은 그에 상응하는 값을 치르면서 알게 모르게 학습을 한다. 그래서 인간은 역사로부터 교훈을 얻고, 역사를 통해 역사의식을 함양한다. 그런데 역사적으로 볼 때 아이러니하게도 인간은 같은 실수를 반복한다. 물론 위대한 인간의 판단과 선행으로 인류를 구원할 수도 있지만, 독재자의 오판과 악행으로 수많은 사람이 목숨을 잃을 수도 있다. 세계사에서 그것을 증명하는 유사한 사례는 수도 없이 많다. 그렇다면 결국 역사는 인간의, 인간을 위한, 인간에 의한 문제이고, 실크로드 역사와 정신도 마찬가지다. 인간의 문제이기 때문에 인간이 원인을 제공하고, 인간이 그 문제를 해결할 수도 있다. 인간을 위한 것이기 때문에 개인이 아니라 전체를 위한 것이어야 하며, 인간에 의한 것이기 때문에 시작은 물론 끝까지 인간이 책임을 져야 한다. 이것은 동서양이나 유럽과 아시아만의 문제가 아니라 지역과 시공간을 초월하고, 종교적·문화적·언어적·혈통적 차이를 넘어선다. 물론 그렇다고 해서 시공간·종교·문화·언어·혈통 등이 약화하거나 무화(無化)되는 것은 아니다. 이 모든 것이 유기적으로 상호작용하면서 함께 발전할 수 있도록 하는 것이 바로 실크로드 정신이다. 터키의 혈통적·인종적 정체성과 파란만장한 역사적·지리적 특수성 등을 바탕으로 실크로드 정신의 정수를 추출할 수 있기를 바란다.

카파도키아 (ⓒ계명대학교)

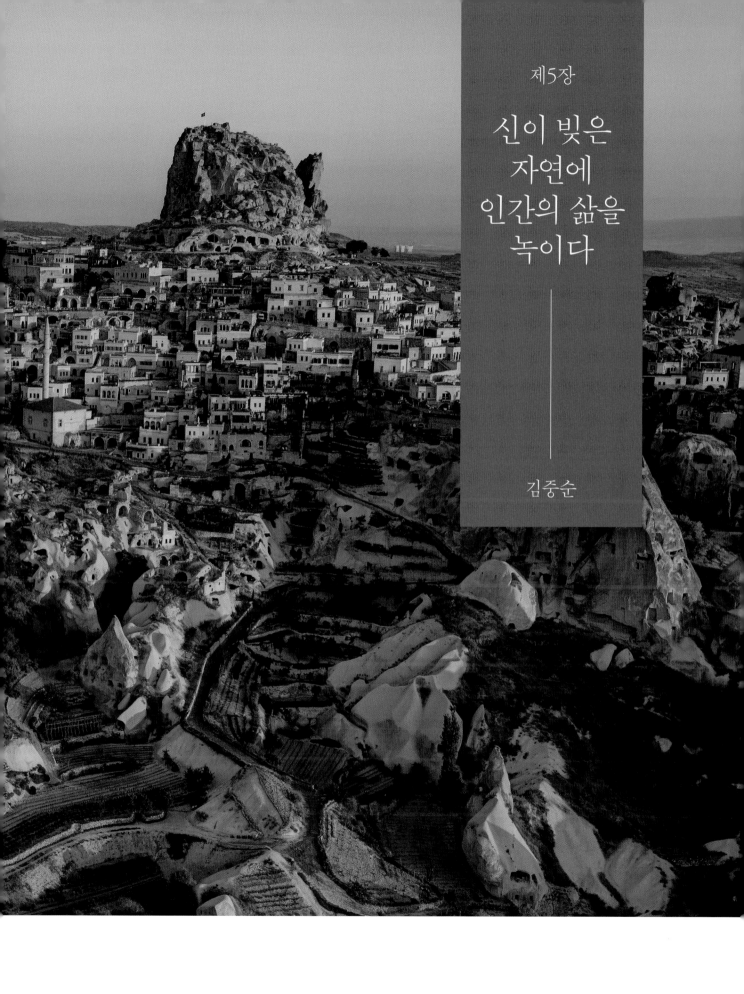

제5장

신이 빚은
자연에
인간의 삶을
녹이다

김중순

카파도키아
독특한 암굴문명을 선물한 신의 조각공원

　사람의 삶은 예나 지금이나 단조롭지만은 않다. 상상을 훨씬 뛰어넘는 독특한 문화를 보게 되면 주어진 환경을 최대한 활용하는 인간의 지혜에 경의를 표하게 된다. 터키 중부 내륙 지방의 카파도키아에는 온갖 형상의 바위들이 끝없이 펼쳐져 지상 최대의 경관을 이룬다. 인간을 위해 만들어 놓은 장엄한 신의 작품 앞에서 물질문명에 찌든 도시인들은 즐거운 상상에 잠긴다. 바위에 뚫린 무수히 많은 작은 구멍으로 들어가면 그 속에 삶의 멋진 공간이 열린다.

　터키 수도인 앙카라에서 남동쪽으로 4시간을 달리면, 일찍이 보지 못했던 신비로운 신의 갤러리가 펼쳐진다. 세계자연문화유산으로 지정된 카파도키아 지역이다. 원래 카파도키아는 그리스의 소왕국이었고, 후일 로마의 속주 중 하나가 되었다. 지금은 동서로 확장되어 그 크기를 알 수 없을 정도. 깔때기를 엎어 놓은 것 같은 수백만 개의 기암괴석들이 갖가지 형태로 계곡을 따라 끝없이 이어진 모습은 다른 행성에 와있는 착각을 불러온다. 이곳을 지나갔던 마르코 폴로는 "계곡에 숨어 화려한 빛을 발하는 대자연의 향연에 내 눈이 놀랐다. 지구상에 이러한 경관이 숨어있다니."라고 감탄하였다. 1907년 여름, 말을 타고 우연히 이곳

〈사진 1〉 카파도키아 야경

을 지나다 카파도키아를 보았던 한 프랑스 신부의 경탄이 새삼 떠오른다. 신을
믿지 않는 사람들도 한 번쯤 절대자의 존재를 깨닫게 되는 위대한 자연에 입을
다물지 못한다. 카파도키아의 넉넉한 품은 동서남북으로 넓혀지면서 동으로는
말라티아, 서로는 소금 호수, 남으로는 토로스산맥에 이르며, 네브세히르, 악사라
이, 니데, 카이세리, 크르세히르 등 다섯 주를 감싸고 있다. 카파도키아의 진정한

〈사진 2〉 괴레메 암굴교회(ⓒ계명대학교)

〈사진 3〉 엘마르 교회, 카란특 교회, 토칼르 교회의 내부

모습은 위루큽-우치히사르-아바노스 세 도시의 삼각 지점에 집중되어 있다.

약 300만 년 전 3,916m의 에르지예스산의 화산 폭발로 인근 수백 킬로미터에 거대한 용암층이 형성되었다. 비바람과 홍수로 끊임없이 깎이고 닳아진 용암층은 바람이 부는 대로 물결 방향에 따라 갖은 모양으로 만들어졌다. 도토리 모양, 버섯 모양, 동물 모양 등등 보는 방향과 상상·기분에 따라 지상의 피조물이 끝없는 조합을 이룬다. 신의 작품이 인간세계에 내려진 것이다.

더불어 사람들은 그 뾰족 솟은 응회암 바위를 깎고 뚫어 거주공간을 만들었다. 공기에 노출된 응회암은 쉽게 다듬을 수 있었다. 그래서 그들은 덥고 건조한 기후를 피해 서늘하고 습기가 살아 있는 굴속에서 삶의 지혜를 익혀갔다. 굴속 공간에는 거주지가 있는데, 안방, 사랑방 등 다양한 용도의 많은 방이 있다. 공간을 효율적으로 이용하기 위해 침실을 따로 만들지 않고 거실 벽에 선반 모양의 굴을 파서, 소위 '벽감 침대'로 침실을 만들었다. 더 아래로 내려가면 대가족이 머물 수 있는 공간도 있다. 아래층에는 소나 노새의 우리도 있다. 부엌은 벽과 천장이 검게 그을려 있고, 바닥에는 토기를 세워놓았던 움푹 팬 흔적도 눈에 띈다. 근처에 방앗간과 곡물창고도 보인다. 미로 같은 연결계단, 무엇보다도 연기를 내보내고, 바깥의 공기를 끌어들이는 과학적인 통풍로에 감탄을 금치 못한다.

우치히사르라고 부르는 거대한 언덕에는 올망졸망한 구멍 속에 수백 채의 암굴집이 낭만적이다. 가까이 다가가면 놀라운 광경이 펼쳐진다. 구멍마다 사람이 들어차 있고, 그 속에 아기자기하게 집을 꾸미며 살고 있다. '우치히사르 45번지'라는 팻말도 붙어 있다. 해가 잘 드는 방향으로 창을 내어 볕이 가득하고, 바닥에는 카펫을 깔아 침실과 응접실을 포근하게 했다.

응회암이 부서져 내린 카파도키아의 하얀 모래땅은 생각보다 비옥하다. 예부터 이곳은 일조량이 풍부해 터키 최고 품질의 포도를 생산하는 산지로 유명하며, 밀도 손꼽힌다. 메마른 땅과 부족한 목재로 집을 짓기보다는 바위라는 자연의 선물을 이용한 것이 놀랍다.

신이 선택한 곳답게 카파도키아의 삶은 먹고, 마시는 것에 그치지 않는다. 비잔틴 시대에 기독교를 받아들인 카파도키아인들은 석굴을 파서 교회를 짓고, 벽면과 천정에 프레스코를 그려 그들의 신앙을 마음껏 표출하였다. 이곳은 4세기 후반 기독교가 활짝 피어난 곳으로 콘스탄티노폴리스 같은 대도시에서 공부한 수도승들이 인적이 드문 이곳에 3,000개의 교회를 지어 수양했다.

으흘라르와 괴레메의 계곡에도 석굴교회들이 있다. 계곡을 거슬러 오르면 깎아 지른 계곡 사이로 수십 개의 교회가 모습을 드러난다. 밧줄에 의지하지 않고는 다다를 수도 없는 가파른 절벽 가운데에 바위를 파서 만든 교회 내부에는 벽

〈사진 4〉 우치히사르(ⓒ계명대학교)

면을 가득 채운 붉은색 프레스코의 생생한 성화가 숙연케 한다. 지금은 야외박물관으로 개장한 괴레메에는 사과교회로 알려진 엘마르(Elmali) 교회, 카란륵(Karanlik) 교회, 토칼르(Tokalı) 교회, 뱀 교회(Yilan) 등 비잔틴 시대의 교회들이 줄지어 있다. 뱀 교회 내부 정면에는 그리스도와 교회에 기부한 사람들이 그려져 있다. 성 바실, 성 토마스, 나체상의 성 모노프리오 벽화가 오른쪽 천장에 나란히 그려져 있고, 왼쪽 천장에는 십자가를 잡고 있는 콘스탄티누스 대제와 그의 어머니 헬레나, 뱀과 싸우고 있는 성 데오도르와 성 조지, 바깥쪽 끝에는 성 오네시모의 벽화가 있다.

카파도키아에는 원시와 비잔틴 문화, 그리고 기독교 전통만 있는 것은 아니다. 북쪽의 귈세히르에는 하지 베크타시라는 이슬람 신비주의 전통도 공존한다. 성인의 돌무덤 앞에서 차도르를 쓴 여인들의 모습도 빼놓을 수 없다. 이곳에서는 자연의 아름다움에 취한 사람들이 품어 내는 문화적 다양성도 안온하게 다가온다. 서쪽 끝에 자리한 네브쉐히르는 고대에 니싸라 불렸으며, 실크로드의 번영을 온몸으로 맞을 당시에는 15만 명에 달하는 많은 사람이 살았던 중세도시다. 셀주크 시대에도 영화를 누리다가 이슬람 도시로 변모했다. 18세기에 지어진 쿠르슌루 모스크와 카야 모스크가 남아 있다.

카파도키아를 세계적인 명소로 만든 또 하나의 자랑거리는 응회암 바위층을 뚫고 건설한 거대한 지하도시 카이마클리(Kaymakli)와 데린쿠유(Derinkuyu)이다. '깊은 웅덩이'라는 이름의 데린쿠유는 목동이 우연히 발견했다고 한다. 사람 머리 하나가 겨우 들어갈 정도의 입구만 보면 그 속에 2만 명이 사는 어마어마한 도시가 있을 것으로 생각하는 사람은 아무도 없을 것이다. 입구로부터 약 55m 지점인 지하 8층에서 길이 막혀 있다. 그 밑으로는 아직 발굴 중이어서 일반인이 가기에는 위험하다고 한다.

머리를 숙여 겨우 지나갈 만한 무수한 통로를 통해 수십 갈래의 미로가 복잡하게 연결되어 있다. 방, 검게 그을린 부엌, 방앗간, 창고 등이 있고, 중앙에는 깊게 파인 공동 우물이 있다. 그 우물은 하늘을 향해 있어 고개를 내밀면 구멍을 통해 맑은 하늘을 볼 수 있다. 곡물창고의 바닥에는 아직도 밀알 화석들이 수습된다고 한다. 도시 중앙에는 많은 사람이 모였던 회랑이 있고, 한쪽 구석에는 교회나 묘

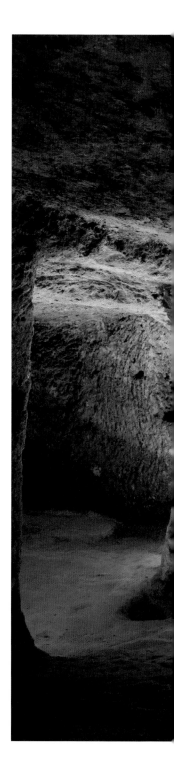

〈사진 5〉 지하도시 데린쿠유

〈사진 6〉 데블란트 계곡(ⓒ계명대학교)

지의 흔적도 있다.

　이곳에 살았던 사람들은 낮에는 밀밭과 포도를 일구고, 밤에는 이곳에서 휴식을 취하였다. 항상 외적의 침입을 대비해 충분한 식량과 물을 저장하였고, 자신들만이 아는 미로를 통해 바깥세상과 연락을 취했다. 미로 중간중간에 큰 바위를 세워 비상시에는 통로를 막아 위험에 대비하는 지혜도 있었다. 수만 명이 먹을 빵을 구웠음에도 연기가 쉽게 바깥으로 빠져나가게 했고, 그러면서도 신선한 바깥 공기가 맨 아래층까지 전달되는 과학도 알고 있었다.

　불가사의한 지하도시를 건설한 사람들이 누구인지, 언제부터 형성되었는지 정

〈사진 1〉 파사바 계곡(ⓒ계명대학교)

확히 아는 사람도, 그것을 알려 주는 신뢰할만한 문헌도 없다. 네브세히르박물관에 전시된 야일라즉 마을의 지브직 동굴에서 발견된 유물들은 적어도 1만 년 전부터 이곳에 사람이 정착했고, 6천~7천 년 전부터는 바위 속에서 혈거 생활을 했다고 알려준다.

조직적으로 이 도시를 건설한 민족은 철기문화를 가졌던 히타이트였다. 히타이트인들은 기원전 1200년경 프리기아의 공격을 피해 앙카라 북쪽의 하투샤에서 카파도키아로 남하하여 이곳에서 생활하기 시작했다. 그러나 도시 구조물 중에는 단단한 석기로 건설된 것도 있어 철기 시대 이전부터 사람이 살았음을 짐작할 수 있다. 지금과 같은 대규모 형태가 된 것은 기독교 시대 이후로, 수많은 기독교인이 박해를 피해 몰려들면서 은신처와 수도원이 만들어졌고 삶의 공간으로 확대되었다.

13세기경 칭기즈칸의 말발굽이 이곳까지 찍혔을 때, 그들은 지하도시의 입구를 봉쇄하고 저항하였다. 미로 중간중간에 있는 맷돌 모양의 큰 바위 문에는 저항의 흔적들이 뚜렷이 남아 있다. 외적이 침입했을 때 각 층을 쉽게 차단하기 위해 각층 입구에는 맷돌 모양의 석문이 설치됐다. 이 석문 가운데에는 지렛대를 꽂을 수 있는 구멍이 있어 쉽게 여닫을 수 있지만, 외부에서 움직이기는 불가능하다.

크고 작은 지하도시 200여 개 중에 지금까지 30개 정도만 확인되었다. 복원된 데린쿠유와 카이마클리를 통해 당시의 삶을 엿볼 수 있다. 지하도시가 몇 층까지 있는지는 아직 모른다. 어떤 이는 17~18층은 족히 될 것이라고 예측하기도 한다. 발굴 중인 외즈코나크의 규모는 6만 명 정도가 살았을 것으로 추정되며, 놀라운 것은 수십 개의 지하도시를 연결하는 비밀통로가 있었다는 주장이다. 카파도키아 지하도시의 실체는 21세기가 밝혀야 할 새로운 형태의 문명임이 틀림없다.

카파도키아의 아바노스(Avanos)에는 터키에서 제일 긴 강(1,355km)인 크즐으르막 강이 있다. 이 지역 사람들은 예부터 강바닥의 찰진 붉은 흙으로 독특한 도기를 만들었다. 지금도 철분이 함유된 점토로 질 좋은 그릇을 구워내고 있다.

카파도키아의 동굴은 무엇보다 여름에는 선선하고 겨울에는 일정한 온도를 유지해 주는 항온성 때문에 자연에 의지하는 고대인에게는 이상적이었다. 아울러 채소나 과일, 잉여 자원을 보관하는 창고 역할도 해왔으며, 지금도 동굴을 이용한 저장문화는 이 지역의 중요한 산업으로 이어지고 있다. 고대에서 터득한 자연의 혜택과 지혜를 21세기에도 이어가고 있는 점이 인상적이다.

파묵칼레
언덕에 세워진 도시 히에라폴리스

히에라폴리스-파묵칼레 약사

1988년 유네스코 세계유산에 등재된 히에라폴리스-파묵칼레(Hierapolis-Pamukkale)
는 한편으로는 인간의 천재적인 창조성이 만들어 낸 위대한 걸작 또는 인간의 순
수성이 빚은 문화적 업적이며, 다른 한편으로는 자연이 인간에게 허락한 천혜의
선물 또는 인류 역사의 중요한 단계를 단적으로 알 수 있는 탁월한 기념물이라
하겠다. 자연은 자연대로 인간에게 아름답고 유익한 환경을 제공하고, 인간은 인
간대로 자연환경을 최대한 활용하여 최고의 인공 온천을 만들었다. 여기에 온천
수의 치유력과 온천 시설의 완벽함이 어우러져 금상첨화를 이룬다.

물은 생명의 원천이자 생명 유지의 필수 요소이다. 출산, 출세, 장수 등을 기원
하는 정화수도 물이고, 사람의 목숨을 좌지우지하는 것도 물이다. 물을 이용한
치료법이 종교적인 치유 행위로 연결되는 것은 자연스러운데, 파묵칼레-히에라
폴리스가 바로 그 현장이다. 파묵칼레 온천의 치유력이 히에라폴리스의 종교 관
습과 연계되는 것도 같은 맥락이다. 그래서 정체 모를 가스가 발생하는 단층 위
에 천상의 신과 지하의 신을 모시는 신전을 세웠다. 또 히에라폴리스에는 대성당
과 교회, 세례당 같은 기독교 건축물이 많은데, 초기 기독교 건축을 대표하는 우

〈사진 8〉 파묵칼레 히에라폴리스

수 사례로 꼽힌다.

히에라폴리스는 기원전 7세기경 아나톨리아 중서부에 있던 프리기아가 세운 것으로 알려져 있다. 기원전 4세기경에는 마케도니아의 알렉산드로스 대왕의 지배를 받다가 기원전 2세기부터는 셀레우코스 왕조의 지배를 받았다. 그러다가 세계사 전면에 등장한 로마가 기원전 130년경 이 지역을 차지함으로써 속주가 되었고, 마케도니아, 로마, 소아시아 각지에서 사람들이 몰려들어 국제도시로 발돋움했다. 전성기 때의 인구는 거의 10만 명에 달했다고 한다.

로마는 히에라폴리스에 특별히 많은 유산을 남겼으며, 서로마 제국 멸망 후에는 동로마 제국이 지배했다. 7세기 초에는 동로마 제국이 쇠퇴한 틈을 타 사산조 페르시아가 히에라폴리스를 공격했으며, 잦은 지진으로 복구와 파괴가 거듭되다가 11세기 후반 셀주크 튀르크의 지배를 받으면서 파묵칼레라는 이름을 얻게 되었다. 1354년 대지진이 또 한 번 히에라폴리스를 강타하자 도시는 완전히 폐허가 되어 석회암에 묻혀버렸다.

1887년, 파묵칼레-히에라폴리스가 자취를 감춘 지 500년이 훨씬 지난 시점에 독일의 고고학자 카를 후만이 이곳을 발굴했다. 그는 원래 철도기술자로 약 10년 전 페르가몬에서 철도 작업을 하다가 우연히 프리즈를 발견하고 베를린박물관에 신고함으로써 페르가몬 발굴에 결정적인 역할을 했다. 페르가몬 유적을 베를린박물관에서 발굴했다는 것은 페르가몬에게는 비극이었다. 페르가몬 유적지가 완전체가 아닌 이유는 베를린박물관에서 찾을 수 있다. 페르가몬 유적지 절반이 베를린박물관에 버젓이 놓여 있고, 바빌론의 이슈타르 문도 그곳에 있다. 19세기 말 카를 후만의 파묵칼레-히에라폴리스 발굴 계획으로 이 지역 자연환경이 심각하게 훼손되었고, 결국 수포가 되었다. 이후 반세기가 훨씬 더 지나서 이탈리아 과학자들이 파묵칼레-히에라폴리스를 다시 발굴하기 시작했는데, 마무리되는 데 50년 이상이 걸렸다.

히에라폴리스-파묵칼레: '신성한 도시'에 지은 '목화 성'

'신성한'을 뜻하는 터키어 히에로스와 '도시'를 뜻하는 폴리스의 합성어인 히에라폴리스는 '신성한 도시'를 의미한다. '신성한 도시'라고 하면 뭔가 범접하기 어렵고 특별한 존재가 든든하게 지켜주는 요새 같은 느낌이 든다. 그래서인지 '신성한 도시' 히에라폴리스는 여러 민족과 제국의 지배를 받았지만, 상대적으로 그 빈도가 낮았고, 피해도 적었으며, 파괴도 덜 했다. 게다가 지정학적으로도 요충지가 아니었기 때문에 눈독을 들이는 세력도 많지 않았다. 말하자면 로마가 파묵칼레가 있는 히에라폴리스를 차지하기 전까지 이 지역은 세인의 이목을 끌지 못했다. 히에라폴리스는 2세기 로마가 파묵칼레의 가능성을 염두에 두고 정비하면서 지금의 면모를 갖추게 되었다.

'목화'를 뜻하는 터키어 파묵과 '성(城)'을 뜻하는 칼레의 합성어인 파묵칼레는 직역하면 '목화 성'이다. '목화 성'을 상상하면 하얀색 목화솜을 얇고 넓게 펴서 겹겹이 쌓아 올린 성이 떠오른다. 목화솜으로 만든 하얀 성의 느낌은 따뜻하고 포근하고 편안하다. 파묵칼레를 보는 순간 상상이 현실이 된다. 멀리서 파묵칼레를 보고 있으면 정말로 하얀 목화솜이 겹겹이 쌓여있는 것 같다. 이제 온몸을 포근한 솜으로 살포시 덮어보자. 온천물에 발을 담그니 꽁꽁 얼었던 발이 녹고 굳었던 몸이 풀린다. 금방이라도 노곤해질 것만 같았다. 흐르는 온천수가 발등을 간지럽히고 종아리를 주무르며 무릎을 두드린다. 자꾸 재잘재잘 속닥대며 토닥토닥 자장가를 부른다. 정말 따뜻하고 포근하고 편안하다. 자연의 품이라 더욱더 그렇다.

고대인들은 지하에서 흘러나오는 정체불명의 광물질을 신성시하면서 그것으로 육신의 병을 치료하기도 하고, 정신적인 불안을 해소하기도 했다. 섭씨 35~36도, 그러니까 체온과 같이 따뜻한 온천수가 몇천 년 동안 수직으로 흘러내리면서 물에 섞인 석회 성분이 지표면에 퇴적되어 층계를 형성한 것이 지금의 모습이다. 보성 차밭의 초록색을 하얗게 덧칠하면 그 모양이 파묵칼레와 얼추 비슷하다. 파묵칼레와 같은 천혜의 선물은 정말로 흔치 않다. 지구상에서 파묵칼레와 유사한 사례를 찾아볼 수 없다고 한다. 그래서 더 귀하고 소중하다. 그러한 자연의 귀함

〈사진 9〉 파묵칼레 온천

과 소중함에 인간의 위대함이 더해져서 히에라폴리스-파묵칼레는 이름값을 톡톡히 해내고 있다. 다만 히에라폴리스 여기저기에 흩어져 있는 각종 시설과 유적지, 건축물, 신전 등이 세월의 부침과 지진 같은 자연재해로 파괴되거나 붕괴하여 과거의 모습을 보여 주지 못하는 것은 안타깝다. 그나마 히에라폴리스박물관에서 옛 모습을 엿볼 수 있어서 다행이다.

히에라폴리스에서 순교한 성 빌립보

성 빌립보가 히에라폴리스에서 순교한 것은 로마 제국의 열한 번째 황제 도미티아누스(51~96)와 상관이 있다. 그는 플라비우스 왕조의 마지막 황제로, 권위주의적이고 자신의 위상에 특별히 신경을 쓴 것으로 알려져 있다. 일례로, 당시 그리스에서 4년마다 한 번씩 열렸던 고대 올림픽 경기가 로마에서도 개최되었는데, 도미티아누스 황제는 그리스풍의 옷과 금관을 착용하고 심판들에게 자신의 초상이 새겨진 관을 쓰게 했다고 한다. 관에는 여러 신이 황제를 둘러싸고 있는 모습이 눈에 띄는데, 이로 미루어 그가 얼마나 권위적이었는지를 짐작할 수 있다.

도미티아누스 황제가 통치하던 시기는 로마 제국에서 기독교가 공인되기 훨씬 전이었다. 그런데도 황제는 기독교인에게 충성심을 끌어내기 위해 자칭 '주님이자 하느님(dominus et deus)'이라고 하면서 자신을 기독교 유일신과 동일시하고 복종을 강요했다. 올림픽 경기에서 심판들이 쓴 관에 새겨진 황제의 모습, 즉 여러 신에 둘러싸인 황제의 모습이 바로 자신을 유일하고 절대적인 신과 동일시한 것을 형상화한 것이다. 하지만 이러한 모습과 행동은 '나 외에 다른 신을 섬기지 말라'고 하는 십계명에 반하기 때문에 기독교인들은 황제의 명령에 불복종하고 황제의 우상화에 반대했다. 그 결과 기독교인들은 로마 제국의 탄압을 받아야만 했다.

성 빌립보는 예수 그리스도의 열두 제자 중 가장 먼저 부름을 받았고 도미티아누스 황제의 철권통치하에서 십자가에 못 박혀 순교했다. 본래 세례자 요한의 제자였으나 예수를 만난 후 그의 제자가 되었다. 예수 그리스도가 오병이어(五餅二魚)의 기적을 행하기 전에 빌립보와 나눈 대화가 요한복음 6장 5~7절의 내용이다.

"우리가 어디서 떡을 사서 이 사람들을 먹이겠느냐 하시니… 빌립보가 대답하되 각 사람으로 조금씩 받게 할지라도 이백 데나리온의 떡이 부족하나이다." 또 최후의 만찬에서 "예수께서 이르시되 내가 곧 길이요, 진리요, 생명이니 나로 말미암지 않고는 아버지께 올 자가 없느니라. 너희가 나를 알았더라면 내 아버지도 알았으리로다. 이제부터는 너희가 그를 알았고 또 보았느니라."라고 했을 때 빌립보가 이르되, "주여, 아버지를 우리에게 보여 주옵소서. 그리하면 족하겠나이다."(요 14장 6-8)

예수와 빌립보의 대화로 미루어볼 때, 빌립보가 원래는 확고한 믿음의 소유자가 아니었음을 알 수 있다. 예수의 열두 제자 중에는 믿음이 강한 자도 있고, 약한 자도 있으며, 믿음이 없어서 예수를 팔아넘긴 자도 있다. 믿음의 정도와 예수의 제자가 되는 자격은 별개이다. 예수의 제자도 인간이기 때문에 실수할 수 있고, 우를 범할 수 있으며, 돌이킬 수 없는 잘못도 저지를 수 있다.

빌립보는 성인으로 추앙될 만큼 예수의 제자로서 예수의 가르침에 충실했다. 흑해 북서부 지방에서 오랫동안 복음을 전하고, 아나톨리아반도 중부 프리기아 지방에서 기독교를 전파했다. 도미티아누스 황제의 우상화가 극에 달하고 기독교 탄압과 기독교인 박해가 정점에 이르렀을 때, 빌립보는 87세의 나이로 히에라폴리스에서 십자가에 박혀 돌에 맞아 순교했다. 히에라폴리스 뒷산에는 5~6세기에 세워진 사도 빌립보 순교 기념관이 있다. 히에라폴리스에서 순교한 후 빌립보의 유해는 로마로 옮겨져 열두 사도 대성전에 모셔졌다.

히에라폴리스, 문화유산과 유적의 노천박물관

소아시아의 일곱 교회 중 하나인 라오디케이아 교회 터를 경유하여 히에라폴리스에 접어들면 과거의 영광은 온데간데없고 넓게 펼쳐진 터만 볼 수 있다. 알렉산드로스 대왕 사후 헬레니즘을 계승한 셀레우코스 왕조가 지중해 동부에서 가장 중요한 안티오크와 메소포타미아의 대도시 셀레우키아를 잇는 핵심 거점

〈사진 10〉 히에라폴리스 원형극장(©계명대학교)

〈사진 11〉 네크로폴리스
〈사진 12〉 도시미안 문

으로 삼은 것만 보더라도 히에라폴리스가 헬레니즘과 메소포타미아 문명의 요람이라는 것을 알 수 있다. 그뿐 아니라 히에라폴리스는 약사를 통해 보았듯이 원형극장을 비롯한 로마 시대의 대형 목욕탕, 로마의 문이라고 일컬어지는 도미시안 문, 1200여 개의 묘지가 늘어서 있는 네크로폴리스, 히에라폴리스박물관, 수로 등 다양한 문화유산과 유적을 품고 있는 노천박물관이다.

히에라폴리스의 원형극장은 기원전 2세기 로마 제국의 제14대 황제 하드리아누스의 방문을 기념하여 세워졌다. 무대 벽면에는 아폴론과 디오니소스 등 그리스 신들이 조각되어 있고, 훼손된 일부 신상과 유물들은 박물관에 따로 전시되어 있다. 원형극장의 규모는 객석을 기준으로 1만 5,000명 정도 수용이 가능하다. 무대에서 가장 멀리 떨어진 객석에 앉아보니 무대가 작게 보여 육안으로는 공연을 제대로 즐길 수 없지만, 무대를 향해 마음과 귀를 활짝 열었더니 배우들의 속삭임까지 들을 수 있어 물리적인 거리와 소리는 별개임을 알 수 있었다.

히에라폴리스에는 남쪽과 북쪽에 목욕탕이 있다. 남쪽 목욕탕에는 현재 히에라폴리스박물관이 들어섰는데, 그 지역에서 출토된 조각과 석관, 석상 등을 전시하고 있다. 북쪽 목욕탕은 전형적인 로마 건축 양식으로 지어졌는데, 세 개의 아치가 연속된 도미시안 문이 있다. 도미시안 문은 서기 84~85년에 도미티아누스 황제를 기리기 위해 세운 문으로, 로마 양식이 잘 반영되어 있어서 '로마의 문'이라고도 불린다. 히에라폴리스 북쪽에는 '죽은 자의 도시'를 뜻하는 네크로폴리스가 있는데, 약 1,200개의 묘지가 있다. 히에라폴리스-파묵칼레에 이렇게 많은 묘지가 있는 것은 우연이 아니다. 고위층 인사나 왕실 가족, 그 밖의 유명인 등이 온천 지역으로 휴양왔다가 완쾌하지 못하고 삶을 마무리한 것과도 무관하지 않다. 죽음과 맞닿아 있는 것이 생명이고, 생명의 원천이 물이라는 점에서 히에라폴리스의 수로는 특별한 의미가 있다. 히에라폴리스는 적극적으로 수로를 만들어 도시의 젖줄을 구축하였다. 이로써 도시에 충분한 물을 확보하고 광장과 주택가에 원활히 공급하여 활기를 불어넣었다.

사프란볼루

가장 오스만다운 17세기의 흑해 도시

사프란(Safran)은 색상과 향이 매력적인 꽃으로, 잎이 가늘고 단단하며 중심부에 은회색 줄무늬가 들어가 있다. 유럽 남부와 지중해 연안이 원산지이며, 10~15cm 정도인 붓꽃과의 여러해살이다. 햇빛이 들면 꽃이 활짝 폈다가 날이 흐리거나 해가 지면 이내 잎을 닫아 달걀모양이 된다. 3~4월경 뿌리에서 올라온 잎들 사이에서 꽃줄기가 나온다. 끝에 한 개씩 피는 꽃은 보라색, 노란색, 흰색 등으로 다양하고, 꽃잎과 수술은 여섯 개이지만 암술은 한 개로 암술대는 세 개로 갈라져 있다. 최고급 향신료인 사프란은 바로 이 암술머리를 말려서 만든다.

사프란볼루(Safranbolu)란 '사프란 꽃이 피는 도시'라는 뜻이다. 주변 마을 다부트오바스(Davutobasi), 아샤으귀네이(Aşağıgüney), 야즈쾨이(Yazıköy), 뒤즈제(Düzce), 게렌(Geren) 등은 따뜻한 기후와 비옥한 토양 덕분에 세계에서 가장 좋은 품종의 사프란이 재배된다. 음식 재료나 약재로도 쓰이는 사프란은 한때 금값과 맞먹을 정도로 귀했기 때문에 큰 돈이 오갔고, 사프란볼루 사람들은 큰 부를 누렸다.

사프란볼루는 오늘날까지 오스만 시대의 삶의 흔적을 유지하고 있는 도시다. 수도 앙카라에서 북쪽으로 대략 200km, 흑해에서 남쪽으로 100km 정도 떨어져

〈사진 13〉카라반사라이

있는 카라뷰크(Karabuk)주에 있으며, 인구는 5만 명 정도다. 한때 중앙아시아에서 밀려온 유목민들의 거주지이기도 했고, 수 세기 동안 오스만 제국이 서쪽으로 이동해 가면서 여러 차례의 변화를 겪기도 했다. 따라서 이곳에는 다양한 역사와 문화가 공존한다.

호메로스의 《일리아드》에 등장하는 파플라고니아(Paphlagonia)라는 지역이 이 도시에 대한 첫 번째 기록이다. 그 후로 히타이트, 프리기아, 리디아, 페르시아, 그리스, 로마 등을 거쳤다. 지금의 정착지는 11세기 튀르크족의 정복 이후 무역 중심지로 발전한 곳이며, 셀주크의 지배를 받다가 14세기 중반에 오스만 제국의 통치하에 들어갔다. 동서 무역로를 형성하는 데 중요한 대상숙소(隊商宿所) 카라반사라이(Caravansarai)가 이곳에 세워진 것도 이때다. 17세기에는 큰 번영을 누렸고, 경제 성장과 맞물려 도시가 유기적으로 발달했음을 짐작할 수 있다. 하지만 19세기에 철도가 들어오면서 갑자기 연결고리를 잃었고, 실크로드 무역 역시 쇠퇴하였다. 도시는 발전을 이어갈 수 없었지만, 역설적으로 사프란볼루가 잘 보존될 수 있었던 이유가 되었다.

자그마한 도시는 마을 중심에 모스크를 두고 독특한 삶을 이어갔다. 진지 터키탕, 이제트 파샤 모스크를 중심으로 오스만 시대를 현대적으로 재현하고 있다. 마을 전체를 휘감고 있는 오스만 시대의 전통과 17~18세기 건축이 잘 보존돼 1994년 유네스코 세계문화유산에 등재되었다. 과거 실크로드의 영광을 되살린 사프란볼루 로쿰은 연간 150만 명의 관광객이 꼭 챙기는 특산품이다.

사프란볼루에서 가장 중요한 건축물은 무려 60개의 객실을 가진 카라반사라이 진지 한(Cinci Han)이다. 지금은 전체를 객실로 개조하여 호텔로 쓰고 있지만, 작은 분수와 화단이 있는 중정(中庭)이 있어 대상숙소의 전형적인 구조를 갖춘 곳이다. 1층에는 목욕탕, 연회실, 식당, 그리고 마구간이 있었고, 2층은 상인들이 머무는 숙소였다.

사프란볼루는 도심지의 시장인 추쿠르(Çukur), 과거에 비무슬림들이 살던 곳으로 알려진 크란쾨이(Kıranköy), 그리고 포도원 언덕인 바을라르(Bağlar) 등 세 지역으로 나뉜다. 추쿠르는 무두장이, 대장장이, 섬유공 등 장인들의 집과 공방으로 둘러싸인 장터이다. 유서 깊은 전통시장 아라스타 바자르(Arasta Bazar)는 1661년에 문

〈사진 14〉 아라스타 바자르

을 연 후 350년이 지난 지금까지 사프란볼루를 대표하는 교역의 현장이다. 수공예품, 식탁보, 종교용품, 보석 세공품, 약재 등이 하늘이 열린 좁은 골목길을 가득 채우고 있다. 크란쾨이에서는 추쿠르의 목조 가옥과 달리 돌로 지어진 집들을 볼 수 있다. 장인들과 상인들은 작업장 위층에 거주하면서 지하에는 와인을 양조하고 보관하는 창고를 두었다. 장인들과 상인들이 가게의 상층부에 살았던 당시 유럽의 도시와 유사한 사회·건축적 패턴이다. 바을라르는 도시의 북서쪽 경사면에 있는 피서지다. 추쿠르보다 몇백 미터 더 높은 곳에 있어 사람들은 이곳에서 여름을 시원하게 보내기 위해 찾아온다. 이 여름 집에서 겨울에 먹을 채소와 과일을 재배해 건조하거나 절여 저장하는 것은 유목 생활의 전통이 이어진 것이다. 도심으로 통하는 거리는 모두 돌로 포장되어 있다. 이런 방식은 습기를 최소화하고, 많은 비에도 견딜 수 있으며, 나무가 잘 자라게 하는 데도 적합하다. 가옥을 살펴보면 어떤 집도 마구잡이로 지은 것이 없다. 주로 3층으로 지은 집에는 정원이 있으며, 6~8개의 넓은 방이 있다. 편하게 이동할 수 있게 실용적으로 동선을 설계했을 뿐 아니라 미학적으로도 아름다운 형태다. 비를 막기 위해 길게 낸 처마 가장자리에는 행운을 상징하는 사슴뿔이 있다.

여닫이로 된 커다란 대문을 열면 정원이나 집안으로 통하게 되어 있고, 정원은 돌담으로 길거리와 구분했다. 입구에 들어서면 하얏트(Hayat)라는 구역으로 햇빛이 들어오고 공기가 순환되도록 했다. 마구간을 두어 가축도 길렀다. 비가 많이 오는 지역이라 저장고는 필수였다. 사료나 땔감도 따로 보관하려면 가옥의 규모는 클 수밖에 없었다.

대문에는 커다란 자물쇠와 둥그런 쇠고리, 문을 두드리는 데 사용하는 추와 빗장장치가 있다. 남자들은 위쪽의 커다란 추를, 여자들은 아래쪽의 작은 쇠고리를 두드리게 되어 있어 소리만 들어도 방문객의 성별을 알 수 있다. 대문은 집안에서 줄을 당기면 열리도록 해두었다.

가옥은 남자들의 공간인 셀람륵(Selamllk)과 여자들의 공간인 하렘(Harem)이 엄격히 분리되는데, 출입문이 아예 두 개인 곳도 있다. 하렘은 가장 안쪽에 위치하여 한옥의 안채를 연상시킨다. 짚을 섞은 진흙과 나무로 지어 보온과 냉방이 뛰어나다.

실내에서는 신발을 벗고 생활했으며, 방에는 작은 샤워실을 따로 두기도 했다. 창문은 아래위로 길고 좁게 내 2층의 발코니처럼 앞으로 나와 있는 구조가 특징이다. 위층으로 올라가는 계단 역시 목재 가공 기술의 절정을 보여 준다. 2층은 다른 층에 비해 천정이 낮으며, 필요에 따라 침실로도 사용할 수 있는 부엌이 있다. 부엌과 남자 손님들을 대접하는 방은 나란히 있고, 두 공간 사이에는 회전서랍 장치가 있다. 여자들이 부엌에서 음식을 만들어 서랍 위에 올려놓으면, 남자들은 서랍을 돌려서 음식을 받을 수 있다. 이는 안주인이 계속해서 부엌과 방을 오가는 번거로움을 없애줄 뿐 아니라 여성이 가족 이외의 남자에게 얼굴을 보이지 않도록 하려는 배려이기도 하다. 또 며느리 방에는 며느리가 혼자 울 수 있도록 방음장치가 된 작은 방이 딸려 있다. 방 안 옷장에는 귀중품을 보관하는 비밀 서랍도 있다. 이처럼 실내가 세세하게 구성된 것은 가정의 모든 구성원의 평안과 존엄성을 지켜주기 위한 배려 차원이라고 할 수 있다.

3층은 천장이 아주 높다. 현관은 팔각형으로 되어 있으며, 대각선으로 마주 보고 있는 네 개의 문을 통해 방으로 들어갈 수 있다. 여기에는 방이 바로 보이지 않도록 나무 병풍을 세웠다. 홀과 방의 천장들은 정교한 나무 장식으로 뒤덮여 있으며, 모든 방에는 긴 방석과 화로가 있고, 벽에는 나무 장식장과 선반이 있다. 심지어 목욕실까지 있어 손님들이 독립적으로 사용할 수 있게 했다. 손님을 귀하게 여기는 터키 풍습의 또 다른 측면이다. 독특한 멋을 내는 돌출된 발코니는 건물 외관을 한층 멋스럽게 할 뿐 아니라 창 앞에 긴 의자를 놓고 거리를 내다볼 수 있는 공간도 내어 준다.

창문은 모양이 좁고 길다. 목재 덧문은 무샤박(muşabak)이라 하는 격자 모양으로 제작되어 외부인이 안을 들여다 볼 수 없게 했다. 창문이 많아 집안 내부는 넓게 보이고, 밖에서는 예쁘게 보인다. 커튼은 대부분 흰색 레이스나 성긴 천으로 만들어 신비롭다. 돌출 발코니는 집과 집 사이의 거리를 좁혀, 외출을 꺼렸던 무슬림 여인들의 사교 활동을 가능하게 했다. 이는 여성들을 위한 일종의 해방공간이기도 하다.

사프란볼루 가옥은 남녀의 출입구가 다르고, 각 방에는 목욕탕이 있고, 벽과 천정의 나무 세공이 아주 섬세하다. 또 좁고 긴 창문들을 많이 내어 방안을 환하

〈사진 15〉 사프란볼루의 목재를 이용한 가옥

〈사진 16〉 사프란볼루의 석조가옥

게 했다. 거실은 대가족의 생활을 고려해 넓게 설계하여 가족회의와 의식을 치르는 데 아주 적합하다. 타인에 대한 배려도 잊지 않았다. 예컨대, 모든 집은 다른 집의 조망권과 일조권을 침범하지 않도록 지어졌고, 어떤 창문도 다른 집의 창문과 마주하지 않아 사생활을 최대한 보호하고 있다.

집 안 풍경만큼이나 중요한 것이 창을 통해 보는 바깥 경치다. 창문을 통해 거리를 내다보면 우물을 볼 수 있는데 5km 떨어진 이제카야(İncekaya) 수도교에서 물길을 끌어온 것이다. 일부 저택에는 실내 분수가 있는 곳도 있다. 재미있는 것은 물소리를 조절할 수 있어서 방 안에서 나누는 이야기가 바깥으로 흘러나가지 않게 할 수도 있다. 물론 소화용, 정원 급수용으로도 사용한다. 기도하기 전에 몸을 씻는 장소나 화장실은 집 안에서 멀리 떨어진 곳에 있으며, 화장실에는 환기할 수 있는 작은 창문이 있다. 구정물은 하수구 혹은 화장실로 빼내고, 설거지물은 정원으로 흐르도록 한 당시의 하수도 시스템은 지금도 유용하다. 당시의 기술력이 얼마나 뛰어났는지 놀랍다. 이처럼 사프란볼루는 자연과 인간과 집, 길과 집, 길과 시장 등이 정연하고 조화롭게 관계를 이루는 아름다운 곳이다.

아라베스크와 캘리그래피
신의 형상을 표현하고 신의 말씀을 기록하다

아라베스크는 이슬람 신앙 예술의 정수다. 이슬람이 우상 숭배를 금지하면서 사람이나 동물을 형상화할 수 없게 되자 풀과 나무, 꾸란의 서체를 이용한 독특한 예술적 문양을 창출해냈다. 이를 통칭하여 아라베스크라 한다. 막혀 있던 인간 심연의 예술성을 신의 품속에서 오묘하게 표현한 것이다. 정교하고 화려한 꽃잎과 아름답게 뻗어가는 나뭇가지, 비틀어지고 휘감기면서도 정연한 질서와 신의 메시지를 담은 꾸란의 기하학적 서체, 천국을 상징하는 꽃과 잎이 무성하고 생명의 물이 흐르는 유토피아적인 묘사는 사람의 마음을 움직이고 역동적인 창조성을 자극한다. 음양이 조화를 이루고 좌우가 대칭되며, 꼬리에 꼬리를 물고 이어지는 연결 철학, 디자인의 상상력, 반복과 대칭적 회전 같은 인간의 모든 예술적 성향이 실험되었다.

이슬람 예술의 가장 큰 특징은 사람이나 동물을 형상화한 문양을 넣지 않는 것이다. 하느님만을 섬기고, 하느님 이외에는 그 누구에게도 고개를 숙이거나 경배하지 말라는 이슬람교의 가르침에 근거한 종교적 명제 때문이다. 이슬람교는 우상으로 전락할 수 있는 성화나 성물을 만들어 숭배하는 다른 종교들의 의식에 경멸의 눈길을 보내기도 했다. 비잔틴 제국의 동로마 교회가 성화와 성물을 우상으로 보고 금기시하면서 이를 허용한 서로마 교회와 오랜 논쟁을 거치면서 동서 교회로 분리된 배경에는 이슬람의 영향도 적지 않다. 이처럼 아라베스크는 허용된 영적 경계 내에서 찾아낸 대안적 예술이자 새로운 문화였다.

이슬람 세계에서는 모든 예술이 하느님의 뜻을 받드는 도구로 출발했다. 모스크와 묘당의 건축은 신을 만나서 신에게 돌아가는 공간이었고, 최고의 음악은 신의 음성인 꾸란 낭송이었다. 신이 사용하실 도구의 아름다움을 극대화하기 위해 금속공예의 정교함이 발현되었고, 신의 목소리는 캘리그래프라는 서체 예술로 양피지나 종이 위에 기록되었다. 누구도 알 수 없게 시시각각으로 나타나는 신의 모습은 에브루(Ebru)라는 예술로 이어졌다. 시작도 끝도 없는 반복과 대칭 구도 자체인 아라베스크 문양이 바로 오묘한 신의 섭리를 표현한 예술이다.

아라베스크의 색감 또한 화려하다. 이슬람이 태동한 사막은 색이 없는 건조한 공간이다. 무채색의 공간에서 본 적도 없는 색을 표현한 것이다. 그들은 색깔이란 하느님이 창조한 것이므로 신의 모습을 표현하는 데 신이 만든 모든 색깔을 조화롭게 사용해 표현해야 한다고 생각했다. 절절한 열망과 고양된 상상력을 모으지 않고서는 눈으로 본 적도 없는 색을, 그것도 신을 표현하는 색을 만들어 낼 수 없다. 아프리카 예술의 원색은 늘 보는 색을 재현한 것이어서 자연적이고 인간 친화적인 데 반해 아라베스크의 색은 범접할 수 없는 신 친화적이라고 할 수 있다.

아라베스크 문양의 벽면 장식도 이슬람 예술에서 빼놓을 수 없다. 신은 현재의 자리에서 그 모습 그대로 영원불변해야 한다. 그래서 신의 의지를 표현하는 캔버스에 변동성이 있어선 안 된다. 변색도, 흐트러짐도, 세월에 따른 변화도 용납되지 않는다. 어떤 풍파에도 손상되어선 안 된다. 하느님의 색깔이 어떻게 변할 수가 있겠는가? 그래서 그들은 벽을 캔버스로 삼았다. 고온에서 구운 고강도 타일을 미술 도구로 삼고, 신이 자리하는 공간인 모스크에 아라베스크 문양이 불멸의 타일로 꾸며졌다. 술탄 마흐메트 모스크(블루 모스크)를 중심으로 오스만 제국 시기에 건축된 거의 모든 모스크 벽면에는 이즈니크(Iznik) 타일로 아라베스크 장식이 화려하게 채워져 있다. 아라베스크 무늬는 고구려, 백제, 신라 시대에도 널리 쓰였다. 처마의 와당 장식, 불교 사찰의 단청, 청자나 백자에 그려진 문양, 전통 가

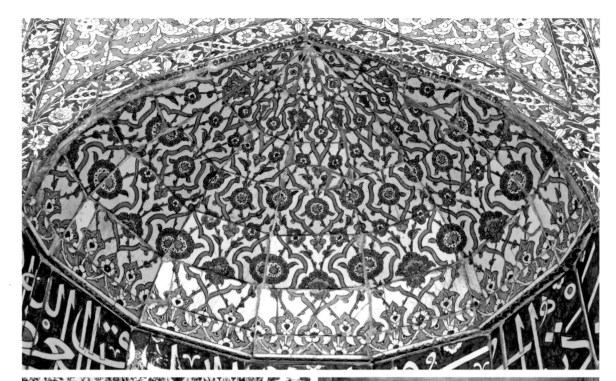

〈사진 17〉 아라베스크 문양

옥의 문살 등에 쓰인 문양의 원형이 바로 아라베스크다. 지금은 식물 형태를 도 안화한 당초문(唐草紋)으로 알려져 있다.

아라베스크의 기하학적 무늬마다 특별한 의미가 있는데 대추야자 나무나 코 코넛 나무는 축복과 충족을 의미한다. 작약은 부를, 연꽃은 가문의 영광을 상징 한다. 끝없이 연결되는 매듭 모양의 기하학적 무늬는 지혜와 불멸을 의미한다. 아라베스크는 훗날 다른 예술 분야에도 큰 영향을 주었다. 특히 르네상스 이후 유럽 장식예술에서 아라베스크가 널리 통용되었고 인기를 끌었다. 음악에서 아 라베스크는 하나의 악상을 화려한 장식으로 전개하는 악곡을 뜻한다. 슈만은 1839년에 작곡한 피아노 소곡에 아라베스크라는 제목을 붙였고, 드뷔시의 초기 피아노곡도 아라베스크 계열의 작품으로 유명하다. 무용에서는 한 발로 서서 한 손은 앞으로 뻗고 다른 한 손과 다리는 뒤로 뻗는 고전 발레 자세를 일컬어 아라 베스크라고 한다.

신의 뜻을 의식에 새기는 도구, 캘리그래피

캘리그래피는 이슬람 미술에서 아라베스크와 함께 발전한 예술 장르다. 아랍 어로는 하트(Khatt)라 불린다. 아랍 문자로 쓴 꾸란이나 이슬람교의 교훈 등을 아 름답고 신비로운 서체 미술로 표현한 이슬람 캘리그래피는 신성 예술의 꽃, 신의 목소리를 기록한 예술이다. 아랍국가들뿐 아니라 오스만 제국(터키), 페르시아(이 란), 파키스탄, 아프가니스탄 등에서도 아랍 문자로 각각 오스만어, 페르시아어, 우르두어를 기록하여 이슬람 캘리그래피가 동시에 발달하였다.

오스만 시대 최고의 서예가는 세이흐 함둘라(Seyh Hamdullah)이다. 그는 술탄 바 예지드 2세(1481~1512 재위)의 수석 서예가로 당시 알려진 여섯 가지 서체를 완벽 하게 구현하였을 뿐 아니라 '세이흐 스타일'이라고 하는 독특한 서체를 개발하기 도 했다. 또 유명한 서예가로는 오스만 제국의 전성기를 이끈 술탄 술레이만 시 대(1520~1566)에 활동한 아흐마드 카라히사르(Ahmet Karahisar)로 그의 서체는 '루비 체'라 불린다. 17세기 말엽에 활동한 서예가인 하피즈 오스만(Hafiz Osman)은 오스

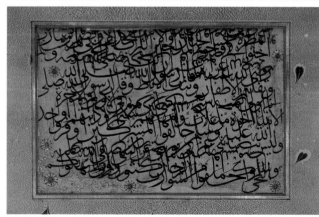

〈사진 18〉 세이흐 함둘라의 캘리그래피

만 제국 서체의 획기적 변형을 가져다주면서 많은 제자를 길러낸 인물이다. 무엇보다 오스만 제국 시대의 서예 장르에 두드러진 점은 술탄의 서명을 위엄있고 조화롭게 장식하는 새로운 서체, 투으라(Tugra)의 등장이다. 토프카프 왕궁이나 주요 모스크 입구에는 투으라가 어김없이 걸려 있다.

무슬림들은 꾸란이야말로 절대불변의 진리라고 믿는다. 그 말씀을 가장 아름답고 영적인 형태로 기록하여 일상으로 마주하고 염원한다. 아랍어는 원래 28개의 자음만 있다. 오랜 역사를 통해 사람들은 모음이 없어도 축적된 문화의 소통 코드를 통해 'ㅏ [a]', 'ㅣ [i]', 'ㅜ[u]' 세 개의 모음 부호를 붙여 단어를 정확하게 읽고 발음한다. 무함마드(Muhammad)도 'm-h-d'라는 자음으로만 적혀 있지만 'ㅏ-ㅣ-ㅜ'라는 모음 부호를 붙여 거의 모든 아랍인은 '무함마드(Muhammad)'로 읽는다.

초기 아랍어 꾸란에도 자음만 있고 모음은 없다. 이 시기의 서체를 쿠피체(Kufic)라 한다. 초기 이슬람 공동체가 형성되었던 이라크 쿠파 지방에서 발달했기 때문이다. 그러나 큰 문제가 발생했다. 이슬람이 아랍어 모어권을 벗어나면서 꾸란이 달리 읽히기 시작했다. 어떤 경우는 심한 의미 왜곡까지 일어났다. 신의 목소리와 가르침이 지방마다 다르고 변질하는 현상은 이슬람 전파 과정에 나타난 최고의 위기 상황이었다. 시간이 흐르며 누구든지 꾸란을 정확하게 읽고, 기록하기 위해 모음 부호를 붙이고, 음의 높낮이와 장단을 표시하면서 통일된 경전 시대가 열렸다. 이 과정에서 초기 캘리그래피인 쿠피체를 벗어나 나스크체(Naskh), 나스탈릭체(Nasta'liq), 디와니체(Diwani), 툴루스체(Thuluth), 레카체(Reqa) 등 다양한 서체가 등장하며 발달하였다.

필기도구는 갈대, 대나무, 뼈, 사탕수수 껍질 등으로 뾰족하게 다듬어 만들고, 잉크는 모스크 천장의 그을음을 모아 사용하였다. 모스크에는 항상 촛불을 켜고 예배를 보았기 때문에 충분한 그을음을 얻을 수 있었다. 서예가들은 글자 일부를 보정할 때 혀끝으로 잉크를 핥아 지우거나 수정하였다. 'educated(교육 받은 자)'란 단어가 바로 '잉크를 핥은 사람'이란 뜻이라고 하니 이슬람 서예가의 모습에서 비롯된 것임을 알 수 있다.

'알라'는 아랍어로 '유일신'이라는 뜻이다. 이슬람교의 알라는 전지전능한 절대자이고, 삼라만상을 존재하게 한 창조주이자 유일신이다. '하느님'보다는 '하나

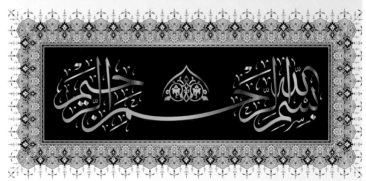

〈사진 19〉 아라베스크 문양과 캘리그라피의 조화

님'에 가깝다. 따라서 알라는 인간 세상을 포함하여 세상에 존재하는 모든 것의 압축이다. 인간의 삶도, 인간이 만들어 내는 예술 활동도 알라의 보호막 속에 있어야 비로소 의미가 있다. 꾸란의 모든 구절의 첫 문장은 "비스밀라 히르라흐마니르라힘(자비롭고 자애로우신 알라의 이름으로)"으로 시작된다. 동물을 도축할 때도 "비스밀라(알라의 이름으로)"를 세 번 암송한다. 이로써 그 고기는 비로소 허용된 하람(Haram)이 된다. 음식을 먹을 때도, 계단을 오를 때도, 힘든 일이 있을 때도 "비스밀라"를 암송한다. 실체와 허구, 성과 속, 허용과 금기, 안심과 불안의 간극을 느낄 때 탄성처럼 내뱉는다.

무슬림들은 알라의 가르침을 글자로 기록한다. 그것은 신의 목소리를 기록하는 것을 넘어 신의 뜻을 의식에 새기는 일이다. 이것이 이슬람 캘리그래피가 갖는 의미다. 이슬람 캘리그래피에서 '알라'와 '비스밀라 히르라흐마니르라힘'이란 단어가 중심을 이루는 것은 지극히 당연하다. 알라가 그의 메시지를 인간 세상에 전해 줄 마지막 예언자로 택한 무함마드는 알라 다음으로 중요하게 여겨지는 이슬람 캘리그래피의 키워드다. 알라가 천상에서 지상으로 전하는 메시지는 위아래로 아우르며 오른쪽에서 왼쪽으로 평행으로 그려졌다면, 무함마드는 위에서 대각선으로 사각 지점들을 거쳐 내려온다. 집 벽이나 책상 위에 알라와 무함마드라는 캘리그래피가 걸려 있는 한, 누구든 신의 섭리를 거스를 수 없다. 영적인 보호 공간이 되는 셈이다.

무슬림들은 선험적 우월감, 무슬림임을 끊임없이 자각하게 해 주는 금언, 죽어서 알라에게 돌아가리라는 믿음을 담은 한마디를 새기며 산다. "라 일라하 일랄라 무함마단 라술룰라(알라는 한 분이고, 무함마드는 그분의 사도다)." 이 구절을 외우고 받아들임으로써 비로소 무슬림이 된다. 비무슬림이 무슬림이 되는 첫 관문인 셈이다. 이슬람의 첫 번째 의무인 신앙 고백도 이 구절을 외우는 것으로 시작된다. 알라, 즉 유일신만을 믿고, 무함마드를 알라가 보낸 예언자로 증언함으로써 진정한 무슬림이 된다. 다른 무슬림들과 비로소 한 가족이 되며 내세의 영생을 함께 할 동반자가 된다. 따라서 캘리그래피는 무슬림들의 모든 신앙생활을 기록하고, 신의 음성을 느끼며, 살아가게 해 주는 영성의 힘이자 예술의 은총이다.

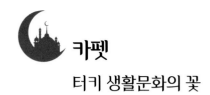

카펫

터키 생활문화의 꽃

　이스탄불 카팔르 차르쉬 시장의 카펫 쇼핑가에는 날마다 색감의 향연이 펼쳐진다. 터키 최대의 카펫 시장이 형성된 이곳에서는 각지에서 공급된 독특한 카펫을 공중으로 던졌다가 바닥으로 펼쳐 보이며 형태와 디자인, 카펫을 짠 사람들의 사연까지 선보인다. 형형색색의 카펫은 방향이나 움직임, 조명의 강도나 시각, 심지어 그날의 기분에 따라 다양한 모습으로 다가온다.

　전통시대 터키 시골 소녀들은 학교에서 돌아오자마자 베틀에 앉아 재빠른 손놀림으로 카펫을 짰다. 그래서 카펫의 씨실과 날실 한올 한올에는 소녀들의 즐거운 재잘거림과 장밋빛 꿈들이 담겨 있다. 그들이 짠 카펫은 도시에서 공부하는 대학생 오빠의 학비가 되기도 하고, 병들어 몸져누운 아버지의 약값이 되기도 한다. 두서너 달 걸려 완성된 분신과도 같은 카펫은 이웃집 아저씨의 경운기에 실려 팔려나간다. 아쉬움과 서운함에 눈물도 나지만, 집안을 도울 수 있다는 사실에 위안이 된다. 그리고 이번에는 자신을 위한 카펫을 짠다. 빠르면 1년, 어쩌면 5~6년이 걸리는 기나긴 수고가 되겠지만 마음을 가다듬어 혼신을 다하고 정성을 쏟아붓는다. 소녀가 자신을 위한 짠 카펫은 혼수품이자 자신의 미래를 수놓는 인생의 풍경화다. 카펫은 소녀와 평생 함께 살아갈 것이고, 딸에게 전해질 역사이기도 하다.

터키에서의 카펫은 예배용 깔개, 거실과 안방 바닥 깔개, 텐트 지붕, 벽 장식, 소파 덮개, 장갑과 양말 등에 사용되는 생활문화의 필수 도구이자 터키 예술의 핵심 요소다. 카펫 베틀에 실을 걸고 신이 선물한 아름다운 색실로 만들어가는 작품은 시간과 기술, 인내, 무엇보다 정성이 담겨야 한다. 지방마다 특유의 천연안료를 사용한 색감이나 독특한 분위기를 자아내며 크기와 문양, 디자인이 모두 다르다. 이러한 터키의 카펫은 세월이 갈수록 빛이 더해지면서 진가가 발휘된다.

카펫의 역사

인류가 카펫을 사용한 기간은 2500년이 넘는다. 그리스 및 아랍 문헌에 카펫에 대한 기록이 전해지며, 1949년 카자흐스탄의 파지릭(Pazyryk) 고분에서 발굴된 카펫은 이를 뒷받침해 준다. 기원전 4~5세기경에 만들어진 것으로 추정되는 이 카펫은 말안장 덮개로 사용되었으며, 아름다운 채색과 높은 수준의 직조 기술을 확인할 수 있어 놀랍다.

카펫은 중앙아시아의 유목 민족들에 의해 시작되었다. 그들에게 카펫은 단순한 장식품이 아니라 중요한 생활 도구였다. 텐트를 가리는 스크린, 바닥 깔개, 벽을 가리는 커튼, 말안장 깔개 등 안 쓰이는 곳이 없었다. 유목민들은 항상 목초지를 따라, 혹은 침략의 위협을 피해 떠돌아다니는 생활을 전제로 하는 삶이었기 때문에 간편한 도구로 카펫을 만들었으며, 그들이 이동하는 곳마다 카펫 문화가 전파되었다. 카펫 직조자들은 언제든지 베틀을 쉽게 해체하고 결합해야 했기 때문에 카펫 직조법, 크기, 디자인 등이 일정치 않다.

유목민들은 카펫 직조술을 전파한 것에 커다란 자부심이 있다. 역사적으로 카펫 산업이 발달한 곳은 터키와 페르시아다. 지역은 다르지만 사실상 한 문화권이다. 이탈리아의 마르코 폴로는 1271년 아나톨리아로 알려진 오늘날의 터키 지역을 두루 여행한 후 이곳에서 생산된 카펫의 기하학적 문양이나 동물 문양에 대해 세계에서 가장 아름다운 작품이라며 극찬했다. 터키 카펫의 문양은 유명한 미술가들의 그림 속에서도 자주 등장한다. 16세기 초 독일의 미술가 한스 홀바인(Hans Holbein, 1497~1543)은 기하학적 문양의 카펫을 자신의 작품에 자주 사용했는데, 유럽에서는 이를 '홀바인 카펫'으로 부른다.

오리엔트 카펫의 환상적인 아름다움이 서구에 전해져 각광을 받게 된 것은 이탈리아 상인들 덕분이다. 일찍부터 베네치아에는 유럽에 카펫을 공급하는 시장이 있었다. 그 덕분에 베네치아인들은 집안에 카펫을 깔거나 창문에 드리워 차양으로 사용했으며, 심지어 유람선을 치장하는 데도 사용했다. 19세기 이후부터는 유럽 사회에 널리 퍼졌다. 페르시아 카펫으로 알려졌지만 사실 터키에서 만든 것이 주류를 이룬다. 생산지에 따른 이름이라기보다는 독특한 문양과 디자인에 대한 총칭인 셈이다. 화려한 색상과 정교한 아라베스크 문양에 넋을 잃은 유럽인들에게 카펫은 실용적인 도구라기보다는 장식용 예술품이었다.

오리엔트 카펫의 제작 과정은 먼저 베틀을 만들고, 베틀에 날줄을 팽팽히 건 다음 염색된 실을 가로로 옭아매는 과정을 거친다. 가로로 한 줄의 올이 완성되면 곧 씨줄이 된다. 그다음 들쭉날쭉 나와 있는 올을 전용 가위로 고르게 잘라낸다. 터키 카펫은 이중 매듭(double knot)으로, 페르시아 카펫은 홑매듭으로 직조 방식에 차이를 보인다. 디자인이 얼마나 정교한가는 카펫의 올을 얼마나 짧게 잘라 촘촘하게 짜는가를 말한다. 카펫의 촘촘한 정도는 1제곱인치에 몇 올이 들어가 있는가로 결정되는데 카펫의 질과 내구성을 결정하는 기준이 된다. 즉 올이 많을수록 좋은 카펫이다. 고급 카펫은 1제곱인치당 500~1,000올이 들어간다.

역사적으로 유명한 카펫 생산지는 터키를 비롯해 이란, 카프카스, 중앙아시아 지역, 아프가니스탄, 파키스탄, 네팔, 인도, 중국 등도 유명하다. 한때 아랍의 지배를 받았던 스페인도 유럽에서는 카펫으로 이름을 날렸다. 세계 최고의 상품을 생산하는 터키만 보면, 전국이 카펫 산지라 할 수 있다. 전형적인 양모 카펫 산지는 아나톨리아 서부 지역인 차나칼레Canakkale), 페르가몬(Pergamon), 에르데미트(Erdemit), 쿨라(Kula), 밀라스(Milas), 중부 지역인 카이세리(Kayseri), 야흐얄리(Yahyali), 마덴(Maden), 타시프나르(Taspinar), 콘야(Konya), 그리고 동부 지역인 카르스(Kars) 등이 유명하다. 실크 카펫의 세계적인 명품은 헤레케(Hereke)에서 생산된다.

〈사진 20〉 홀바인 카펫

〈사진 21〉 세례자 요한과 도나투스가 있는 베로키오의 성모 마리아 아래 홀바인 카펫이 깔려 있다.

〈사진 22〉 페르시아 카펫

카펫 디자인

직조 기술이나 다양한 색감뿐 아니라 다양하고 정교한 카펫 디자인이 없었더라면 카펫은 그렇게 큰 관심을 끌지 못했을 것이다. 각 지역의 독특한 디자인은 경쟁적으로 발전하며 대대로 이어졌다. 그래서 디자인만 보면 그것이 어느 시대에 어느 지역에서 생산된 것임을 알 수 있다.

디자인 양식에 따라 카펫 생산 지역은 크게 두 곳으로 나뉜다. 즉, 꽃무늬 양식과 기하학적 양식 중 어느 것을 더 선호했는가로 구분할 수 있다. 꽃무늬 양식은 주로 페르시아와 인도에서 사용되었으며, 카프카스 및 중앙아시아의 투르코만 지역은 기하학적 무늬를 더 선호했다. 터키에서는 기하학적 무늬를 더 많이 사용했지만 두 가지 양식을 모두 애용했다. 중국은 용이나 봉황 그리고 간혹 도깨비 그림이 등장한다. 대부분의 디자인에는 의미가 있다. 중국의 용은 황제를 의미하지만, 페르시아에서는 악마이며, 인도에서는 죽음을 의미한다. 페르시아 카펫에 등장하는 날짐승은 조로아스터교 영향으로 선과 악의 싸움을 의미한다. 식물이나 꽃, 심지어 기하학적 무늬에도 특별한 의미가 있다. 실삼 나무는 슬픔과 사후의 영원성을 의미하며, 대추야자나 코코넛 나무는 축복과 충족을 의미한다. 작약은 부를 상징하며, 연꽃인 로터스는 가문의 영광을 상징한다. 기하학적 문양에도 의미가 부여되는데, 중국에서 '卍(만)'자 무늬는 평화를 상징한다. 간혹 이슬람의 상징으로 묘사되는 초승달은 진리의 시작이자 신앙심을 의미하며, 끝없이 이어지는 매듭 모양의 기하학적 무늬는 지혜와 불멸을 의미한다. 터키에서 만든 예배용 카펫은 메카의 방향을 알리는 미흐랍(Mihrab)을 아치 모양으로 장식한다.

카펫 염료와 염색

디자인뿐 아니라 색조의 다양함과 화려함이 카펫의 또 다른 매력이다. 20세기 이전에는 동식물에서 뽑아낸 천연 염료가 주류를 이루었으며, 염색 비법도 대대로 이어진 것이다. 염료의 재료는 흔히 볼 수 있는 식물이나 꽃잎이다. 꼭두서니

〈사진 23〉 카펫을 염색하는 방법

뿌리에서 붉은색 계통의 염료를 얻어 내고, 여기에 발효시킨 포도 주스와 우유를 섞어 자주색을 만들어 낸다. 우리나라 전통 결혼식에서 신부의 이마에 찍는 연지처럼 떡갈 나무 껍질 속에 서식하는 연지벌레로부터 붉은색 계통의 염료를 얻어 낸다. 사프란꽃에서는 노란색, 오디 나무에서 연두색, 인디고 나무에서는 푸른색을 얻는다. 덜 익은 밤이나 도토리 껍질에서 밤색 염료를 얻는데, 대부분 세월이 흐르면 바랜 듯한 느낌을 준다. 카펫에는 자주 쓰이지 않지만 간혹 검은색 염료도 사용된다. 검은색 염료는 쇠의 녹에서 얻을 수 있는데, 양모를 부식시키기 때문에 잘 사용하지 않는다. 동양의 카펫에서 가장 많이 사용되는 색은 붉은색과 노란색, 푸른색이지만 지역적으로 선호하는 색은 조금씩 다르다. 터키나 중앙아시아에서는 주로 붉은색 계통을, 페르시아에서는 초록색 계통이나 노란색을, 카프카스 지역 특히 아르메니아인은 푸른색을 선호한다.

전통적인 방식으로 실을 염색할 때는 실타래를 통째로 염색하지 않는다. 실 한쪽 끝을 염료가 든 통 안으로 넣은 후 다른 쪽에서 끄집어내 햇빛이나 바람으로 말린다. 바람이나 햇빛의 강도에 따라 다양한 색조가 나오며, 이것이 터키 카펫을 더욱 화려하고 풍성하게 한다.

1870년대부터 화학 염료가 등장하며 염료 사용을 놓고 논쟁이 벌어졌다. 화학 염료는 천연 염료에 비해 싸고 간편했으며, 특히 붉은색 계통은 훨씬 더 경제적이었다. 또 화학 염료가 등장하며 카펫을 생산하는 속도가 한층 더 빨라졌기 때문에 넘쳐나는 카펫 수요를 해소할 수 있었다. 하지만 화학 염료는 색이 쉽게 바라는 단점이 있었다. 어떤 경우에는 완전히 다른 색으로 바뀌기도 했다.

카펫 재질

터키 카펫에서 가장 많이 사용되는 재료는 양털이며, 염소나 낙타털, 면이나 비단도 사용된다. 양모는 터키 동부 지방에서 수많은 양을 길러 공급에 문제가 없다. 가장 질 좋은 양모는 터키와 이란 접경지대에서 생산된다. 이란의 호라산이나 키르만 지역의 것은 품질이 좋고 부드러워 유명하고, 카프카스 및 중앙아시아의 것은 질길 뿐 아니라 광택이 좋아 인기가 높다.

유목민들은 보통 봄이 끝나는 시점에 양털을 깎는다. 깎기 전에 먼저 양을 강가나 우물가에서 깨끗이 씻긴다. 털을 깎고 난 후에도 다시 한 번 양털을 깨끗한 물에 세탁한다. 세탁된 양털은 발로 밟아 물기를 짠 후 널어서 말린다. 이렇게 말린 양모를 일일이 손끝으로 꼬아 실을 자아낸다. 기계가 아무리 튼튼하게 실을 자아내도 사람 손끝으로 하는 것보다는 약하다. 그래서 수공 카펫이 인기가 높은 것이다. 면을 재료로 한 카펫도 많이 생산되는데 날줄은 면을, 씨줄은 양모를 사용하기도 한다.

아프가니스탄이나 이란의 발루치스탄 그리고 중앙아시아의 부하라 지역에서는 염소의 털로 카펫을 생산하기도 한다. 한때 중앙아시아에서는 낙타털로 카펫을 짰는데, 낙타털이 약하기 때문에 점차 사라졌다. 카펫의 꽃은 비단 카펫이다. 비단 카펫은 보는 방향에 따라 색이 달라져 신비한 느낌을 줄 뿐 아니라 가는 실로 짜기 때문에 디자인도 정교하다. 하지만 짜는 데 시간이 오래 걸리고 가격도 비싸서 일반인이 사용하기에는 부담스럽다. 따라서 전통적으로 성스러운 곳이나 궁전에서 사용했다.

자연은 카펫의 무대다. 양을 키워 털을 깎아 모으고, 야생화의 뿌리와 잎에서 신비한 색을 입혀 촘촘히 짜서, 텐트를 덮어 보온하고, 땅에 깔아 잠자리를 만들고, 벽에 걸어 시름에 젖은 자를 위로하며, 메카를 향해 기도할 때 깔개로 사용하는 것이 카펫이다. 카펫에 사용된 진한 붉은색은 유혹과 낭만을 머금고 있다. 아무리 보아도 싫증 나지 않고, 세월이 흐를수록 더해지는 정감은 삶과 역사의 진솔한 무게가 그대로 담겨 있다. 그래서 수많은 사람이 남겨놓은 사연을 품고 있는 카펫의 매력은 무엇과도 바꿀 수 없다. 카펫은 단순한 공예품이나 예술품이 아니다. 바로 인간이 만들어 내는 다양한 삶의 궤적 그 자체이다. 사람은 카펫을 만들지만, 카펫은 사람을 낳고 길러내는 산실로서 인생을 대변한다.

커피와 차

세상에 커피 맛을 전하고 자신들은 홍차를 마신다

이슬람 문화의 꽃, 커피

커피는 이슬람 문화의 꽃이며, 그 중심은 오스만 제국의 심장인 이스탄불이었다. '커피(coffee)'라는 단어는 아랍어 '카흐와(Qahwa)'에서 유래했다. 커피는 아프리카 동부와 아랍에서 에너지원이나 약용으로 사용되다가 아라비아 남부에서 이슬람을 받아들인 이후에는 수도사들에게 명상 음료로 각광을 받았다. 잠을 쫓는 카페인과 환각 성분은 밤새워 기도하고 신을 염원하는 데 안성맞춤이었다. 만약 꾸란이 계시될 때 커피가 알려졌다면 틀림없이 대추야자만큼이나 예찬의 대상이 되었을 것이며, 예언자 무함마드가 최고로 좋아했을 것이다.

커피는 밤 문화인 중동의 생태 구조와 사회환경에 그대로 빨려들었고, 아울러 상업적 이익의 창출이라는 엄청난 매력으로 인해 전 세계로 퍼져나가 유럽을 변화시키고 전 세계인들을 빠져들게 했다. 한국에서도 커피는 없어서는 안 될 삶의 동반자가 되었다. 이슬람 세계에 정착한 커피문화가 이토록 광범위하게 퍼질 줄은 누구도 짐작하지 못했다. 커피가 유럽을 통해 글로벌 기호식품으로 뻗어 나간 배경에는 오스만 제국의 심장부인 이스탄불이라는 문화공간이 큰 역할을 했다.

〈사진 24〉터키 커피

지금까지의 연구 결과를 종합해 보면 커피의 원산지는 아프리카 고원 지대인 에티오피아 카파(Kaffa) 지방이 유력하다. 또 동부 아프리카의 뾰족한 뿔을 따라 좁은 홍해를 건너 모카항이 있는 예멘으로 전해졌다. 남북회귀선 15~20도 사이를 중심으로 커피나무가 자랄 수 있는 높은 고도의 화산재 토양이 이어져 커피벨트를 이룬다. 에티오피아에서는 예로부터 커피 열매를 분(bun), 커피 음료를 분첨(Bunchum)이라 불렀는데 초기 이슬람 문헌에도 등장한다. 커피의 유래는 염소들이 커피 열매를 먹고 흥분해서 껑충껑충 뛰는 것을 보고 사람들이 신기하여 먹었다는 이야기가 전하지만 확인할 길이 없다. 개연성이 충분한 것이 아프리카에서는 커피콩을 갈아 동물 지방에 버무려 사냥이나 이동할 때 에너지 바로 이용했다는 흔적들이 있다.

커피 생산은 같은 지질대에서 출발했지만, 커피문화는 예멘을 중심으로 하는 이슬람 문화권에서 크게 확산하였다. 7세기경 남부 아라비아인 예멘에 이슬람이 전파되었는데, 이 지역에서는 아프리카 문화와 토착 신앙의 영향으로 정통 이슬람보다는 민중 신앙인 수피 종파가 성행하였다. 문맹률이 높고, 아랍어를 모국어로 사용하지 않는 아라비아 남부나 아프리카에서는 꾸란을 이해하기는 어려웠다. 그래서 기도, 명상, 춤, 노래 등으로 엑스터시를 경험하고 신과 합일하는 다양한 종파가 생겨났는데 바로 이슬람 신비주의인 수피다.

기록에 빈번히 등장하는 예멘의 커피 음용 설화는 15세기경 본격적으로 확산하고 대중화되었다. 오랜 명상과 기도를 하던 그들에게 커피는 최상의 효과를 주었다. 커피의 장점은 소문을 타고 이슬람 세계로 전파되었다. 1511년에는 이슬람 최고의 성지인 메카에서 커피를 마신 기록이 있다. 이후 메카로 몰려든 순례자들을 통해 이집트, 시리아 등지를 중심으로 급속히 확산하였다. 예멘이 오스만 제국의 지배를 받으며 커피는 이슬람 세계를 넘어 국제화의 길을 걷게 되었다. 1536년 오스만 제국의 전성기를 견인한 술레이만 대제(1520~1566)가 예멘을 정복하면서 이스탄불에 커피가 본격적으로 공급되기 시작했다.

이리하여 1554년 시리아인 하킴과 샘스가 이스탄불에 세계 최초의 민간 카페인 차이하네(Chayhane)를 열었다. 16세기는 오스만 제국이 가장 활력에 넘치는 시대였으며, 이를 반영하듯 수도 이스탄불에는 600개가 넘는 카페가 있었다. 화려한 카페 문화가 꽃핀 시기였다. 커피는 이제 수피의 명상 음료가 아니었으며, 신의 음료도 아니었다. 이제는 터키탕이라 불리는 공중 목욕탕과 함께 이스탄불 시민들의 삶의 동반자였고, 사교와 담론의 매개물이었다. 이제 터키인들은 일상의 대화와 비즈니스 미팅에서 커피를 빼놓는 것을 상상할 수 없게 되었다. '커피 한 잔은 40년의 우정'이라는 속담처럼 삶의 깊숙한 문화로 자리 잡았다.

그런데 터키 커피는 아랍 커피와는 제조 방식이 다르다. 아라비아에서는 커피를 끓여 찌꺼기를 걸러내고 카르다몬과 정향 등을 넣은 연한 녹색빛의 커피를 대추야자와 함께 석 잔 이상 마신다. 반면, 터키에서는 가루째 끓여 위쪽의 맑은 진액을 로쿰이라는 터키 젤리와 함께 마신다.

한편, 밤 문화에 익숙지 않은 유럽 외교관들은 잠을 쫓기 위해 커피를 거의 매일 밤 마셨다. 그러면서 점차 커피 중독자가 되어 임기를 마치고 돌아갈 때는 커피 없이 살 수 없는 상태가 되었다. 그들은 오스만 당국의 커피 유출금지에도 불구하고 외교 행랑을 이용해 원두를 자국으로 가져갔다. 이것이 유럽에서 커피를 마시게 된 배경이다.

유럽 최초의 커피하우스로 알려진 영국 런던의 파스쿠아 로제가 문을 열 것은 1652년이었다. 1683년경에는 런던에만 3,000개의 커피하우스가 생겨났다. 1683년 오스만 제국의 비엔나 공격 이후 비엔나에도 아르메니아 상인에 의해 카페가 우후죽순처럼 생겨났다. 카페문화는 새로운 트렌드로 자리 잡으며 삽시간에 유럽을 강타했다. 이탈리아 최초의 카페인 플로리안이 성 마르코 광장에 문을 연 것도 1683년이었으며, 이어 베네치아에만 200개가 넘는 카페가 생겨났다. 유럽 카페의 최고 명소인 플로리안에는 명사들의 발길이 끊이지 않았다. 나폴레옹, 괴테, 니체, 스탕달, 바이런, 릴케, 찰스 디킨스, 모네, 마네 등이 모두 단골이었다.

그러나 커피가 순조롭게 정착한 것은 아니었다. 격렬한 종교 논쟁과 많은 사람의 목숨을 앗아가는 시련을 거친 후에 얻은 영광이었다. 가톨릭교회에서는 시커먼 커피를 이교도의 음료라고 해서 악마의 화신으로 간주하고, 커피 음용은 불경스러운 것으로 치부했다. 교황의 이러한 유권해석을 어긴 수많은 사람이 목숨을 잃거나 불이익을 당했다. 결국 교황 클레멘스 8세가 직접 커피를 마신 후 하나의 기호식품으로 인정받았다. 커피에 세례를 준 셈이다. 이로써 커피는 유럽의 모든 사람이 즐길 수 있는 기호음료로서 자리를 잡게 되었다.

　커피의 생산과 유통을 장악하고 있던 오스만 제국의 독점으로 커피의 가격은 계속해서 상승했다. 그러자 유럽은 식민통치를 하고 있던 인도네시아와 남미 등 아랍과 기후가 비슷한 지대에서 새로운 재배지를 찾아냈다. 인도네시아에서는 대규모 커피 플랜테이션이 시작되었고, 베트남과 남미에서도 어마어마한 커피 농장이 생겨났다. 브라질이 세계 최대 커피 생산국이 되었으며, 베트남과 콜럼비아, 인도네시아, 에티오피아가 뒤를 이었다. 커피의 세계화가 급속히 이루어지면서 커피 원산지인 예멘의 아라비카 커피의 유명세가 밀리는 상황이다. 인간이 처음 마시던 그대로의 모카 아라비카 커피는 브랜드로만 존재할 뿐이며, 본래의 맛과 방식은 터키 커피로 더 잘 알려졌다.

　터키 커피는 원두와 불, 끓이는 기술 등이 어우러지는 하나의 문화이다. 장을 잘 담그는 것이 한국 옛 여인의 덕목인 것처럼, 커피를 제대로 끓이는 것은 터키 신부의 최고 가치였다. 이제는 좋은 원두를 골라 잘 볶아내고, 이를 갈아 향과 맛이 살아 있는 커피를 끓이는 것은 터키인들의 일상문화가 되었다. 자그마한 구리 잔에 원두 가루를 넣고 찬물을 부은 다음 불을 약하게 하여 끓이다가 거품이 일어 넘치려는 순간 불을 꺼 커피 향이 새나가지 않도록 하는 것이 터키 커피를 끓이는 비법이다. 거의 예술의 경지다. 기호에 따라 설탕을 넣고 끓이기도 한다. 작고 앙증맞은 도자기 잔에 3분의 2가량 따르면 커피 원두가 진흙처럼 가라 않는다.

　빈 속에 진한 터키 커피를 마시면 머리가 핑 돌 정도로 강하다. 그러나 기름진 양고기 식사 후에 한 잔의 터키 커피는 무엇과도 바꿀 수 없을 정도로 깔끔하다. 재미있는 문화 중 하나는 맞선 자리에서 만난 남자가 마음에 차지 않을 때 여자는 끓는 커피에 설탕 대신 소금을 넣는다고 한다. 남자는 여자가 끓여 준 커피를 아무 말 없이 마시지만, 그 맛으로 상대방의 마음을 읽고 아무 불평 없이 조용히 자리를 뜬다. 이 밖에 커피를 마신 후에는 커피점을 친다. 원두 가루가 가라앉은 커피잔을 접시 위에 거꾸로 엎어 식을 때까지 기다린다. 이때 원두가 흘러내린 모양, 쌓여있는 양과 모양, 뒤엉킨 형태 등을 보며 커피 주인의 과거와 현재, 미래를 점친다. 점괘를 읽어 주는 사람은 커피 주인을 괴롭히는 일에서부터 재물운, 이사운, 승진운, 애정운 등을 담담하게 이야기해 준다. 그가 친한 친구이고 평소 허물없이 지내던 이웃이라 해도 이 순간만큼은 진지하고 심각하다. 점괘를 읽어 주는 사람은 항상 알라의 도움으로 난관을 극복하게 될 것이라는 긍정적인 주문으로 마무리한다.

튀르크 차이(차)

터키 어디를 가나 터키인들이 홍차를 마시는 것을 흔히 볼 수 있다. 그들에게 홍차 없는 삶은 상상조차 할 수 없다. 아무리 작은 마을에도 골목골목, 구석구석, 찻집이 있다. 웬만한 직장이나 빌딩에도 반드시 티룸(차이오다스)이 따로 있다. 주인은 방문객에게 거리낌 없이 차를 내준다. 물론 묻기는 한다. "차이?" 그걸로 끝이다. 그러고는 무한으로 리필해 준다. 아무리 못해도 하루에 열 잔은 마시는 것 같다. 그렇다고 아무 찻잔에 대충 대접하지 않는다. 차이단륵이라는 포트는 이중이다. 아래에는 뜨거운 물을, 위쪽에는 흑해의 블랙티를 넣고 데워질 때까지 기다린다. 아래 포트의 뜨거운 물이 어느 정도 식으면 위쪽 포트에 붓고 15분 정도 우려내면 맛있는 터키 차이가 완성된다. 기호에 따라 물을 넣어 연하게 마시기도 한다.

터키의 차 문화는 단순히 차만 내는 것이 아니다. 차 세트가 함께해야 비로소 완성된다. 튤립처럼 허리가 잘룩하고 황금색 두 줄이 그어진 투명한 작은 유리 찻잔, 붉은 점박이가 있는 찻잔 받침, 각설탕 두 개, 레몬 한 조각, 작은 티스푼. 이것이 터키 차 문화의 규격과 규범이다. 많은 사람이 한꺼번에 마실 때는 홍차 몇십 잔을 한꺼번에 만들고는 넓은 쟁반에 모두 얹어 배달한다. 배달꾼은 사람들 사이를 요리조리 피하면서 비좁은 공간을 번개같이 내달리는데 곡예사 수준이다. 그것은 예술이고 문화다.

터키 차이의 시작은 20세기로 그리 오래되지 않았다. 최초의 차 재배는 19세기 말 흑해 동부 지방에서 이루어졌다. 오스만 제국의 아카이브에 따르면 1879년 6월 6일 주민들의 반발로 차세 징수를 중지했다는 내용이 있고, 오스만 제국 말기 흑해 동부에서 차 재배에 세금을 징수한 사건이 있었다. 오늘날 터키의 차 문

〈사진 25〉 터키 차

화는 제1차 세계대전 이후 경제난을 해소하기 위해 1924년 기후가 온난한 흑해 동부에 차, 감귤, 오렌지 재배를 장려하는 특별법이 발효되자, 무을라(Mugla)의 농업지도사 지흐니 데린(Zihne Derin)과 리제 출신의 변호사 훌루시 카라데니즈(Hulusi Karadeniz)가 러시아에서 차 묘목을 가져와 심은 것이 그 시작이다. 첫 수확은 1938년이었고, 이에 고무된 터키 정부는 1940년 차법(Cay kanunu)을 발효하여 차 산업을 장려했다. 이후 흑해 동부 연안의 리제를 중심으로 본격적인 차 생산이 이루어졌다. 지금도 터키 차 대부분은 이 지역에서 생산된다. 현재 터키의 차 생산량은 전 세계 6~8%로 5위권이며, 1인당 소비량 2.5kg으로 영국과 함께 세계 최고 수준이다. 그만큼 차를 좋아하고, 차에 애착이 강한 나라이다.

부록

한국과 터키
2천 년의
교류 유산

———

이희수

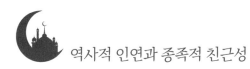

역사적 인연과 종족적 친근성

터키인들에게 아나톨리아는 셀주크 튀르크 시대부터 오스만 제국과 터키 공화국을 거치면서 1천 년 이상 정착하며 새로운 조국을 일군 소중한 영토이다. 그러나 튀르크 민족사의 뿌리와 기나긴 이주의 과정은 중앙아시아에 그 연원을 두고 있다. 따라서 민족사의 관점에서 보면 한국과 터키는 9천 킬로미터나 떨어져 살면서 아시아의 동쪽 끝과 서쪽 끝에서 서로 다른 문화와 역사를 이어 갔지만, 오랜 역사를 통해 두 민족은 중앙아시아와 만주 일대에서 이웃해서 함께 살았다. 일부 학계의 논란이 있긴 하지만 한민족과 튀르크족은 같은 알타이 문화를 공유하면서 언어적으로, 종족적으로, 그리고 무엇보다 문화적으로 많은 유사성을 갖고 있다. 이러한 문화적 동질성이 오랜 시간과 지리적 공백에도 불구하고 두 민족을 형제로 맺어 주고 지구상에서 가장 가까운 협력적 파트너로 만들어 주는 배경일 것이다.

문화동질성은 우선 언어에 잘 남아 있다. 초기 튀르크족의 민족 이동은 언어생활에도 영향을 끼쳐, 기원전 1500년경을 전후해서 우랄어 및 인도-유럽어 계통의 언어 요소가 튀르크어에 상당수 유입되기도 했다. 그럼에도 불구하고 터키어와 한국어 사이에는 근원적으로 놀랄만한 언어적 근친 구조가 존재한다는 것이 학계의 다수 견해이다. 그것은 단순한 단어의 유사성에 그치지 않고, 문장 구성, 음운 구조, 언어적 사고 구조, 발성 등에서 많은 친근성을 보여 주고 있다. 일찍이 20세기 초 핀란드 언어학자 람스테드(Ramstedt)는 한국어와 터키어 사이에 2천 단어 이상이 같은 뿌리에서 출발했다는 연구 결과를 밝혔고, 두 언어의 친근감을 보여 주는 비교 언어 사전까지 편찬한 적이 있다. 물론 지금 현대 언어 사용은 많이 달라지고, 러시아 등 다양한 외래어가 침투해서 서로 소통하기 어려워졌지만 어떤 다른 민족들보다 쉽게 언어를 배울 수 있다는 점은 언어적 친근감의 가장 분명한 증거일 것이다.

중앙아시아 튀르크족은 알타이-사얀산맥의 동남부 미누신스크(Minusinsk) 지역을 본거지로, 기원전 2천 년경부터 아시아 대륙의 동북부 초원 지대에서 활동해

오면서 한민족과 접촉과 교류를 해왔다. 그들은 역사상 16개의 제국(帝國)과 100개가 넘는 소국가를 건설하여, 철과 말을 기본으로 한 수준 높은 스텝 문화를 이룩하였다. 19세기 이후 중앙아시아 전역에서 본격화된 고고학적 발굴 성과와 새로운 고문서, 비문들, 특히 오르흔 지역의 돌궐비문의 발견과 해독으로 튀르크인에 의한 역사 실체와 문화 수준이 새롭게 재평가되는 계기가 되었다.

튀르크족의 본류는 기원전 700년경까지 알타이 지역에 생활의 뿌리를 내렸던 반면, 또 다른 튀르크 부류는 기원전 1100년경부터 대거 중국의 서북부에 있는 칸수나 오르도스 초원 지대로 이동해 갔다. 그 결과 이 일대에는 스텝 튀르크족의 요소가 강한 새로운 양사오(Yangshao) 문화가 싹텄다. 양사오 문화에는 말 사육, 천신 사상, 정비된 군사조직, 동물 문양 예술 같은 튀르크족 문화 요소가 특히 강조되었다. 오늘날 중국 문화의 형성에 적지 않은 영향을 끼친 양사오 문화는 중국 주나라의 문화에 그대로 계승되었다. 칸수와 오르도스에 거주하던 튀르크족이 바로 후일 중국 문헌에 등장하는 흉노족의 직접적인 조상이 되었다.

흉노와 고조선이 접촉하면서 한민족과 튀르크족 간의 본격적인 교류와 접촉의 시대가 본격적으로 막을 열게 되었다. 두 민족의 접촉은 흉노를 이어 돌궐과 위구르 시대로 이어진다. 셀주크 시대부터는 튀르크족이 중앙아시아를 떠나 아나톨리아반도로 이주해 가면서 자연히 한민족과의 접촉도 멀어졌다. 그렇지만 중앙아시아에 남아 있던 다양한 튀르크족은 중세와 근대까지 끊임없이 한민족과 접촉을 이어 오면서 오늘날 터키와 다시 형제의 관계를 되찾을 때까지 부분적인 교량 역할을 해왔다.

오랫동안 잊고 살았던 형제의 관계를 복원시켜 준 사건이 한국전쟁이었다. 1950년 6월 25일 한국전쟁이 발발하자 터키가 유엔군의 일원으로 참전함으로써 한국과 튀르크 민족 간의 군사적 협력은 거의 1천여 년 만에 재개되었다. 즉, 중국 수나라의 침략을 막기 위해 고구려와 돌궐이 손을 잡고, 그 후 당나라를 대상으로 발해와 돌궐이 군사협정을 맺은 지 천 년 만에 한반도에서 다시 군사적 협력이 이루어진 셈이다.

한국전쟁 참전과 터키 군인들의 대민봉사

1950~1953년 한국전쟁 기간 중 터키는 무려 1만 4,936명의 군인을 파병했다. 미국, 영국 다음으로 많은 숫자였다. 희생자들도 그만큼 많았다. 공식 수치는 741명 전사, 168명 실종, 2,111명 부상(이 중 100여 명이 부상 후유증으로 1년 이내에 사망)으로 알려져 있다. 역사적으로 용맹한 전사들이었던 튀르크 군인들은 한반도에서 일어난 전쟁에서도 그 용맹성을 여지없이 발휘했다. 유엔군 중 가장 영웅적으로 싸웠다고 전해진다. 특히 '군우리'와 '금오리' 전투는 한국 전쟁사에서 보기 드문 전투로 이 전투에서 터키군이 승리하지 못했다면 오늘날 휴전선의 위치는 훨씬 남쪽으로 그어졌을 것이라고 군사 전문가들은 입을 모으고 있다. 물론 터키의 한국전 참전과정은 많은 논란이 있었다. 해외파병의 정당성 문제, 무슬림인 터키병사들이 한국전에서 전사할 경우 이슬람의 가르침에 따른 '지하드(성전)냐 아니냐'의 종교적 문제까지 겹쳐 매우 복잡했다. 결국 공산주의에 맞서 국제사회의 평화를 지키기 위해 참전하는 전쟁은 지하드로 귀결될 수 있다는 종교적 유권해석으로 이국땅, 이교도의 땅에서 그들은 성스러운 죽음을 감수할 수 있었다.

1953년 7월 27일 종전으로 터키 군인들은 수원에 있는 사령부 중심으로 전후 복구와 대민봉사 사업에 참여했다. 특히 일반 사병들이 주머니를 털어 운영했던 "앙카라 학교와 고아원"은 주변 한국인들에게 커다란 반향을 불러일으켰다. 그들은 자신들의 몫으로 배당된 음식들을 아껴 주변에 몰려드는 아이들에게 제공했고, 주로 고아들인 그들을 어떻게 도울 것인지 고민했다. 내부에서 의견을 모은 결과 부모 없이 광야에 내던져진 고아들을 자신들의 자식들처럼 보살피기로 했다. 단순한 음식 제공에 그치지 않고 교육 기회를 주기로 한 것이다. 그들은 인근에 버려진 건물을 수리하여 학교를 만들고 한국인 교사를 고용하여 월급을 주면서 한국식 교육 커리큘럼으로 아이들을 가르치게 했다. 음식과 학교 운영 경비 일체를 터키 군인들이 부담했다. 전쟁이라는 혹독한 시기에 오갈 데 없는 전쟁고아들을 모아 먹여 주고 입혀 주고, 학교를 만들어 체계적인 교육까지 시켜 준 인도적인 봉사는 오늘날까지도 많은 한국인들에게 대민봉사의 전형으로 입에 오르내리고 있다.

〈사진 1〉 한국전쟁에 참전한 터키 군인들
〈사진 2〉 수원 앙카라 학교

〈사진 3〉 터키 군인 묘역, 참전 군인의 미망인과 유가족
〈사진 4〉 고인을 기리는 유가족

〈사진 5〉 서울 이슬람 중앙 성원

한국 이슬람의 발아

전쟁의 상처에 고통받고 있던 한국인들을 향한 인도적인 사랑과 도움은 주변의 한국인들에게 깊은 인상을 심어 주었다. 당시 "앙카라 학교"에서 교육받았던 생존자들의 증언을 들어보면 터키 군인들은 주변 한국인들에게 "천사"로 불리웠을 정도로 높은 평가를 받았다. 자연히 그들의 규율적인 삶과 도덕성의 원천인 이슬람교에 대해 관심을 갖는 한국인들이 생겨나게 되었다.

우선 한국인들은 군 사령부 내에서 이루어지는 매주 금요일 이슬람의 합동 예배에 참관을 요청하였다. 그리고 이슬람에 대한 관심을 충족시키기 위해 강연회 등을 요구했다. 1955년 당시 터키 여단에는 압둘가푸르 카라이스마일 오울루라는 명망 있던 군 이맘이 파견되어 있었다. 원래 군 이맘의 임무는 군인들의 심리치유와 종교생활을 관장하고 전사자나 부상병들에 대한 종교적 처리를 담당하는 것이었지만, 한국인들의 이슬람에 대한 관심에도 부응할 필요가 있었다. 그러나 군대 내에서 주어진 종교 행위를 벗어나 군 이맘이 일반인들에게 이슬람을 전파하거나 강연하는 일은 매우 민감한 일이었다. 결국 한국의 터키군 여단 본부는 터키 본국 총사령부에 한국인들에 대한 이슬람 강의 허가 요청과 함께 법률적 유권해석을 요청했다. 그러나 이 문제는 터키 군부 내에서도 상당한 논란을 불러일으켜 쉽사리 결론이 나지 않았다.

한국인들의 강한 요구와 한국의 터키 여단 본부의 거듭된 요청에 선교 목적이 아닌, 한국인들의 요청에 답하는 형식으로 이슬람 강연과 종교적 접촉이 제한적으로 허용되었다. 그 결과 1955년과 이듬해 1956년 새로 부임한 20세의 젊은 이맘 주베이르 코치의 열정적인 선교활동으로 약 250명의 한국인들이 이슬람으로 개종하게 되었다. 한국 이슬람이 태동하는 극적인 배경이다. 서울 이문동에 세워진 임시천막 모스크에서 출발한 한국 이슬람이 오늘의 성장으로 이어지는 시작이었다.

두 민족의 현대적 만남과 교류 : 터키 지진 돕기와 월드컵

터키는 한국전쟁 참전을 계기로 1952년 북대서양 조약기구인 나토에 가입함으로써 서구지향적인 정책목표를 분명히 했다. 제2차 세계대전 이후 터키의 주된 적대적 당사자는 소련이었다. 1차 세계대전의 적국이었고, 제정 러시아 시대부터 오스만 제국 영토를 노린 끊임없는 남하정책으로 여러 번의 전쟁을 치른 상대였기 때문이다. 국경을 접하고 있는 소련의 위협은 터키를 미국에 급속도로 밀착시키는 결과를 가져다주었다. 터키가 자본주의와 시장경제를 바탕으로 철저한 반공주의를 표방했던 것도 미국과의 관계 증진 때문이었다.

친서구정책의 일환으로 나타난 가장 대표적인 결정은 1950년 한국전쟁에 터키가 참전한 것이다. 그 후 같은 반공국가이자 혈맹으로 두 나라는 국제무대에서 가장 모범적인 협력관계를 보여 주었다. 1948년 대한민국 정부가 수립되자 터키는 열 번째로 대한민국 정부를 승인했으며, 1957년 양국 수교 이후 한국도 미국, 대만에 이어 세 번째로 대사급 상주공관을 터키에 열었다. 양국 관계는 60년을 넘어 이제 70주년을 바라보고 있다.

한국전쟁 파병 이후 특별한 교류가 없던 양국 사이를 다시 이어 준 사건은 1999년 8월 터키에서 발생한 지진 대참사였다. 수만 명이 희생당한 지진 참사에 형제의 아픔을 두고 볼 수 없다는 한국 국민들의 적극적인 동참으로 "터키의 아픔을 함께하는 사람들"이란 단체가 중심이 되어 국민적 모금 운동이 전개되었다. 당시 200만 달러가 넘는 성금이 터키에 전달되었다. 이 모금 운동은 한국이 그동안 원조를 받아 오던 나라에서 해외의 참사에 전 국민이 동참하여 도움을 줄 수 있는 진정한 글로벌 시민으로 성숙했다는 좋은 선례를 남기게 되었다. 이를 계기로 터키 지진 돕기에 참여했던 사회지도층들이 앞장서서 오늘날 '한국-터키친선협회'를 발족하였다. 바로 이 단체가 중심이 되어 2002년 한-일 월드컵 축구대회 때 5천여 명의 한국인 서포터즈들이 터키 국가대표팀을 응원하면서 세계 축구사에 길이 남는 3~4위전 명승부 장면을 선보였던 것이다. 2002 월드컵으로 한국-터키 두 국민은 급속도로 가까워졌으며 한국전쟁 이후 50여 년간 잊고 살았던 두 나라의 진정한 형제애가 다시 화려하게 부활하는 소중한 계기가 되었다.

'한국과 터키의 혈맹'이라는 지구상에서 유례를 찾을 수 없는 상호 문화적 친근성과 역사적 협력관계는 두 나라와 민족들에게 새로운 인식과 접근 태도를 필요로 한다. 단순한 정치·경제적 이해관계를 뛰어넘어 어떤 경우에도 흔들리지 않는 단단한 문화적 하부구조를 구축해야 한다. 이는 서로의 문화를 이해하는 데에서 출발한다. 아직도 두 민족은 상대의 역사와 문화, 삶의 방식, 종교 등에 대해 잘 모르는 상태다. 양국 교류의 역사를 중심으로 두 나라의 역사와 문화를 체계적으로 배우고 나아가 이를 이해할 수 있는 지속가능한 다양한 교류 프로그램들이 정착되기를 고대한다.

터키의 한국어 배우기 수요와 한류열풍에 화답하면서 터키로 향하는 수많은 한국 방문객들이 아름다운 터키 문화와 역사에 빠지고, 세계 최고의 손님 접대를 자랑하는 터키인들의 환대를 통해 양 국민 한 사람 한 사람이 진정한 형제애를 느낄 수 있었으면 좋겠다. 그리하여 갈등과 전쟁이 소용돌이치는 오늘의 세계에서 9천 킬로미터나 떨어진 두 민족이 아무 조건 없이 서로 존중하고 우의를 나누어 21세기 지구촌의 새로운 희망이자 관계의 전형으로 남을 수 있기를 고대한다.

제1장 숙연한 고대문명의 베일을 벗기다

- 김경미(2020), 〈신석기시대 거주지 차탈휘육(Çatalhöyük)의 삶과 예술〉,《동서인문학》, 계명대학교 인문과학연구소, 58: 145~178.
- _____(2020), 〈매장문화로 본 실크로드 지역의 고대 문명〉,《신라와 실크로드》, 계명대학교 실크로드 중앙아시아연구원 총서 20-3: 87~118.
- 고일홍 외(2018),《동서양의 접점 이스탄불과 아나톨리아》, 서울: 서울대학교출판문화원.
- 아슬란, 뤼스템(2019),《트로이, 신화의 도시》, 김종일 옮김, 파주: 청아출판사.
- 이희철(2012),《히타이트 점토판 속으로 사라졌던 인류의 역사》, 서울: 도서출판 리수.

- Aslan, Rüstam(2019), "Archaeological Site of Troy", Ertürk, Nevra & Karaku, Özlem(ed.), *Unesco World Heritage in Turkey 2019*, Turkish National Commission for UNESCO, Ankara: Grafiker, 254-279.
- Ayala, Gianna(2017), "Palaeoenvironmental reconstruction of the alluvial landscape of Neolithic Çatalhöyük, central southern Turkey: The implications for early agriculture and responses to environmental change", *Journal of Archaeological Science* 87: 30-43.
- Blagoje, Govedarica(2011), "Die Sakrale Symbolik des Kreises, Gedanken zum verbotenen Sinnbild der Hügelbestättigungen", *Ancestral Landscapes*, TMO 58, *Maison de l'Orient et de la Méditerranée*, Lyon: 33-46.
- Bryce, Trevor(2005), *The Kingdom of the Hittites*, New Ed., New York: Oxford University Press.
- _____(2012), *Life and Society in the Hittite World*, Oxford: Oxford University Press.
- Clare, Lee 외(2019), "Göbekli Tepe", Ertürk, Nevra & Karaku, Özlem(ed.), *Unesco World Heritage in Turkey 2019*, Turkish National Commission for UNESCO, Ankara: Grafiker, 523-547.
- Der, Linsay & Issavi, Justine(2017), "The Urban Quandary and the 'Mega-Site' from the Çatalhöyük Perspective", *Journal of World Prehistory*, Vol. 30: 189-206.
- Erb-Satullo, Nathaniel(2019), "The Innovation and Adoption of Iron in the Ancient Near East", *Journal of Archaeological Research* 27: 557-607.
- Gresky, Julia 외(2017), "Modified human crania from Göbekli Tepe provide evidence for a new form of Neolithic skull cult", *Science Advances*, 3: 1-10.
- Haddow, Scott D. & Knusel, Christopher J.(2017), "Skull Retrieval and Secondary Burial Practices in the Neolithic Near East: Recent Insights from Çatalhöyük, Turkey", *Bioarchaeology International*, Vol. 1,

No.1-2: 52-71

- Heller, Andre(2015), Rolliger, Robert(ed.), "Why the Greeks Knows so Little about Assyrian and Babylonian History", *Mesopotamia in the Ancient World*, Münster: Ugarit Verlag, 331-348.

- Hodder, Ian(ed)(2013), *Substantive Technologies at Çatalhöyük: Reports from the 2000-2008 Seasons*, London: British Institute at Ankara.

- Human, Helen(2019), "Neolithic Site of Çatalhöyük", Ertürk, Nevra & Karaku, Özlem(ed.), *Unesco World Heritage in Turkey 2019*, Turkish National Commission for UNESCO, Ankara: Grafiker, 300-315.

- Larsen, C. S. 외(2015), "Bioarchaeology of Neolithic Çatalhöyük: Lives and Lifestyles of an Early Farming Society in Transition", *Journal of World Prehistory*, Vol. 28: 27-68.

- Ledger, Marissa L. 외(2019), "Parasite Infection at the early farming community of Çatalhöyük", *Antiquity*, 93, 369: 573-587.

- Liebhart, Richard & Stephens, Lucas(2015), "Tumulus MM Fit For a King", *Expedition Magazine*, *Penn Museum*, Vol. 57, Issue 3: 1-11.

- Liebhart, Richard 외(2016), "A Fresh Look at the Tumuli of Gordion", *Tumulus as Sema*, *Topoi Berlin Studies of the Ancient World*, Berlin/Boston: De Gruyter, Vol. 27: 627-636.

- Macqueen, J.G.(2013), *The Hittites and their Contemporaries in Asia Minor*, Revised and Enlarged Ed., London: Thames & Hudson.

- McMahon, Gregory(ed.)(2011), *The Oxford Handbook of Ancient Anatolia:(10,000-323 BCE)*, New York: Oxford University Press.

- Meskell, Lynn(2015), "A Society of things: animal figurines and material scales at Neolithic Çatalhöyük Perspective", *World Archaeology*, Vol. 47(1): 6-19.

- Millek, Jesse(2021), "Why Did the World End in 1200 BCE?", *The Ancient Near East Today*, Vol. IX, No. 8: 1-7.

- Moreu, Carlos J.(2003), "The Sea Peoples and the Historical Background of the Trojan War", *Mediterranean Archaeology* 16: 107-124.

- Muhly, James D.(1974), "The Hittites and the Aegean World", *Expedition Magazine*, *Penn Museum*, Vol. 16, Issue 2: 2-10.

- Munn, Mark(2008), "Kybele as Kubaba in a Lydo-Phrygian Context", Collins, Billie Jean(ed.), *An Offprint from Anatolian Interfaces Hittites, Greeks and Their Neighbours*, Atlanta: Oxbow Books, 159-164.

- Nakamura, Carolyn & Meskell, Lynn(2009), "Articulate Bodies: Forms and Figures at Çatalhöyük", *Journal of Archaeological Method Theory*, Vol. 16: 205-230.

- Schachner, Andreas(2019), "Hattusha: The Hittite Capital", Ertürk, Nevra & Karaku, Özlem(ed.), *Unesco World Heritage in Turkey 2019*, Turkish National Commission for UNESCO, Ankara: Grafiker, 112-131.

- Schmidt, Klaus(2013), "Adler und Schlange: 'Großbilder' des Göbekli Tepe und ihre Rezeption", *Der Anschnitt Zeitschrift fuer Kunst und Kultur im Bergbau*, Beiheft 25, Anatolian Metal VI: 145-152.

- _____(2006), "Animals and a Headless Man at Göbekli Tepe", *Neo-Lithics* 2/2006: 38-40.

- Selsky, David(2019), "The Sedanthropocene: Nomadism, Ecology, Hypernormalization: Toward Reimagining the Holocene", *Societies* 9(1):21: 1-13.
- Walls, Neal H.(2005), *Cult Image and Divine Representation in the Ancient Near East*, Boston: American Schools of Oriental Research.

- Collins, Andrew, "First Pictorial Representation of Gobekli Tepe Found"(2015.09.17.), https://www.ancient-origins.net/news-history-archaeology/first-pictorial-representation-gobekli-tepe-found-003862(검색일: 2021.02.20.)
- German, Senta, "Çatalhöyük", https://www.khanacademy.org/humanities/prehistoric-art/neolithicart/neolithic-sites/a/atalhyk(검색일: 2021.02.15.)
- Iron Age Gordion, https://www.penn.museum/sites/gordion/iron-age-gordion/(검색일: 2021.08.20.)
- Jarus, Owen, "'World's Oldest Temple' May Have Been Cosmopolitan Center"(2012.03.16.), https://www.livescience.com/19085-world-oldest-temple-tools-pilgrimage.html(검색일: 2021.02.10.)
- Killgrove, Kristina, "These Ancient Headless Corpses Were Defleshed By Griffon Vultures"(2016.06.09.), https://www.forbes.com/sites/kristinakillgrove/2016/06/09/griffon-vultures-defleshed-corpses-to-create-headless-burials-in-ancient-anatolia/?sh=38ed23d839c6(검색일: 2021.08.01.)
- Sea Peoples, https://www.britannica.com/topic/Sea-People(검색일: 2021.08.05.)
- Strebe, Matthew, "Göbekli Tepe: Discovering the World's Oldest Religious Site"(2010.09.12.), https://popular-archaeology.com/article/gobekli-tepe-discovering-the-worlds-oldest-religious-site/(검색일: 2021.02.11.)
- The Chicago Hittite Dictionary Project, https://oi.uchicago.edu/research/projects/chicago-hittite-dictionary-project(검색일: 2021.08.01.)
- Whelan, Ed. "Kahin Tepe Excavation Uncovers Neolithic Temple in Turkey"(2020.10.02.), https://www.ancient-origins.net/news-history-archaeology/kahin-tepe-0014343(검색일: 2021.02.25.)

제2장 성서의 거룩한 땅을 밟다

- 김명실(2017), 〈정교회의 예배이콘에 대한 한국개신교의 편견을 극복하기 위한 연구: 이콘 논쟁의 간단한 역사와 그 신학적 담론들을 중심으로〉, 《신학과 실천》, 제56호: 37-73.
- 김상근(2007), 《세계사의 흐름을 바꾼 기독교의 역사》, 서울: 평단문화사.
- 김성(2002), 《김성 교수의 성서고고학 이야기》, 서울: 동방미디어.
- 김차규(1998), 〈콘스탄티누스의 니케아 공의회 개최의미〉, 《대구사학》, 70권: 157-194.
- _____(2005), 〈테오도시우스 2세의 에페소스 공의회 개최의미〉, 《대구사학》, 76권: 337-361.
- 대한성서공회(2001), 《성경전서 표준새번역 개정판》, 서울: 대한성서공회.
- 롱맨 3세, 트렘퍼·월튼, 존 H.(2021), 《노아 홍수의 잃어버린 세계: 신화, 신학, 홍수 논쟁》, 이용중 옮김, 서울: 새물결플러스.
- 바우머, 크리스토프(2016), 《실크로드 기독교: 동방교회의 역사》, 안경덕 옮김, 서울: 일조각.

- 박영호(2021), 《우리가 몰랐던 1세기 교회: 오늘의 그리스도인을 위한 사회사적 성경 읽기》, 서울: IVP.
- 박찬희(2012), 《박찬희 교수가 쉽게 쓴 동방정교회 이야기》, 서울: 신앙과 지성사.
- 스타크, 로드니(2016), 《기독교의 발흥》, 손현선 옮김, 서울: 좋은씨앗.
- 안용성(2020), 《두 이야기가 만나다: 요한계시록 서사로 읽기》, 서울: 새물결플러스.
- 오택현 외(2005), 《터키의 기독교 聖地》, 서울: 크리스천헤럴드.
- 유재원(2010), 《터키, 1만 년의 시간여행 . 02》, 파주: BM책문.
- 이은혜(2015), 〈테오도시우스 2세: 권력과 신앙〉, 《한국교회사학회지》, 제40집: 215-247.
- 이인경(2019), 〈중국 당대 경교의 수용 및 전개 양상과 신라 전래〉, 김현정 외, 《실크로드, 중국과 한국의 접점을 찾아서》, 대구: 계명대학교 실크로드 중앙아시아연구원, 168-207.
- _____(2018), 〈콘스탄티노플의 데오스(Theos)와 이스탄불의 알라(Allah)〉, 권상우 외, 《실크로드에서 만난 신 이야기》, 대구: 계명대학교 실크로드 중앙아시아연구원, 174-213.
- 장준철(2005), 〈보편공의회 이단 파문 법규의 분석〉, 《서양중세사연구》, 제16집: 1-30.
- 조기연(2012), 〈순교자·성자 공경에 대한 한국 개신교회적 이해〉, 《신학과 실천》, 제30호: 91-117.
- 조철수(2005), 《수메르 신화: 인류의 역사시대를 시작한 고대 메소포타미아 사람들의 이야기》, 서울: 서해문집.
- 주원준(2018), 《구약성경과 신들: 고대근동 신화와 고대 이스라엘의 영성》, 의정부: 한님성서연구소.
- 주원준·박태식·박현도(2019), 《신학의 식탁: 세 종교학자가 말하는 유다교 이슬람교 그리스도교》, 서울: 들녘.
- 최석우(2005), 〈공의회 개념의 문제〉, 《교회사연구》, 제25집: 5-11.
- 카를로, 피에르 토마(2020), 《에페소·칼케돈 공의회》, 황치헌 옮김, 화성: 수원가톨릭대학교 출판부.
- 탄너, 노만 P.(1999), 《간추린 보편 공의회사》, 김영식·최용감 옮김, 서울: 가톨릭출판사.
- 퍼거슨, 에버렛(1993), 《초대교회 배경사》, 엄성옥·박경범 공역, 서울: 은성.
- 하트, 데이비드 벤틀리(2020), 《그리스도교, 역사와 만나다: 유대교의 한 분파에서 세계 종교가 되기까지 2,000년의 이야기》, 양세규·윤혜림 옮김, 서울: 비아.
- 하성수 역주(2000), 《편지와 순교록: 폴리카르푸스》, 왜관: 분도출판사.

- Altinöz, A. Güliz et al.(2019), "Pergamon and its Multi-Layered Cultural Landscape", Ertürk, Nevra & Karakul, Özlem(ed.), *Unesco World Heritage in Turkey 2019*, Turkish National Commission for UNESCO, Ankara: Grafiker, 345-379.
- Giovanelli, Sedef Erdoğan(2015), "Christian cultural heritage and minority rights in Turkey: the Sumela Monastery case", *Turkish Review*, Vol. 5, Iss. 2: 120-127.
- Karaman, Aykut et al.(2019), "Archaeological Site of Ani", Ertürk, Nevra & Karakul, Özlem(ed.), *Unesco World Heritage in Turkey 2019*, Turkish National Commission for UNESCO, Ankara: Grafiker, 446-483.
- Ladstätter, Sabine et al.(2019), "Ephesus", Ertürk, Nevra & Karakul, Özlem(ed.), *Unesco World*

Heritage in Turkey 2019, Turkish National Commission for UNESCO, Ankara: Grafiker, 415-445.

- 정수일(2001), 〈문명충돌론과 이슬람 근본주의 두 허상을 버려라〉, https://shindonga.donga. com/3/all/13/101274/2/(검색일: 2021.08.29.)
- 주원준(2021), 〈주원준 구약의 사람들〉, EBS 클래스e.
- https://www.ktb.gov.tr/EN-113781/sumela-monastry.html(검색일: 2021.08.29.)
- https://muze.gov.tr/muze-detay?SectionId=SML01&DistId=MRK(검색일: 2021.08.29.)
- https://www.hani.co.kr/arti/culture/culture_general/806390.html(검색일: 2021.08.20.)
- https://www.seoul.co.kr/news/newsView.php?id=20170801021006(검색일: 2021.08.20.)

제3장 그리스-로마 문명의 흔적을 뒤지다

- Alper, Berrin 외(ed.)(2019), "Dıyarbakır Fortress and Hevsel Gardens Cultural Landscape", Ertürk, Nevra & Karakul, Özlem(ed.), *Unesco World Heritage in Turkey 2019*, Turkish National Commission for UNESCO, Ankara: Grafiker, 381-413.
- Altinöz, A. Güliz 외(ed.)(2019), "Pergamon and its Multi-Layered Cultural Landscape", Ertürk, Nevra & Karakul, Özlem(ed.), *Unesco World Heritage in Turkey 2019*, Turkish National Commission for UNESCO, Ankara: Grafiker, 345-379.
- Basaran, Tahsin(2007), "The Heating System of the Roman Baths", *ASHRAE Transactions*, Vol. 113: 199-205.
- Berlin, Andrea(2019), *Spear-Won Land : Sardis from the King's Peace to the Peace of Apamea*, *Madison*: The University of Wisconsin Press.
- Bernhard Ludwig(2020), "Reconstructing the Ancient Route Network in Pergamon's Surroundings", *Land*, Vol. 9, No. 241: 1-40.
- Çukur, Hasan(2014), "Land Degradation and Natural Environment in the Western Anatolia Procedia", *Social and Behavioral Sciences*, Vol. 120, No. 19: 779-787.
- Denker, A. & Oniz, H.(2015), "The Legend of Mount Nemrud: Commagene Kingdom 3D Reconstruction of the Archaeological Remains of the Holy Sanctuary on Mount Nemrud", *BAR International Series*, Vol. 2695, No.2: 1081-1088.
- Elspeth, R. M.(2003), *Aspects of Empire in Achaemenid Sardis*, Cambridge: Cambridge University Press.
- Faita, A. S.(2000), *The Great Altar of Pergamon: the monument in its historical and cultural context*, *Bristol*: Bristol University Press.
- Farnell, L. R.(1890), "Various Works in the Pergamene Style", *The Journal of Hellenic Studies*, Vol. 11: 181-209.
- Frederick, E. Brenk(1998), "Artemis of Ephesos: An Avant Garde Goddess", *Kernos*, Vol. 11: 157-171.
- French, D. H.(1991), "Commagene: Territorial Definitions", *Asia Minor Studien*, Vol. 3: 11-20.
- Güçhann, Neriman Şahin(2019), "Nemrut Dağ", Ertürk, Nevra & Karakul, Özlem(ed.), *Unesco World*

Heritage in Turkey 2019, Turkish National Commission for UNESCO, Ankara: Grafiker, 133-163.

- Halifeoglun, Fatma M.(2015), "Castle architecture in Anatolia: Fortifications of Diyarbakir", *Frontiers of Architectural Research*, Vol. 2: 209‒221.

- Howard, Seymour(1983), "The Dying Gaul, Aigina Warriors, and Pergamene Academicism", *American Journal of Archaeology*, Vol. 87, No. 4: 483-487.

- Jerome Jordan Pollitt(1986), *Art in the Hellenistic Age*, Cambridge: Cambridge University Press.

- Kahl, Brigitte(2005), "Reading Galatians and empire at the great altar of Pergamon", *Union Seminary Quarterly Review*, Vol. 59, No. 3: 21-43.

- Karaman, Aykut 외(ed.)(2019), "Aphrodısıas", Ertürk, Nevra & Karakul, Özlem(ed.), *Unesco World Heritage in Turkey 2019*, Turkish National Commission for UNESCO, Ankara: Grafiker, 485-521.

- Kraft, John C.(2007), "The Geographies of Ancient Ephesus and the Artemision in Anatolia." *Geoarchaeology*, Vol. 22: 121-149.

- Ladstätter, Sabine 외(ed.)(2019), "Ephesus", Ertürk, Nevra & Karakul, Özlem(ed.), *Unesco World Heritage in Turkey 2019*, Turkish National Commission for UNESCO, Ankara: Grafiker, 415-445.

- Lahe, Jaan(2018), "Roman Mithras, Mithra of Commagene, and Miiro in the Kushan Empire ‒ A Study in Comparative Iconography", *Theological Journal*, Vol. 72: 16-36.

- Lenski, Noel(2007), "Two Sieges of Amida(Ad 359 and 402-503) and the Experience of Combat in the Late Roman Near East", *BAR Inernational Series*, Vol. 1717: 219-236.

- Mittag, Peter(2004), "On the Self-stylization of Antiochus I of Commagene", *Gephyra*, Vol. 1: 1-26.

- Nancy T. 외(ed.)(2001), *From Pergamon to Sperlonga: Sculpture and Context*, Berkeley: University of California Press.

- Nikolaus, Dietrich(2016), "Exposed bedrock in Miletus and Priene: an overlooked aspect of Hellenistic and Imperial-era Urbanism", *Revue archéologique*, Vol. 62: 303-328.

- Robertson, Noel(1987), "Government and Society at Miletus, 525-442 B.C.", *Phoenix*, Vol. 41, No. 4: 356-398.

- Seaman, Kris(2016), "Pergamon and Pergamene Influence", *M. Miles, Companion to Greek Architecture*, Oxford: Wiley-Blackwell, 406-423.

- Steadman, Sharon R.(2011), *The Oxford handbook of ancient Anatolia, 10,000-323 B.C.E.*, Oxford: Oxford University Press.

- Steger, F.(2001), "Daily medical practice in the Roman Empire from the patients perspective: P. Aelius Aristides, a patient of Asklepios in Pergamon", *Medizin, Gesellschaft, und Geschichte, Jahrbuch des Instituts für Geschichte der Medizin der Robert Bosch Stiftung*, Vol. 20: 45-71.

- Tomas, J. M.(2020), *Variation in representation through architectural benefaction under Roman rule : five cases from the province of Asia*, c.40B.C.-A.D.68, Durham: Durham University Press.

- Topal, Tamer(2015), "Decay of Limestone Statues at Mount Nemrut", *International Journal of Architectural Heritage*. Vol. 9, No. 3: 244-264,

- Türer, A.(2012), "Reverse-engineering evaluation and monitoring of nemrut monuments", *International Journal of Architectural Heritage*, Vol. 6, No. 4: 373-395.

- Uray, Firat(2015), "3D Architectural Surveying of Diyarbakir Wall's Ulu Beden Tower with Terrestrial

Laser Scanner", *Procedia Earth and Planetary Science*, Vol. 15: 73-78.

- Varkivanç, Burhan(2019), "Xanthos", Ertürk, Nevra & Karakul, Özlem(ed.), *Unesco World Heritage in Turkey 2019*, Turkish National Commission for UNESCO, Ankara: Grafiker, 195-204.

제4장 관용과 상생을 깨우친 이슬람 시대를 거닐다

- 바사란 바하르 외(2018), 《터키를 가다》, 계명대학교 실크로드 중앙아시아연구원.
- 박노해(2010), 〈삶의 나이〉, 《그러니 그대 사라지지 말아라》, 서울: 느린걸음.
- 오르한 파묵(2008), 《이스탄불: 도시 그리고 추억》, 서울: 민음사.
- 홍순희(2018), 〈루미와 사랑의 종교 수피즘, 그리고 접신〉, 《실크로드에서 만난 신 이야기》, 계명대학교 실크로드 중앙아시아연구원, 390~425.

- Ahunbay, Zeynep(2019), "Historic Areas of Istanbul", Ertürk, Nevra & Karakul, Özlem (ed.), *Unesco World Heritage in Turkey 2019*, Turkish National Commission for UNESCO, Ankara: Grafiker, 14-53.
- Ahunbay, Zeynep(ed.)(2012), *Selimiye Mosque And It's Social Complex*, Ankara: T.C Kültür ve Turizm Bakanligi.
- Arumugam, Raj(2011), *Nasreddin Hodja: 100 tales in verse*, CreateSpace Independent Publishing Platform.
- Ay, Aydemir(2010), *Kirkpinar Oil Wrestling Edirne, Turkey*, Edirne: Ceren Kitapevi.
- Barnes, John R.(1987), *An Introduction to Religious Foundations in the Ottoman Empire*, Leiden: Brill.
- Barokas, Rifat, Özgöker, Ugur(2013), *Historical Peninsula of Istanbul Fener-Balat, Culture-Faith and Religion Based Tourism*, Istanbul: gündoğan yayınları.
- Bilgi, Elif M.(2013), *The physical evolution of a capital city: Morphological analysis of the historic city of Ankara between 1839 and 1944*, Saarbrücken: LAP LAMBERT Academic Publishing.
- Cagaptay, Suna(2020), *The First Capital of the Ottoman Empire: The Religious, Architectural, and Social History of Bursa*, London: I.B. Tauris.
- Campos, Michelle(2010), *Ottoman Brothers: Muslims, Christians, and Jews in Early Twentieth-Century Palestine*, Stanford University Press.
- Charles River Editors(2018), *The Rise and Fall of Constantinople: The History of the Byzantine Capital's Establishment and Demise*, Charles River Editors.
- Curatola, Giovanni(2010), *Turkish Art and Architecture: From the Seljuks to the Ottomans*, New York: Abbeville Press.
- Dark, Ken, Kostenec, Jan(2019), *Hagia Sophia in Context: An Archaeological Re-examination of the Cathedral of Byzantine Constantinople*, Oxford: Oxbow Books.
- Dorroll, Philip(2021), *Islamic Theology in the Turkish Republic*, Edinburgh University Press.
- Dostoğlu, Neslihan(2019), "Bursa and Cumalikizik: The Birth of the Ottman Empire", Ertürk, Nevra & Karakul, Özlem (ed.), *Unesco World Heritage in Turkey 2019*, Turkish National Commission for UNESCO, Ankara: Grafiker, 316-343.
- Duducu, Jem(2019), *The Sultans: The Rise and Fall of the Ottoman Rulers and Their World: A 600-*

Year History, Stroud: Amberley Publishing.

- Gholi, Ahmad, Mosaabad, M. A.(2014), "Impediments of Reaching God and Way of Surmounting Them in Two Selected Allegory of Rumi's Spiritual Couplets", TPLS 4(8), 1675-1680.
- Gippner, Olivia(2010), *Germany's Dilemma on Turkey in the European Union: How German Politics Impact the Future of Turkey's EU Membership Bid*, Saarbrücken: LAP LAMBERT Academic Publishing.
- Goodwin, Godfrey, Scot, P., Yenal, E.(1995), *Reflections of paradise: Silks and tiles from Ottoman Bursa*, Istanbul: Ertug and Kocabiyik.
- Kappol, Timur, Güner, Yavuz, Akansel Sennur Zeynep(2019), "Selimiye Mosque and Its Social Complex", Ertürk, Nevra & Karakul, Özlem (ed.), *Unesco World Heritage in Turkey 2019*, Turkish National Commission for UNESCO, Ankara: Grafiker, 280-299.
- Kinross, Patrick(2012), *Ataturk: The Rebirth of a Nation*, London: Weidenfeld & Nicolson.
- Köksal, Yonca(2019), *The Ottoman Empire in the Tanzimat Era: Provincial Perspectives from Ankara to Edirne*, Routledge.
- Kúçük, Húrlya(2007), "Dervishes Make a City: The Sufi Culture in Konjy", CMES 16(3), 241-253.
- Kugle, Scott(2007), *Sufis and Saints' Bodies: Mysticism, Corporeality, and Sacred Power in Islam*, University of North Carolina Press.
- Kühn, Monika.(1994), *Karagöz und Rumpelstilzchen. Türkisches und deutsches Schattentheater*. Stuttgart: Auer.
- Marinis, Vasileios(2013), *Architecture and Ritual in the Churches of Constantinople: Ninth to Fifteenth Centuries*, Cambridge University Press.
- Mccarthy, Justin(1997), *The Ottoman Turks: An Introductory History to 1923*, Routledge.
- Mojaddedi, Jawid(2018), "Rumi. Beyond Balkh and Konya", SUFI 94(Winter), 44-49.
- Pamuk, Orhan(2006), *Istanbul: Memories and the City*, New York: Vintage.
- Peacock, A. C. S.(2012), *The Seljuks of Anatolia: Court and Society in the Medieval Middle East*, London: I.B. Tauris.
- Pierpont, Ann.(2007), *Sinan Diaryz: A Walking Tour of Mimar Sinan's Monuments*, Istanbul: Citlembik Publications.
- Rizvi, Kishwar(2020), *The Transnational Mosque: Architecture and Historical Memory in the Contemporary Middle East*, University of North Carolina Press.
- Rumi, Jalaloddin(2020), *The Masnavi of Rumi*, Williams, Alan (trans.), London: I.B. Tauris.
- Schibille, Nadine(2016), *Hagia Sophia and the Byzantine Aesthetic Experience*, Routledge.
- Spandounes, Theodore(1997), *On the Origins of the Ottoman Emperors*, Nicol, D. M. (ed. & trans.), Cambridge University Press.
- https://whc.unesco.org/en/list/1452/ (Bursa and Cumalıkızık: the Birth of the Ottoman Empire) (검색일: 2021.06.30.)
- https://whc.unesco.org/en/list/356/ (Historic Areas of Istanbul) (검색일: 2021.06.30.)
- https://whc.unesco.org/en/list/1366/ (Selimiye Mosque and its Social Complex) (검색일: 2021. 06.30.)

- 배은숙 외(2019),《터키인문학》, 대구: 계명대학교 실크로드 중앙아시아연구원.
- 아슬란, 뤼스템(2019),《트로이, 신화의 도시》, 김종일 옮김, 서울: 청아출판사.
- 이희수(2015),《터키 박물관 산책》, 서울: 푸른숲.
- ＿＿＿(2016),《터키사 100》, 서울: 청아출판사.
- ＿＿＿(2004),《이스탄불 동서양 문명의 교류》, 서울: 살림.
- ＿＿＿(1999),《세계문화기행》, 서울: 일빛.
- 클로, 앙드레 (2016),《술레이만 시대의 오스만제국》, 배영란 · 이주영 옮김, 서울: W미디어.
- 프로코피우스(2015),《비잔틴제국 비사》, 곽동훈 옮김, 서울: 들메나무.
- 피츠로이, 찰스(2014),《18세기 오스만제국의 수도 이스탄불을 가다》, 우진하 옮김, 서울: 시그마북스.

- Basan, Ghillie(2006), *The Middle Eastern Kitchen*, New York: Hippocrene Books.
- Ben, Wittner & Sascha, Thoma(2011), *Arabesque 2: Graphic Design from the Arab World and Persia*, Berlin: Die Gestalten Verlag.
- Besir Ayvazoglu(2008), *Turkish Coffee Culture: A Cup of Coffee Commits One To Forty Years of Friendship*, Ankara: Republic of Turkey Ministry of Culture and Tourism.
- Canbulat, İbrahim(2019), "City of Safranbolu", Ertürk, Nevra & Karakul, Özlem(ed.), *Unesco World Heritage in Turkey 2019*, Turkish National Commission for UNESCO, Ankara: Grafiker, 226-253.
- Coşkun, Mevlüt and Karakul, Özlem(2019), "Göreme National Park and the Rock Sites of Cappadocia", Ertürk, Nevra & Karakul, Özlem(ed.), *Unesco World Heritage in Turkey 2019*, Turkish National Commission for UNESCO, Ankara: Grafiker, 54-87.
- Giuseppe, Scardozzi(2020), *The Territory of Hierapolis in Phrygia*, Istanbul: Ege Yayinlari.
- Mohammad, Khazâie(2005), "The Source and Religious Symbolism of the Arabesque in Medieval Islamic Art of Persia", *Central Asiatic Journal*, Vol.49, No.1: 27-50.
- Ousterhout, Robert(2005), *A Byzantine Settlement in Cappadocia*, Washington D. C.: Dumbarton Oaks.
- Özgönül, Nimet(2019), "Hierapolis-Pamukkale", Ertürk, Nevra & Karakul, Özlem(ed.), *Unesco World Heritage in Turkey 2019*, Turkish National Commission for UNESCO, Ankara: Grafiker, 164-193.
- Ritti, Tullia(2006), *An epigraphic guide to Hierapolis(Pamukkale)*, Istanbul: Ege Yayınları.
- Rodley, Lyn.(2010), *Cave Monasteries of Byzantine Cappadocia*, Cambridge: Cambridge University Press.
- Singh, A. P.(2017), "Existence of Arabesque in Islamic Architecture", *International Journal of Scientific and Research Publications*, Vol.7, No.6: 292-295.
- Susan, Sinclair(2012), *Bibliography of Art and Architecture in the Islamic World* (2vols.), Leiden: Brill.
- Van Dam, R.(2002), *Kingdom of Snow: Roman rule and Greek culture in Cappadocia*, Philadelphia: University of Pennsylvania Press.

저자 소개

기획 및 총괄

김중순　계명대학교 실크로드 중앙아시아연구원장
　　　　독일 짜알란트 국립대학 철학박사, 종교학 전공
　　　　집필부분: 제5장 신이 빚은 자연에 인간의 삶을 녹이다

책임집필 및 감수

이희수　계명대학교 실크로드 중앙아시아연구원 특임교수
　　　　터키 이스탄불 대학교 역사학과 철학박사, 인류학 전공
　　　　집필부분: 개요, 부록

집필위원

김경미　계명대학교 Tabula Rasa College 교수
　　　　독일 하이델베르크 대학교 미술사학과 철학박사, 서양미술사 전공
　　　　집필부분: 제1장 숙연한 고대문명의 베일을 벗기다

이인경　계명대학교 Tabula Rasa College 교수
　　　　연세대학교 신학과 철학박사, 기독교윤리학 전공
　　　　집필부분: 제2장 성서의 거룩한 땅을 밟다

배은숙　계명대학교 Tabula Rasa College 교수
　　　　경북대학교 역사학과 문학박사, 그리스 로마사 전공
　　　　집필부분: 제3장 그리스-로마 문명의 흔적을 뒤지다

홍순희　계명대학교 Tabula Rasa College 교수
　　　　계명대학교·서울대학교 인문대학 철학박사, 독문학·비교문학 전공
　　　　집필부분: 제4장 관용과 상생을 깨우친 이슬람 시대를 거닐다

계명대학교 사진

박창모　계명대학교 홍보팀, 사진기록연구소 운영위원
　　　　출판(사진집 2권, 자료집 3권), 전시(개인전 3회, 단체전 27회)

| 사진 판권

32   <사진 2> German Archaeological Institute, photo E. Kücük.

33   <사진 3> Zhengan

38   <사진 4> Dossemann, <사진 5> 유네스코

39   <사진 6> 유네스코, <사진 7> DAI Archives, <사진 8> Lee Clare(DAI Archives)

187   <사진 3> Carole Raddato

189   <사진 5> Nikolas lloyd

212   <사진 18> Miguel Hermoso Cuesta

213   <사진 19> Joé sLuiz Bernardes Ribeiro, <사진 20> MM

227   <사진 26> Kameister

385   <사진 21> Sailko

그 외

- 계명대학교(사진에 별도 표시)

- 셔터스톡

계명대학교 실크로드 중앙아시아연구원 총서 21-1

위대한 유산 아나톨리아
Legacy of Anatolia

—

초판 1쇄 인쇄 · 2021. 10. 30.

초판 1쇄 발행 · 2021. 11. 15.

—

지은이　　계명대학교 실크로드 중앙아시아연구원

제작자　　경상북도, 계명대학교

발행인　　이상용

발행처　　청아출판사

출판등록　1979. 11. 13. 제9-84호

주소　　　경기도 파주시 회동길 363-15

대표전화　031-955-6031　　팩스　031-955-6036

전자우편　chungabook@naver.com

—

ISBN 978-89-368-1198-3 03900

—

* 이 책은 〈실크로드 중앙아시아 인무루트 조성사업〉을 위한 경상북도의 지원으로 출판되었습니다.

—

값은 뒤표지에 있습니다.

잘못된 책은 구입한 서점에서 바꾸어 드립니다.

본 도서에 대한 문의사항은 이메일을 통해 주십시오.